중학 수학 **3**·1

UP 내신업 기말고사 대비

구성과 특징
Structures&Features

Part I

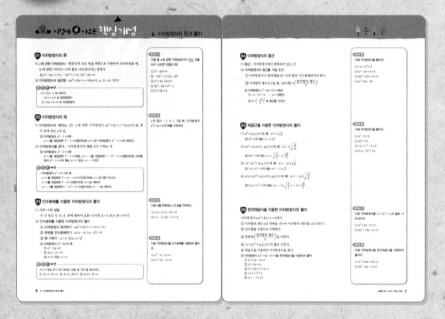

> ## 시험에 꼭 나오는 핵심 개념

각 단원에서 꼭 알아야 할 핵심 개념을 꼼꼼하게 정리하였고, 포인트 개념을 두어 중요한 개념을 한눈에 확인할 수 있도록 하였습니다.

> ## 예제

각 개념의 정의와 공식을 단순히 적용하여 학습한 개념을 바로 확인할 수 있는 기초 문제로 구성하였습니다.

Part II

| 싹쓸이 핵심 기출문제 |

전국 1,000여 개 중학교의 5년간 기출문제를 분석하여 출제율이 높은 핵심 문제를 엄선하여 시험 직전에 최종 확인할 수 있도록 하였습니다.

| 싹쓸이 핵심 예상문제 |

싹쓸이 핵심 기출문제의 유형에 대하여 '숫자를 바꾼 문제', '표현을 바꾼 문제'로 구성하여 유형을 확실히 익힐 수 있도록 하였습니다.

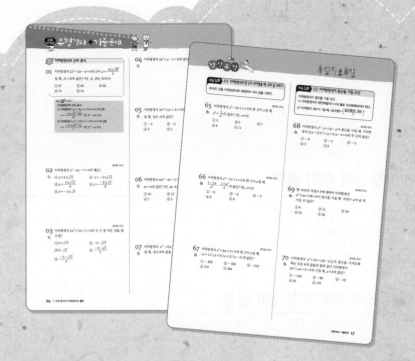

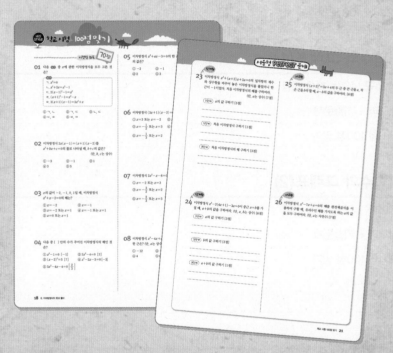

유형격파 + 기출문제

2015 개정 교육과정의 새 교과서와 전국 1,000여 개 중학교의 5년간 기출문제를 분석하여 시험에 꼭 나오는 대표유형과 그 유사문제를 난이도, 출제율과 함께 실었습니다.

내신 UP POINT

문제 해결을 위한 도움말을 제공하였습니다.

발전 유형

까다로운 기출문제를 유형별로 분석하여 발전 개념과 함께 구성하였습니다.

학교시험 100점 맞기

전국 1,000여 개 중학교의 5년간 기출 사이클 분석을 바탕으로 기말고사 적중률 100%에 도전하는 문제들을 수록하였습니다.

서술형 PERFECT 문제

실제 학교 시험과 유사한 서술형 문제로 단계형, 사고력 문제를 실었습니다.

| 실전 모의고사 |

실제 시험과 같이 구성한 실전 모의고사를 총 5회 실어 시험에 대한 자신감을 기를 수 있도록 하였습니다.

차례
Contents

중학 수학

Part I

시험에 꼭 나오는 핵심 개념

유형격파 + 기출문제

학교시험 100점 맞기

01 이차방정식의 뜻

(1) x에 관한 이차방정식 : 방정식의 모든 항을 좌변으로 이항하여 정리하였을 때,
(x에 관한 이차식)$=0$의 꼴로 나타내어지는 방정식

　예 $x^2-3x+1=0$, $-2x^2+1=0$, $3x^2-2x=0$

(2) 이차방정식의 일반형 : $ax^2+bx+c=0(a\neq0$, a, b, c는 상수)

포인트개념

• x^2+3x-2 ➡ 이차식

　$-2x+1=0$ ➡ 일차방정식

　$x^2+2x+4=0$ ➡ 이차방정식

02 이차방정식의 해

(1) 이차방정식의 해(또는 근) : x에 관한 이차방정식 $ax^2+bx+c=0(a\neq0)$을 참이 되게 하는 x의 값

　예 이차방정식 $x^2-1=0$에

　　$x=1$을 대입하면 $1^2-1=0$(참)이므로 $x=1$은 이차방정식 $x^2-1=0$의 해이다.

(2) 이차방정식을 푼다. : 이차방정식의 해를 모두 구하는 것

　예 이차방정식 $x^2-1=0$에

　　$x=1$을 대입하면 $1^2-1=0$(참), $x=-1$을 대입하면 $(-1)^2-1=0$(참)이므로 이차방정식 $x^2-1=0$의 해는 $x=1$ 또는 $x=-1$이다.

포인트개념

• 이차방정식 $x^2-4=0$의 해

　$x=1$을 대입하면 $1^2-4=-3\neq0$(거짓)이므로 $x=1$은 해가 아니다.

　$x=2$를 대입하면 $2^2-4=0$(참)이므로 $x=2$는 해이다.

　$x=-2$를 대입하면 $(-2)^2-4=0$(참)이므로 $x=-2$는 해이다.

03 인수분해를 이용한 이차방정식의 풀이

(1) $AB=0$의 성질

두 수 또는 두 식 A, B에 대하여 $AB=0$이면 $A=0$ 또는 $B=0$이다.

(2) 인수분해를 이용한 이차방정식의 풀이

① 이차방정식 정리하기 : $ax^2+bx+c=0(a>0)$

② 좌변을 인수분해하기 : $a(x-\alpha)(x-\beta)=0$

③ 해 구하기 : $x=\alpha$ 또는 $x=\beta$

　예 이차방정식 $x^2=2x$의 해

　　① $x^2-2x=0$

　　② $x(x-2)=0$

　　③ $x=0$ 또는 $x=2$

포인트개념

$A=0$ 또는 $B=0$의 의미는 다음 세 가지 중 하나이다.

① $A=0$, $B=0$　② $A=0$, $B\neq0$　③ $A\neq0$, $B=0$

예제 1

다음 중 x에 관한 이차방정식이 <u>아닌</u> 것을 모두 고르면? (정답 2개)

① $x^2-3x=0$

② $-2x^2-1=3x-2x^2$

③ $x^2+2x+4=0$

④ $3x^2-2x=x^2-1$

⑤ x^2+5x+4

예제 2

x의 값이 -1, 0, 1, 2일 때, 이차방정식 $x^2+2x=0$의 해를 구하여라.

예제 3

다음 식을 만족하는 x의 값을 구하여라.

(1) $(x+1)(x-2)=0$

(2) $(x-1)(2x-3)=0$

예제 4

다음 이차방정식을 인수분해를 이용하여 풀어라.

(1) $x^2-x-2=0$

(2) $x^2+3x-4=0$

04 이차방정식의 중근

(1) 중근 : 이차방정식에서 중복되어 있는 근

(2) 이차방정식이 중근을 가질 조건

    ① 이차방정식이 (완전제곱식)=0의 꼴로 인수분해되어야 한다.

    ② 이차항의 계수가 1일 때, $(상수항)=\left(\dfrac{일차항의\ 계수}{2}\right)^2$

    예 이차방정식 $x^2-6x+9=0$에서

      ① $(x-3)^2=0$ ∴ $x=3$(중근)

      ② $9=\left(\dfrac{-6}{2}\right)^2$ ➡ 중근을 가진다.

05 제곱근을 이용한 이차방정식의 풀이

(1) $x^2=q(q\geq0)$의 해 : $x=\pm\sqrt{q}$

    예 $x^2=3$의 해는 $x=\pm\sqrt{3}$

(2) $ax^2=q(a\neq0,\ aq\geq0)$의 해 : $x=\pm\sqrt{\dfrac{q}{a}}$

    예 $2x^2=3$의 해는 $x=\pm\sqrt{\dfrac{3}{2}}=\pm\dfrac{\sqrt{6}}{2}$

(3) $(x+p)^2=q(q\geq0)$의 해 : $x=-p\pm\sqrt{q}$

    예 $(x+1)^2=3$의 해는 $x=-1\pm\sqrt{3}$

(4) $a(x+p)^2=q(a\neq0,\ aq\geq0)$의 해 : $x=-p\pm\sqrt{\dfrac{q}{a}}$

    예 $2(x+1)^2=3$의 해는 $x=-1\pm\sqrt{\dfrac{3}{2}}=-1\pm\dfrac{\sqrt{6}}{2}$

06 완전제곱식을 이용한 이차방정식의 풀이

이차방정식 $ax^2+bx+c=0$에서

① 이차항의 계수 a로 양변을 나누어 이차항의 계수를 1로 만든다.

② 상수항을 우변으로 이항한다.

③ 양변에 $\left(\dfrac{일차항의\ 계수}{2}\right)^2$을 더한다.

④ $(x+p)^2=q(q\geq0)$의 꼴로 고친다.

⑤ 제곱근을 이용하여 이차방정식을 푼다.

    예 이차방정식 $2x^2+4x-8=0$을 완전제곱식을 이용하여 풀면

      ① $x^2+2x-4=0$

      ② $x^2+2x=4$

      ③ $x^2+2x+1=4+1$

      ④ $(x+1)^2=5$

      ⑤ $x=-1\pm\sqrt{5}$

예제 5

다음 이차방정식을 풀어라.

(1) $(x+3)^2=0$

(2) $x^2-4x+4=0$

(3) $4x^2+12x+9=0$

(4) $x^2=8x-16$

예제 6

다음 이차방정식을 풀어라.

(1) $x^2-2=0$

(2) $3x^2=15$

(3) $(x+1)^2-3=0$

(4) $2(x-2)^2=12$

예제 7

다음 이차방정식을 $(x+p)^2=q$의 꼴로 나타내어라.

(1) $x^2+2x-2=0$

(2) $2x^2-12x-6=0$

예제 8

다음 이차방정식을 완전제곱식을 이용하여 풀어라.

(1) $x^2+10x+18=0$

(2) $3x^2-6x-3=0$

대표 유형 이차방정식의 뜻

01 다음 중 x에 관한 이차방정식은?

① $2x^2-3x+1$ ② $0 \cdot x^2+2x=0$

③ $x^2-\dfrac{1}{2}x=x^2$ ④ $x^2-7=0$

⑤ $x^3+3x+1=0$

출제율 95%

02 다음 중 x에 관한 이차방정식은 모두 몇 개인가?

> **보기**
>
> ㄱ. $x(x+1)=x^2$ ㄴ. $\dfrac{x^2-1}{2}=-5x$
>
> ㄷ. $(x+2)(x-3)=0$ ㄹ. $4x^2=(2x+1)^2$
>
> ㅁ. $(x-2)^2-9=0$

① 1개   ② 2개   ③ 3개

④ 4개   ⑤ 5개

출제율 95%

03 다음 등식이 x에 관한 이차방정식이 되기 위한 a의 값으로 옳지 <u>않은</u> 것은?

$$(a-1)x^2-2x=0$$

① -2 ② -1 ③ 0

④ 1 ⑤ 2

출제율 90%

04 등식 $(ax-3)(2x+1)=-3x^2+4$가 x에 관한 이차방정식일 때, 상수 a의 값으로 옳지 <u>않은</u> 것은?

① $-\dfrac{3}{2}$ ② $-\dfrac{1}{2}$ ③ -1

④ $\dfrac{1}{2}$ ⑤ 2

출제율 85%

05 이차방정식 $-2(x+1)^2+5x=(3x-1)^2$을 $ax^2+bx+3=0$의 꼴로 나타낼 때, 상수 a, b에 대하여 $a+b$의 값을 구하여라.

대표 유형 이차방정식의 해

06 x의 값이 -2, -1, 0, 1, 2일 때, 이차방정식 $x^2+2x-3=0$의 해는?

① $x=1$ ② $x=-1$

③ $x=-3$ ④ $x=-1$ 또는 $x=3$

⑤ $x=1$ 또는 $x=-3$

출제율 95%

07 다음 이차방정식 중 $x=-2$를 근으로 가지는 것은?

① $(x-2)^2=0$ ② $(x+5)^2=10$

③ $x^2+4x-6=0$ ④ $x^2+x-6=0$

⑤ $x^2+5x+6=0$

08 다음 중 [ ] 안의 수가 주어진 이차방정식의 해인 것은?

① $x^2=4$ [4]

② $(x-2)(x+3)=0$ [-2]

③ $x^2+3=4x$ [-1]

④ $x^2-x-6=0$ [3]

⑤ $2x^2+3x-5=0$ [2]

09 x의 값이 -1보다 크거나 같고 3보다 작은 정수일 때, 이차방정식 $x^2+x-2=0$의 해를 구하면?

① $x=-1$ ② $x=0$ ③ $x=1$

④ $x=2$ ⑤ $x=-1$ 또는 $x=1$

10 x의 값이 부등식 $2(x-1) \leq x+1$을 만족하는 자연수일 때, 이차방정식 $(x-2)^2=x$의 해는?

① $x=1$ ② $x=2$ ③ $x=3$

④ $x=4$ ⑤ $x=5$

대표유형 이차방정식의 한 근이 주어졌을 때, 미지수의 값 구하기

11 x에 관한 이차방정식 $2x^2-ax+2=0$의 한 근이 $\dfrac{1}{2}$일 때, 상수 a의 값은?

① -3 ② -1 ③ 1

④ 3   ⑤ 5

12 x에 관한 이차방정식 $(a+2)x^2+3x-2=0$의 한 근이 -2일 때, 상수 a의 값은?

① -2 ② -1 ③ 0

④ 1   ⑤ 2

13 이차방정식 $2x^2+ax-5=0$의 한 근이 -1이고 이차방정식 $3x^2-4x+b=0$의 한 근이 2일 때, ab의 값은? (단, a, b는 상수)

① -10 ② -6 ③ 2

④ 8   ⑤ 12

14 다음 두 이차방정식의 공통의 해가 $x=2$일 때, $a+b$의 값을 구하여라.(단 a, b는 상수)

$$x^2-ax=-10, \quad 2x^2-x-b=0$$

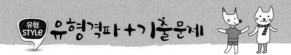

이차방정식의 한 근이 주어졌을 때, 식의 값 구하기

15 이차방정식 $2x^2+3x-5=0$의 한 근이 a일 때, $2a^2+3a-1$의 값은?

① -6　　② -4　　③ 2

④ 4　　⑤ 6

출제율 90%

16 이차방정식 $3x^2-6x+2=0$의 한 근이 m일 때, m^2-2m의 값은?

① $-\dfrac{2}{3}$　　② $-\dfrac{1}{2}$　　③ $-\dfrac{1}{3}$

④ $\dfrac{1}{2}$　　⑤ $\dfrac{2}{3}$

출제율 85%

17 이차방정식 $x^2-4x+1=0$의 한 근이 a일 때, $a+\dfrac{1}{a}$의 값은? (단, $a\ne0$)

① -4　　② -2　　③ 2

④ 4　　⑤ 6

출제율 85%

18 이차방정식 $x^2-3x-4=0$의 한 근이 a이고 이차방정식 $2x^2+x-5=0$의 한 근이 b일 때, a^2+2b^2-3a+b의 값은?

① -9　　② -1　　③ 1

④ 3　　⑤ 9

$AB=0$의 성질을 이용한 이차방정식 풀이

19 이차방정식 $(x+3)(2x-1)=0$을 풀면?

① $x=3$ 또는 $x=-\dfrac{1}{2}$　　② $x=-3$ 또는 $x=\dfrac{1}{2}$

③ $x=\dfrac{1}{2}$ 또는 $x=3$　　④ $x=-\dfrac{1}{2}$ 또는 $x=-3$

⑤ $x=\dfrac{1}{2}$ 또는 $x=\dfrac{3}{2}$

출제율 90%

20 다음 중 해가 $x=2$ 또는 $x=-\dfrac{4}{3}$인 이차방정식은?

① $(x+2)(3x-4)=0$　　② $(x+2)\left(x-\dfrac{4}{3}\right)=0$

③ $(x-2)(3x+4)=0$　　④ $\dfrac{4}{3}(x+2)(x-1)=0$

⑤ $-\dfrac{4}{3}(x+2)(x-1)=0$

출제율 90%

21 다음 이차방정식 중 해가 <u>다른</u> 하나는?

① $(2x-1)(3x+2)=0$　　② $\left(x-\dfrac{1}{2}\right)\left(x+\dfrac{2}{3}\right)=0$

③ $(2x+1)(2+3x)=0$　　④ $(2+3x)(-4x+2)=0$

⑤ $(9x+6)(2x-1)=0$

인수분해를 이용한 이차방정식의 풀이

22 이차방정식 $x^2-x-12=0$을 풀면?

① $x=-3$ 또는 $x=-4$ 　② $x=-3$ 또는 $x=4$

③ $x=3$ 또는 $x=-4$ 　④ $x=3$ 또는 $x=4$

⑤ $x=-2$ 또는 $x=6$

출제율 95%

23 이차방정식 $x^2-1=2x^2-10$을 풀면?

하 ① $x=-1$ 또는 $x=1$ 　② $x=-2$ 또는 $x=2$

③ $x=-2$ 또는 $x=3$ 　④ $x=2$ 또는 $x=-3$

⑤ $x=-3$ 또는 $x=3$

출제율 95%

24 이차방정식 $x^2-x-20=0$의 두 근 중 큰 근을 m, 작은 근을 n이라 할 때, $m-n$의 값은?

중 ① -5 　　② -3 　　③ 3

④ 5 　　⑤ 9

출제율 95%

25 이차방정식 $4x^2+11x-3=0$의 두 근의 합은?

중 ① -7 　② $-\dfrac{11}{4}$ 　③ -2

④ $\dfrac{3}{2}$ 　⑤ 3

출제율 95%

26 이차방정식 $(x+2)(x+3)=2x^2$의 두 근의 곱은?

중 ① -5 　　② -3 　　③ -6

④ 4 　　⑤ 6

출제율 90%

27 이차방정식 $3x^2-7x+4=0$의 두 근의 합을 A, 두 근의 곱을 B라 할 때, $A+B$의 값은?

중 ① $-\dfrac{7}{5}$ 　② $-\dfrac{3}{4}$ 　③ $\dfrac{7}{2}$

④ $\dfrac{11}{3}$ 　⑤ $\dfrac{13}{4}$

한 근이 주어졌을 때, 다른 한 근 구하기

28 x에 관한 이차방정식 $x^2+ax-a-6=0$의 한 근이 2일 때, 다른 한 근은? (단, a는 상수)

① -4 　　② -2 　　③ 1

④ 3 　　⑤ 5

내신 **UP POINT**

(1) 주어진 근을 이차방정식에 대입하여 미지수의 값을 구한다.

(2) 미지수의 값을 이차방정식에 대입하여 다른 한 근을 구한다.

출제율 95%

29 x에 관한 이차방정식 $x^2-6x+a=0$의 한 근이 4이
고 다른 한 근을 b라 할 때. $a+b$의 값은?

(단, a, b는 상수)

① 2　　　　② 4　　　　③ 6
④ 8　　　　⑤ 10

출제율 95%

30 x에 관한 이차방정식 $x^2-ax+2a=0$의 한 근이 1이
고 다른 한 근을 b라 할 때, ab의 값은?

(단, a, b는 상수)

① -3　　　　② -1　　　　③ 2
④ 4　　　　⑤ 6

출제율 85%

31 x에 관한 이차방정식
$(a-1)x^2-(a^2+1)x+2(a+1)=0$의 한 근이 2이
고 다른 한 근을 b라 할 때, $a-b$의 값을 구하여라.

(단, a, b는 상수)

대표유형 이차방정식의 근의 활용

32 이차방정식 $x^2-2x-15=0$의 두 근의 합이 이차
방정식 $x^2-4x+k=0$의 근일 때, 상수 k의 값을
구하여라.

출제율 85%

33 이차방정식 $x^2+3x-10=0$의 양의 근이 이차방정식
$x^2+2ax-3a+1=0$의 근일 때, 상수 a의 값은?

① -5　　　　② -3　　　　③ -1
④ 2　　　　⑤ 4

출제율 85%

34 이차방정식 $x^2-x=2$의 근 중 작은 근이 x에 관한 이
차방정식 $2x^2+(a-1)x-3=0$의 한 근일 때, 다른
한 근을 구하여라. (단, a는 상수)

출제율 85%

35 이차방정식 $x^2-3ax+8=0$의 한 근이 2이고 다른
한 근은 이차방정식 $x^2+(b-3)x-2b=0$의 근일
때, $a+b$의 값은? (단, a, b는 상수)

① -3　　　　② -1　　　　③ 0
④ 2　　　　⑤ 4

대표
유형 **이차방정식의 중근**

36 다음 이차방정식 중 중근을 가지는 것은?

① $x^2-3x=0$ ② $x^2+4x+3=0$

③ $4x^2+4x+1=0$ ④ $2x^2-5x-7=0$

⑤ $3x^2-10x+7=0$

출제율 95%

37 이차방정식 $x^2+64=16x$는 중근 $x=a$를 갖고
_하 $4x^2-4x=-1$은 중근 $x=b$를 가질 때, 상수 a, b에
대하여 ab의 값을 구하면?

① -4 ② -2 ③ 1

④ 4 ⑤ 8

출제율 90%

38 이차방정식 $x^2+ax+b=0$이 중근 $x=-3$을 가질
_중 때, $a+b$의 값은? (단, a, b는 상수)

① 11 ② 12 ③ 13

④ 14 ⑤ 15

대표
유형 **이차방정식이 중근을 가질 조건**

39 x에 관한 이차방정식 $x^2-5x+3p=0$이 중근을 가
질 때, 상수 p의 값을 구하여라.

내신 UP POINT

이차방정식이 중근을 가질 조건

(1) 이차방정식이 (완전제곱식)=0의 꼴로 인수분해되어야 한다.

(2) 이차항의 계수가 1일 때, (상수항)$=\left(\dfrac{\text{일차항의 계수}}{2}\right)^2$

출제율 95%

40 이차방정식 $x^2+ax+49=0$이 중근을 가지도록 하는
_하 상수 a의 값을 모두 구하여라.

출제율 95%

41 이차방정식 $x^2+5x+a=3x-2$가 중근을 가질 때,
_중 상수 a의 값은?

① -3 ② -1 ③ 0

④ 1 ⑤ 3

출제율 90%

42 이차방정식 $x^2+2(3a-1)x+25=0$이 중근을 가지
_중 도록 하는 양수 a의 값은?

① 1 ② 2 ③ 3

④ 4 ⑤ 5

43 이차방정식 $x^2+2ax=-a-2$가 중근을 가지도록 하는 상수 a의 값을 모두 구하여라.

44 이차방정식 $x^2-3(2x-5)+2a=0$이 중근 $x=b$를 가질 때, $a+b$의 값을 구하여라. (단, a, b는 상수)

대표유형 두 이차방정식의 공통인 근

45 두 이차방정식 $x^2+3x+2=0$, $x^2-4x-5=0$의 공통인 해는?

① $x=-2$ ② $x=-1$ ③ $x=1$
④ $x=3$ ⑤ $x=5$

46 다음 두 이차방정식을 동시에 만족하는 x의 값은?

$$(x-1)(x+2)=0, \ (x-2)^2=x$$

① -2 ② -1 ③ 1
④ 2 ⑤ 3

47 두 이차방정식 $(2x-1)(x+a)=0$, $x^2-bx-20=0$의 공통인 근이 -2일 때, $a+b$의 값은? (단, a, b는 상수)

① -5 ② -2 ③ 3
④ 6 ⑤ 10

48 x에 관한 두 이차방정식 $x^2+3x+a=0$과 $x^2-4x+b=0$의 공통인 근이 -1일 때, $a+b$의 값은? (단, a, b는 상수)

① -3 ② -1 ③ 2
④ 4 ⑤ 6

49 두 이차방정식 $x^2+ax-4=0$, $x^2-3x+b=0$이 $x=1$을 근으로 가질 때, $a-b$의 값은? (단, a, b는 상수)

① -3 ② 1 ③ 2
④ 4 ⑤ 6

출제율 90%

54 이차방정식 $4(x-a)^2-12=0$의 해가 $x=-2\pm\sqrt{b}$
일 때, $a+b$의 값은? (단, a, b는 유리수)

① -3 ② -1 ③ 1

④ 3 ⑤ 5

대표
유형 **제곱근을 이용한 이차방정식의 풀이**

50 다음 이차방정식 중 근이 유리수인 것은?

① $x^2=8$ ② $2x^2-9=0$

③ $(x-1)^2=2$ ④ $(x+3)^2=15$

⑤ $2(x-1)^2=18$

출제율 90%

55 이차방정식 $3(x-a)^2=b$(단, $b>0$)의 해가 $x=4\pm\sqrt{2}$
일 때, $a-b$의 값은? (단, a, b는 유리수)

① -4 ② -2 ③ 1

④ 3 ⑤ 5

출제율 95%

51 이차방정식 $(x-1)^2-\dfrac{5}{4}=0$의 해를 구하여라.

하

대표
유형 **완전제곱식의 꼴로 고치기**

56 이차방정식 $x^2-4x+1=0$을 $(x-2)^2=q$의 꼴로
나타낼 때, 상수 q의 값은?

① 1 ② 2 ③ 3

④ 4 ⑤ 5

출제율 90%

52 이차방정식 $\dfrac{1}{2}(x-1)^2=6$의 두 근을 a, b라 할 때, ab
하 의 값을 구하여라.

출제율 95%

53 다음 중 x에 관한 이차방정식 $\left(x+\dfrac{1}{2}\right)^2-k+3=0$이
중 해를 가지기 위한 상수 k의 값으로 옳지 <u>않은</u> 것은?

① 1 ② 3 ③ 5

④ 7 ⑤ 9

내신 UP POINT

이차방정식 $(x+p)^2=q$에서
(1) 서로 다른 두 근을 가질 조건 : $q>0$
(2) 중근을 가질 조건 : $q=0$
(3) 해를 가지지 않을 조건 : $q<0$

출제율 95%

57 이차방정식 $2x^2+7x+6=0$을 $(x+p)^2=q$의 꼴로
중 나타낼 때, $p+q$의 값은? (단, p, q는 상수)

① $\dfrac{3}{4}$ ② $-\dfrac{5}{6}$ ③ $\dfrac{11}{9}$

④ $-\dfrac{17}{12}$ ⑤ $\dfrac{29}{16}$

58 이차방정식 $(x-3)(x-5)=7$을 $(x+p)^2=q$의 꼴로 고칠 때, pq의 값은? (단, p, q는 상수)

출제율 95%

① -32　　　② -16　　　③ -8
④ 16　　　⑤ 32

대표 유형 완전제곱식을 이용한 이차방정식의 풀이

59 다음은 이차방정식 $x^2+6x-3=0$의 해를 구하는 과정이다. □ 안에 들어갈 수로 옳지 않은 것은?

$x^2+6x-3=0$에서
$x^2+6x=$ (가) , $x^2+6x+9=3+$ (나)
$(x+$ (다) $)^2=12$, $x+3=\pm\sqrt{12}$
$\therefore x=$ (라) $\pm$ (마) $\sqrt{3}$

① (가) 3　　　② (나) 9　　　③ (다) 6
④ (라) -3　　　⑤ (마) 2

---

60 다음은 이차방정식 $2x^2+4x-2=0$의 해를 구하는 과정이다. 이때 $A+B+C$의 값은? (단, A, B, C는 상수)

출제율 85%

$2x^2+4x-2=0$의 양변을 2로 나누면
$x^2+2x-1=0$, $x^2+2x=1$
$x^2+2x+A=1+A$
$(x+B)^2=C$　$\therefore x=-B\pm\sqrt{C}$

① -5　　　② -3　　　③ 1
④ 4　　　⑤ 7

---

61 이차방정식 $3x^2-6x+1=0$의 해가 $x=\dfrac{a\pm\sqrt{b}}{3}$일 때, $a-b$의 값은? (단, a, b는 유리수)

출제율 95%

① -5　　　② -3　　　③ -1
④ 3　　　⑤ 5

---

62 이차방정식 $x^2-10x-2a=0$을 완전제곱식을 이용하여 풀었더니 해가 $x=5\pm\sqrt{3}$이 되었다. 이때 상수 a의 값은?

출제율 90%

① -11　　　② -5　　　③ -1
④ 5　　　⑤ 9

---

63 이차방정식 $x^2+ax-1=0$을 완전제곱식을 이용하여 풀었더니 해가 $x=\dfrac{1\pm\sqrt{b}}{2}$가 되었다. 이때 $a+b$의 값은? (단, a, b는 유리수)

출제율 90%

① -4　　　② -2　　　③ 1
④ 4　　　⑤ 7

---

64 이차방정식 $x^2+6x-8=p$의 해가 $x=a\pm3\sqrt{3}$일 때, $a+p$의 값은? (단, a, p는 유리수)

출제율 90%

① 5　　　② 7　　　③ 9
④ 11　　　⑤ 13

개념 UP ▶ 01 이차방정식의 한 근이 주어졌을 때, 식의 값 구하기

주어진 근을 이차방정식에 대입하여 식의 값을 구한다.

출제율 80%

65 이차방정식 $x^2-3x+1=0$의 한 근이 a일 때,
(상) $a^2+\dfrac{1}{a^2}$의 값은? (단, $a\neq0$)

① 3   ② 5   ③ 7

④ 9   ⑤ 11

출제율 80%

66 이차방정식 $x^2-7x+1=0$의 한 근이 a일 때,
(상) $\dfrac{1-7a}{a^2}-\dfrac{1+a^2}{a}$의 값은? (단, $a\neq0$)

① -8 ② -6 ③ -2

④ 6   ⑤ 8

출제율 80%

67 이차방정식 $x^2+8x+2=0$의 한 근이 a일 때,
(상) $(a+11)(a+6)(a+2)(a-3)$의 값은?

① -490 ② -350 ③ -310

④ 310   ⑤ 360

개념 UP ▶ 02 이차방정식이 중근을 가질 조건

이차방정식이 중근을 가질 조건
(1) 이차방정식이 (완전제곱식)$=0$의 꼴로 인수분해되어야 한다.
(2) 이차항의 계수가 1일 때, (상수항)$=\left(\dfrac{\text{일차항의 계수}}{2}\right)^2$

출제율 80%

68 이차방정식 $x^2-x=3x-a$가 중근을 가질 때, 이차방
(상) 정식 $2(a-3)x^2+(a+3)x-4=0$의 두 근의 곱은?

① -8 ② -4 ③ -2

④ 2   ⑤ 8

출제율 80%

69 한 자리의 자연수 b에 대하여 이차방정식
(상) $x^2+ax+9b=0$이 중근을 가질 때, 자연수 a의 값 중
가장 큰 값은?

① 6   ② 12   ③ 18

④ 24   ⑤ 36

출제율 80%

70 이차방정식 $x^2+16=(3k-2)x$가 중근을 가지도록
(상) 하는 모든 k의 값들의 합과 곱이 이차방정식
$9x^2+ax+b=0$의 근일 때, $a+b$의 값은?

① -128 ② -80 ③ -32

④ 32   ⑤ 129

01 다음 보기 중 x에 관한 이차방정식을 모두 고른 것은?

보기
ㄱ. $x^2=0$
ㄴ. $x^2+2x=x^2-1$
ㄷ. $2(x-1)^2-1=x^2$
ㄹ. $(x+1)^2-1=x^2-x$
ㅁ. $3(x+1)(x-1)=3x^2+x$

① ㄱ, ㄴ   ② ㄱ, ㄷ   ③ ㄴ, ㄷ
④ ㄷ, ㄹ   ⑤ ㄹ, ㅁ

02 이차방정식 $2x(x-1)=(x+1)(x-2)$를 $x^2+bx+c=0$의 꼴로 나타낼 때, $b+c$의 값은?
(단, b, c는 상수)

① -3 ② -1 ③ 1
④ 3 ⑤ 5

03 x의 값이 -2, -1, 0, 1일 때, 이차방정식 $x^2+x-2=0$의 해는?

① $x=-2$ ② $x=-1$
③ $x=-2$ 또는 $x=1$ ④ $x=-1$ 또는 $x=1$
⑤ $x=0$ 또는 $x=1$

04 다음 중 [ ] 안의 수가 주어진 이차방정식의 해인 것은?

① $x^2-1=0$ $[-1]$ ② $2x^2-4=0$ $[2]$
③ $(x-2)^2=5$ $[7]$ ④ $x^2-2x-3=0$ $[-3]$
⑤ $3x^2-4x-4=0$ $\left[\dfrac{2}{3}\right]$

05 이차방정식 $x^2+ax-3=0$의 한 근이 1일 때, 상수 a의 값은?

① -2 ② -1 ③ 1
④ 2 ⑤ 3

06 이차방정식 $(3x+1)(x-2)=0$을 풀면?

① $x=3$ 또는 $x=-2$ ② $x=-3$ 또는 $x=2$
③ $x=-\dfrac{1}{2}$ 또는 $x=3$ ④ $x=-\dfrac{1}{2}$ 또는 $x=-3$
⑤ $x=-\dfrac{1}{3}$ 또는 $x=2$

07 이차방정식 $2x^2-x-6=0$을 풀면?

① $x=-2$ 또는 $x=3$ ② $x=2$ 또는 $x=-3$
③ $x=-\dfrac{3}{2}$ 또는 $x=2$ ④ $x=\dfrac{3}{2}$ 또는 $x=-3$
⑤ $x=-\dfrac{2}{3}$ 또는 $x=3$

08 이차방정식 $x^2-4x+a=0$의 한 근이 -2일 때, 다른 한 근은? (단, a는 상수)

① -12 ② -4 ③ -1
④ 4 ⑤ 6

09 이차방정식 $ax^2+x-6a=0$의 한 근이 2일 때, 상수 a의 값과 다른 한 근은?

① $a=1$, $x=-3$
② $a=-1$, $x=3$
③ $a=2$, $x=-3$
④ $a=-2$, $x=3$
⑤ $a=3$, $x=-2$

10 이차방정식 $x^2+5x-14=0$의 두 근의 합이 이차방정식 $x^2+3x+k=0$의 근일 때, 상수 k의 값은?

① -40
② -20
③ -10
④ 10
⑤ 40

11 다음 이차방정식 중 중근을 가지는 것은?

① $x^2-2x=0$
② $x^2+6x+5=0$
③ $x^2+3x-28=0$
④ $2x^2-3x-2=0$
⑤ $x^2-12x+36=0$

12 이차방정식 $x^2-2x+a=-6x+3$이 중근을 가질 때, 상수 a의 값은?

① -7
② -1
③ 0
④ 1
⑤ 7

13 두 이차방정식 $x^2-x-6=0$, $x^2-3x-10=0$의 공통인 해는?

① $x=-2$
② $x=-1$
③ $x=1$
④ $x=3$
⑤ $x=5$

14 이차방정식 $3(x-1)^2=9$의 해가 $x=a\pm\sqrt{b}$일 때, $a+b$의 값은? (단, a, b는 유리수)

① 4
② 6
③ 9
④ -3
⑤ -5

15 다음은 완전제곱식을 이용하여 이차방정식 $x^2-4x+1=0$을 푸는 과정이다. 상수 a, b, c에 대하여 a, b, c의 값을 각각 구하여라.

> $x^2-4x+1=0$에서
> $x^2-4x=-1$, $x^2-4x+a=-1+a$
> $(x-b)^2=c$, $x-b=\pm\sqrt{c}$
> $\therefore x=b\pm\sqrt{c}$

16 이차방정식 $2x^2-x-1=0$을 $(x+p)^2=q$의 꼴로 나타낼 때, 상수 p, q에 대하여 $p+q$의 값은?

① 0
② $\dfrac{1}{4}$
③ $\dfrac{3}{4}$
④ $\dfrac{3}{16}$
⑤ $\dfrac{5}{16}$

17 $(a-1)x^2+3(x+1)^2=0$이 x에 관한 이차방정식이 되도록 하는 상수 a의 조건을 구하여라.

18 이차방정식 $x^2-3x-1=0$의 두 근을 a, b라 할 때, $(a^2-3a+1)(2b^2-6b-3)$의 값은?

① -2 ② $-\dfrac{\sqrt{13}}{2}$ ③ -1

④ $\sqrt{13}$ ⑤ 2

19 이차방정식 $(x+1)(x-3)=0$을 $x^2+ax+b=0$의 꼴로 나타냈을 때, $x^2+bx-a=0$을 풀면?

① $x=-2$ 또는 $x=1$ ② $x=-1$ 또는 $x=1$

③ $x=0$ 또는 $x=1$ ④ $x=1$ 또는 $x=2$

⑤ $x=2$ 또는 $x=3$

20 두 이차방정식 $x^2-2x-3=0$, $x^2-5x+6=0$의 공통인 근이 이차방정식 $x^2+ax+3=0$의 한 근일 때, 상수 a의 값은?

① -4 ② -1 ③ 1

④ 4 ⑤ 6

21 x^2의 계수가 1인 이차방정식을 예원이는 일차항의 계수를 잘못 보고 풀어 해가 -4, 3이 나왔고, 현수는 상수항을 잘못 보고 풀어 해가 3, -7이 나왔다. 이때 올바른 이차방정식의 해를 구하여라.

22 이차방정식 $x^2+3x=9x-a$가 중근을 가질 때, 이차방정식 $3(a-7)x^2-(2a-1)x+12=0$의 두 근의 곱은?

① -2 ② -1 ③ 1

④ 2 ⑤ 4

23 _{단계형}

이차방정식 $x^2+(a+2)x+2a=0$의 일차항의 계수와 상수항을 바꾸어 놓은 이차방정식을 풀었더니 한 근이 -1이었다. 처음 이차방정식의 해를 구하여라. (단, a는 상수) [7점]

(1단계) a의 값 구하기 [3점]

_____

_____

(2단계) 처음 이차방정식 구하기 [1점]

_____

_____

(3단계) 처음 이차방정식의 해 구하기 [3점]

_____

_____

24 _{단계형}

이차방정식 $x^2-2(4x+1)-3a=0$이 중근 $x=b$를 가질 때, $a+b$의 값을 구하여라. (단, a, b는 상수) [6점]

(1단계) a의 값 구하기 [3점]

_____

_____

(2단계) b의 값 구하기 [2점]

_____

_____

(3단계) $a+b$의 값 구하기 [1점]

_____

_____

25 _{사고력}

이차방정식 $(x+2)^2=3x+4$의 두 근 중 큰 근을 a, 작은 근을 b라 할 때, $a-b$의 값을 구하여라. [6점]

26 _{사고력}

이차방정식 $x^2-7x+a=0$의 해를 완전제곱식을 이용하여 구할 때, 유리수인 해를 가지도록 하는 a의 값을 모두 구하여라. (단, a는 자연수) [7점]

01 이차방정식의 근의 공식

(1) 근의 공식

이차방정식 $ax^2+bx+c=0(a\neq0)$의 근은

$$x=\frac{-b\pm\sqrt{b^2-4ac}}{2a}\ (단,\ b^2-4ac\geq0)$$

(예) 이차방정식 $2x^2-x-2=0$의 해는 $a=2,\ b=-1,\ c=-2$이므로

$$x=\frac{-(-1)\pm\sqrt{(-1)^2-4\times2\times(-2)}}{2\times2}=\frac{1\pm\sqrt{17}}{4}$$

(2) 일차항의 계수가 짝수일 때의 근의 공식

이차방정식 $ax^2+2b'x+c=0(a\neq0)$의 근은

$$x=\frac{-b'\pm\sqrt{b'^2-ac}}{a}\ (단,\ b'^2-ac\geq0)$$

(예) 이차방정식 $x^2+2x-4=0$의 해는 $a=1,\ b'=1,\ c=-4$이므로

$$x=\frac{-1\pm\sqrt{1^2-1\times(-4)}}{1}=-1\pm\sqrt{5}$$

(참고) 이차방정식의 x의 계수가 짝수일때, (2)번 공식을 이용하면 (1)번 공식보다 분모, 분자를 약분하는 과정을 생략할 수 있어 계산이 간단해진다.

02 복잡한 이차방정식의 풀이

(1) 괄호가 있는 이차방정식

곱셈공식이나 분배법칙을 이용하여 괄호를 풀어 $ax^2+bx+c=0$의 꼴로 정리한다.

(예) $(x+2)(x-3)=-2x$ $\xrightarrow{괄호 풀기}$ $x^2+x-6=0$

$(x+3)(x-2)=0$ $\therefore x=-3$ 또는 $x=2$

(2) 계수가 분수이거나 소수인 이차방정식

양변에 적당한 수를 곱하여 계수를 정수로 고친다.

① 계수가 분수일 때는 양변에 분모의 최소공배수를 곱한다.

(예) $\frac{1}{2}x^2-x+\frac{1}{3}=0$ $\xrightarrow{(양변)\times6}$ $3x^2-6x+2=0$

근의 공식을 이용하여 $a=3,\ b'=-3,\ c=2$이므로

$$x=\frac{-(-3)\pm\sqrt{(-3)^2-3\times2}}{3}=\frac{3\pm\sqrt{3}}{3}$$

② 계수가 소수일 때는 양변에 10의 거듭제곱$(10,\ 100,\ 1000,\ \cdots)$을 곱한다.

(예) $0.1x^2+0.3x-1=0$ $\xrightarrow{(양변)\times10}$ $x^2+3x-10=0$

$(x+5)(x-2)=0$ $\therefore x=-5$ 또는 $x=2$

(3) 공통인 식이 있는 이차방정식

(공통인 식)$=A$로 치환한 후 $aA^2+bA+c=0$의 꼴로 정리한다.

(예) $(x+1)^2-2(x+1)-3=0$ $\xrightarrow{x+1=A}$ $A^2-2A-3=0$

$A^2-2A-3=0,\ (A-3)(A+1)=0$

$A=3$ 또는 $A=-1$ 즉, $x+1=3$ 또는 $x+1=-1$

$\therefore x=2$ 또는 $x=-2$

예제 1

다음 이차방정식을 근의 공식을 이용하여 풀어라.

(1) $2x^2+3x-1=0$

(2) $x^2-4x+2=0$

예제 2

다음 이차방정식을 풀어라.

(1) $3x^2+2=2x(x-3)$

(2) $x^2-\frac{5}{3}x+\frac{1}{3}=0$

(3) $0.1x^2-0.3x-1=0$

(4) $(x-1)^2-3(x-1)+2=0$

03 이차방정식의 근의 개수

이차방정식 $ax^2+bx+c=0\,(a\neq0)$의 근의 개수는

근의 공식 $x=\dfrac{-b\pm\sqrt{b^2-4ac}}{2a}$에서 b^2-4ac의 부호에 따라 결정된다.

(1) $b^2-4ac>0$이면 서로 다른 두 근 ➡ 근이 2개

(2) $b^2-4ac=0$이면 한 근(중근) ➡ 근이 1개

(3) $b^2-4ac<0$이면 근이 없다. ➡ 근이 0개

예 이차방정식 $3x^2-x-2=0$에서 $b^2-4ac=(-1)^2-4\times3\times(-2)=25>0$이므로 서로 다른 두 근을 가진다.

포인트 개념

이차방정식이 중근을 가진다.

① $b^2-4ac=0$

② (일차식)$^2=0$의 꼴

③ 이차항의 계수가 1일 때, (상수항)$=\left(\dfrac{\text{일차항의 계수}}{2}\right)^2$

04 이차방정식의 활용 (1)

이차방정식의 활용 문제는 다음과 같은 순서로 푼다.

① 문제의 뜻을 파악하고, 구하려는 것을 미지수 x로 놓는다.

② 문제의 뜻에 맞게 이차방정식을 세운다.

③ 이차방정식을 푼다.

④ 구한 해 중에서 문제의 뜻에 맞는 것을 답으로 택한다.

05 이차방정식의 활용 (2)

(1) 쏘아올린 물체의 높이 구하기

시간 t에 따른 높이 h가 $h=at^2+bt+c$일 때

① t초 후 높이 : 시간 t를 대입하여 h를 구한다.

② h m일 때의 시간 : 높이 h를 대입하여 t를 구한다.

③ 땅에 떨어지는 시간 : $h=0$을 대입하여 t를 구한다.

(2) 도형의 넓이(둘레) 구하기

평면도형의 넓이(둘레)를 구하는 공식을 이용하여 방정식을 세운다.

① (삼각형의 넓이)$=\dfrac{1}{2}\times$(밑변)$\times$(높이)

② (직사각형의 둘레)$=\{($가로$)+($세로$)\}\times2$

(직사각형의 넓이)$=($가로$)\times($세로$)$

③ (원의 둘레)$=2\pi\times$(반지름의 길이), (원의 넓이)$=\pi\times$(반지름의 길이)^2

예제 3

다음 이차방정식의 근의 개수를 말하여라.

(1) $2x^2-x-2=0$

(2) $x^2+8x+16=0$

(3) $4x^2-5x+2=0$

(4) $x^2+2x-5=0$

예제 4

어떤 수에 3을 더하여 제곱한 수는 어떤 수의 3배보다 7만큼 크다고 할 때, 어떤 수를 구하여라.

예제 5

지면에서 던져 올린 공의 t초 후의 지면으로부터의 높이가 $(20t-5t^2)$m일 때, 던진 공이 지면에 떨어지는 것은 공을 던져 올린 지 몇 초 후인지 구하여라.

예제 6

높이가 밑변의 길이보다 3 cm만큼 긴 삼각형의 넓이가 27 cm^{2}일 때, 높이를 구하여라.

대표유형 **이차방정식의 근의 공식**

01 이차방정식 $2x^2-5x-4=0$의 근이 $x=\dfrac{A\pm\sqrt{B}}{4}$

일 때, $A+B$의 값은? (단, A, B는 유리수)

① 57   ② 62   ③ 65

④ 70   ⑤ 74

내신 UP POINT

이차방정식의 근의 공식

(1) 이차방정식 $ax^2+bx+c=0\,(a\neq0)$의 근은

$x=\dfrac{-b\pm\sqrt{b^2-4ac}}{2a}$ (단, $b^2-4ac\geq0$)

(2) 이차방정식 $ax^2+2b'x+c=0\,(a\neq0)$의 근은

$x=\dfrac{-b'\pm\sqrt{b'^2-ac}}{a}$ (단, $b'^2-ac\geq0$)

출제율 90%

02 이차방정식 $x^2-4x-7=0$의 해는?

① $x=2\pm\sqrt{11}$ ② $x=-2\pm\sqrt{11}$

③ $x=\dfrac{2\pm\sqrt{11}}{6}$ ④ $x=\dfrac{-2\pm\sqrt{3}}{6}$

⑤ $x=-4\pm\sqrt{3}$

출제율 90%

03 이차방정식 $2x^2+5x+1=0$의 두 근 중 작은 것을 찾으면?

① $5+\sqrt{17}$ ② $-5-\sqrt{17}$

③ $5-\sqrt{2}$ ④ $\dfrac{-5-\sqrt{2}}{2}$

⑤ $\dfrac{-5-\sqrt{17}}{4}$

출제율 90%

04 이차방정식 $3x^2+x-1=0$의 양수인 해를 구하여라.

출제율 95%

05 이차방정식 $3x^2+2x+A=0$의 근이 $x=\dfrac{-1\pm\sqrt{13}}{3}$

일 때, 상수 A의 값은?

① -4 ② -2 ③ 1

④ 3 ⑤ 5

출제율 90%

06 이차방정식 $mx^2-4x-2=0$의 근이 $x=\dfrac{2\pm\sqrt{k}}{3}$일 때,

$m+k$의 값은? (단, m, k는 유리수)

① 16   ② 13   ③ 10

④ 7   ⑤ 3

출제율 85%

07 이차방정식 $x^2-10x+3k+1=0$의 근이 $x=5\pm\sqrt{3}$

일 때, 상수 k의 값을 구하여라.

대표 유형 복잡한 이차방정식의 풀이

08 이차방정식 $\frac{1}{3}x^2-\frac{1}{2}x-\frac{1}{6}=0$을 풀면?

① $x=\dfrac{-2\pm\sqrt{10}}{2}$ ② $x=\dfrac{3\pm\sqrt{10}}{4}$

③ $x=\dfrac{-3\pm\sqrt{17}}{2}$ ④ $x=\dfrac{2\pm\sqrt{17}}{3}$

⑤ $x=\dfrac{3\pm\sqrt{17}}{4}$

내신 UP POINT

복잡한 이차방정식의 풀이
(1) 괄호가 있는 이차방정식 ➡ 괄호를 풀어 $ax^2+bx+c=0$의 꼴로 정리한 후 푼다.
(2) 계수가 분수인 이차방정식 ➡ 양변에 분모의 최소공배수를 곱하여 계수를 정수로 고쳐서 푼다.
(3) 계수가 소수인 이차방정식 ➡ 양변에 10, 100, …을 곱하여 계수를 정수로 고쳐서 푼다.

출제율 95%

09 이차방정식 $3(x+2)^2=x^2+10$을 풀면?

① $x=-2\pm\sqrt{5}$ ② $x=2\pm\sqrt{5}$
③ $x=2\pm\sqrt{7}$ ④ $x=2\pm2\sqrt{3}$
⑤ $x=-3\pm2\sqrt{2}$

출제율 95%

10 이차방정식 $0.1x^2-0.4x-1=0$을 풀면?

① $x=-2\pm\sqrt{14}$ ② $x=2\pm\sqrt{14}$
③ $x=-4\pm\sqrt{14}$ ④ $x=4\pm\sqrt{14}$
⑤ $x=-6\pm\sqrt{14}$

출제율 95%

11 이차방정식 $x^2-\frac{5}{3}x+0.5=0$을 풀면?

① $x=\dfrac{-5\pm\sqrt{10}}{3}$ ② $x=\dfrac{5\pm\sqrt{10}}{3}$

③ $x=\dfrac{-5\pm\sqrt{7}}{6}$ ④ $x=\dfrac{5\pm\sqrt{7}}{6}$

⑤ $x=\dfrac{-5\pm\sqrt{5}}{7}$

출제율 90%

12 이차방정식 $\frac{1}{2}x^2+\frac{4}{5}x-0.1=0$의 근이 $x=\dfrac{a\pm\sqrt{b}}{5}$

일 때, $a+b$의 값은? (단, a, b는 유리수)

① 11 ② 13 ③ 15
④ 17 ⑤ 19

출제율 90%

13 이차방정식 $\frac{3}{5}x^2-2x+1.6=0$의 두 근이 α, β일 때, $\alpha\beta$의 값은?

① $\dfrac{4}{3}$ ② 2 ③ $\dfrac{8}{3}$

④ 3 ⑤ $\dfrac{3}{4}$

출제율 85%

14 이차방정식 $\frac{(x+1)(x-3)}{3}=\frac{x(x-1)}{5}$을 풀어라.

출제율 85%

15 이차방정식 $3(x-1)^2=2x$의 두 근 중 작은 근을 α라 할 때, $3\alpha-4$의 값은?

중

① $4+\sqrt{7}$ ② $-\sqrt{7}$ ③ $-4-\sqrt{7}$
④ $\sqrt{7}$ ⑤ $8-\sqrt{7}$

출제율 85%

16 다음 두 이차방정식의 공통근을 구하여라.

중

$$0.1x^2-\frac{1}{2}x+\frac{2}{5}=0$$
$$4(x^2-1)=(x-1)(3x+5)$$

대표유형 **치환을 이용한 이차방정식의 풀이**

17 이차방정식 $(x+2)^2+2(x+2)-3=0$을 풀면?

① $x=-5$ 또는 $x=-1$
② $x=-3$ 또는 $x=1$
③ $x=-2$ 또는 $x=-1$
④ $x=-2$ 또는 $x=1$
⑤ $x=-1$ 또는 $x=1$

내신 UP POINT

치환을 이용한 이차방정식의 풀이
(1) 공통인 식을 A로 치환한다.
(2) 인수분해 또는 근의 공식을 이용하여 A의 값을 구한다.
(3) 치환한 식에 A의 값을 대입하여 x의 값을 구한다.

출제율 90%

18 이차방정식 $2(x+1)^2+3(x+1)-2=0$의 두 근의 곱은?

중

① $-\frac{1}{2}$ ② $\frac{3}{2}$ ③ $-\frac{4}{3}$
④ $\frac{5}{3}$ ⑤ $-\frac{7}{5}$

출제율 85%

19 이차방정식 $\frac{1}{2}(x-1)^2-\frac{1}{3}(x-1)-\frac{1}{6}=0$을 풀면?

중

① $x=-1$ 또는 $x=1$ ② $x=\frac{1}{2}$ 또는 $x=1$

③ $x=\frac{2}{3}$ 또는 $x=2$ ④ $x=-2$ 또는 $x=-\frac{1}{3}$

⑤ $x=-\frac{2}{3}$ 또는 $x=3$

출제율 85%

20 이차방정식 $(2x+1)^2-2(2x+1)-3=0$의 두 근을 p, q라 할 때, $p+q$의 값은?

중

① 0 ② 1 ③ 2
④ 3 ⑤ 4

21 출제율 85%

$4\left(x-\dfrac{1}{2}\right)^2-6=5x-\dfrac{5}{2}$의 두 근을 α, β라 할 때, $\alpha\beta$

의 값은?

① $-\dfrac{7}{8}$ ② $-\dfrac{3}{4}$ ③ $-\dfrac{5}{8}$

④ $-\dfrac{1}{2}$ ⑤ 1

22 출제율 80%

$x>y$이고 $(x-y)(x-y+4)-12=0$일 때, $x-y$의 값은?

① 1 ② 2 ③ 3

④ 4 ⑤ 5

23 출제율 85%

$a<b$이고 $a^2-2ab+b^2-4a+4b-12=0$일 때, $a-b$의 값을 구하면?

① -6 ② -3 ③ -2

④ 2 ⑤ 3

대표
유형 **이차방정식의 근의 개수**

24 다음 이차방정식 중 서로 다른 두 근을 가지는 것은?

① $x^2=0$ ② $x^2+4=0$

③ $x^2=2x-1$ ④ $x^2+x+1=0$

⑤ $3x^2-2x-1=0$

25 출제율 90%

다음 이차방정식 중 실수 범위에서 근이 <u>없는</u> 것은?

① $x^2=2x$ ② $x(x-4)=1$

③ $x^2-3x=4$ ④ $x^2-3x+5=0$

⑤ $2x^2=2x+1$

26 출제율 90%

다음 **보기** 중 해가 1개인 이차방정식을 모두 고른 것은?

보기

ㄱ. $4x^2+2=0$ ㄴ. $2(x+3)=x^2$

ㄷ. $2x^2+x-1=0$ ㄹ. $x^2+4x+7=3$

ㅁ. $3x^2=9$ ㅂ. $2x^2+8x+9=-2x^2-4x$

① ㄱ, ㄴ ② ㄷ, ㅁ ③ ㄹ, ㅂ

④ ㄴ, ㄹ ⑤ ㄷ, ㅂ

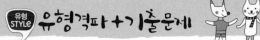

출제율 85%

27 다음 이차방정식 중 근의 개수가 가장 많은 것은?

중

① $2x^2+3x+4=0$　② $x^2-6x+9=0$

③ $4x^2+4x+1=0$　④ $-3x^2+2x+3=0$

⑤ $-x^2-5x-10=0$

대표
유형 **이차방정식이 중근을 가질 조건**

출제율 85%

30 이차방정식 $x^2-6x+p=0$이 중근을 가질 때, 상수 p의 값은?

① 1　　　② 4　　　③ 6

④ 9　　　⑤ 36

출제율 85%

28 이차방정식 $-2x^2+5x+2=0$의 근의 개수를 m개, $x^2-10x+25=0$의 근의 개수를 n개라 할 때, $m+n$의 값은?

중

① 0　　　② 1　　　③ 2

④ 3　　　⑤ 4

출제율 95%

31 이차방정식 $x^2-4x+m-1=0$이 중근을 가질 때, 상수 m의 값은?

중

① 1　　　② 2　　　③ 3

④ 4　　　⑤ 5

출제율 95%

32 이차방정식 $3x^2-4x+m=0$이 중근을 가질 때, 상수 m의 값은?

중

① -4　　② -2　　③ $\dfrac{4}{3}$

④ $\dfrac{3}{2}$　　⑤ 3

출제율 85%

29 다음 보기 중 이차방정식 $x^2+Ax+B=0$의 근에 대한 설명으로 옳은 것을 모두 고른 것은?

중

보기

ㄱ. $A^2>4B$이면 서로 다른 두 근을 가진다.

ㄴ. $A>0$이면 중근을 가진다.

ㄷ. $B=0$이면 근이 없다.

① ㄱ　　　② ㄱ, ㄴ　　　③ ㄱ, ㄷ

④ ㄴ, ㄷ　　　⑤ ㄱ, ㄴ, ㄷ

출제율 95%

33 이차방정식 $3x^2+2x+k+1=0$이 중근을 가질 때, 상수 k의 값은?

중

① -1　　② $-\dfrac{3}{4}$　　③ $-\dfrac{2}{3}$

④ $-\dfrac{1}{2}$　　⑤ $-\dfrac{1}{3}$

34 이차방정식 $(x+7)^2-8x+4k=0$이 중근을 가질 때, 상수 k의 값은?

① -12 ② -11 ③ -10

④ 9 ⑤ 7

35 이차방정식 $x^2-6x+2m-1=0$, $x^2+4mx+4n=0$ 이 각각 중근을 가질 때, 상수 n, m에 대하여 $n-m$ 의 값은?

① 5 ② 15 ③ 20

④ 25 ⑤ 30

36 이차방정식 $4x^2+(k-2)x+1=0$이 중근을 가지도록 하는 모든 상수 k의 값들의 합은?

① -8 ② -4 ③ -2

④ 4 ⑤ 8

37 이차방정식 $kx^2-4x+k+3=0$이 중근을 가지도록 하는 모든 상수 k의 값들의 합은?

① -6 ② -3 ③ 3

④ 5 ⑤ 6

38 이차방정식 $(m-1)x^2-(m+1)x+2=0$이 중근을 가지도록 하는 상수 m의 값은?

① -3 ② -1 ③ 2

④ 3 ⑤ 4

대표유형 근의 개수에 따른 미지수의 값의 범위 구하기

39 이차방정식 $x^2-6x+m-1=0$이 서로 다른 두 근을 가지기 위한 상수 m의 값 중 가장 큰 정수는?

① -5 ② -3 ③ 1

④ 5 ⑤ 9

내신 UP POINT

이차방정식 $ax^2+bx+c=0\,(a\neq0)$에서

근의 개수	b^2-4ac의 부호
근이 2개일 때	$b^2-4ac>0$
중근일 때	$b^2-4ac=0$
근을 가질 때	$b^2-4ac\geq0$
근이 없을 때	$b^2-4ac<0$

40 이차방정식 $2x^2-3x+k=0$이 근을 가지지 않을 때, 상수 k의 값의 범위는?

① $k<1$ ② $k>2$ ③ $k\leq\dfrac{4}{3}$

④ $k\geq\dfrac{5}{7}$ ⑤ $k>\dfrac{9}{8}$

출제율 90%

41 이차방정식 $x^2-10x+m=0$에 대한 다음 설명 중에서 옳은 것은?

① $m=30$이면 서로 다른 두 근을 가진다.
② m의 값에 관계없이 서로 다른 두 근을 가진다.
③ $m=25$이면 중근을 가진다.
④ $m=20$이면 근을 가지지 않는다.
⑤ $m=25$이면 서로 다른 두 근을 가진다.

출제율 85%

42 다음 중 이차방정식 $(1-m)x^2-4x=2$의 해가 2개가 될 수 있는 상수 m의 값 중 가장 큰 정수는?

① 1   ② 2   ③ 3
④ 4   ⑤ 5

출제율 90%

43 다음은 학생들이 주어진 방정식에 대하여 발표한 내용이다. 틀리게 말한 사람을 모두 찾고, 바르게 고쳐라.

$$3x^2+6x+k=0 \text{ (단, } k\text{는 상수)}$$

소민 : k의 값에 관계없이 서로 다른 두 근을 가지는 이차방정식이야.
세찬 : $k=3$이면 중근을 가져.
세형 : 서로 다른 두 근을 가지려면 $k<3$이어야 해.
도연 : $k=-1$이면 근이 없어.

출제율 85%

44 이차방정식 $(x-7)(-x+5)=k$가 해를 가지도록 하는 정수 k의 값 중 가장 큰 값을 구하면?

① -3 ② -2 ③ -1
④ 0   ⑤ 1

출제율 85%

45 이차방정식 $x^2-5x+m-3=0$이 해를 가지지 않도록 하는 가장 작은 정수 m의 값은?

① 6   ② 8   ③ 9
④ 10   ⑤ 12

출제율 85%

46 이차방정식 $3x^2-2x-k=0$은 해를 가지고, 이차방정식 $(k-1)x^2+4x-5=0$은 해가 없도록 하는 정수 k의 값을 구하여라.

대표 유형 이차방정식의 활용(1)

47 1부터 n까지의 자연수의 합은 $\dfrac{n(n+1)}{2}$이다. 1부터 n까지의 자연수의 합이 171일 때, n의 값은?

① 15   ② 18   ③ 20
④ 24   ⑤ 26

48 n각형의 대각선의 총 개수는 $\dfrac{n(n-3)}{2}$개이다. 대각

선이 모두 54개인 다각형은?

① 팔각형   ② 십각형   ③ 십이각형
④ 십오각형   ⑤ 십칠각형

49 대각선의 개수와 변의 개수의 합이 45개인 다각형은?

① 구각형   ② 십각형   ③ 십일각형
④ 십이각형   ⑤ 십오각형

50 다음 표는 일정한 규칙에 따라 어떤 식과 결과를 나타낸 것이다. □ 안에 알맞은 수는?

순서	식	결과
1	$1 \times 3 - 3 \times 1$	0
2	$2 \times 4 - 3 \times 2$	2
3	$3 \times 5 - 3 \times 3$	6
⋮	⋮	⋮
□	?	240

① 12   ② 15   ③ 16
④ 18   ⑤ 20

51 다음 그림과 같이 각 단계마다 바둑돌의 개수를 늘려가며 직사각형 모양으로 배열할 때, 바둑돌 132개로 이루어진 직사각형은 몇 단계인가?

[1단계]   [2단계]   [3단계]

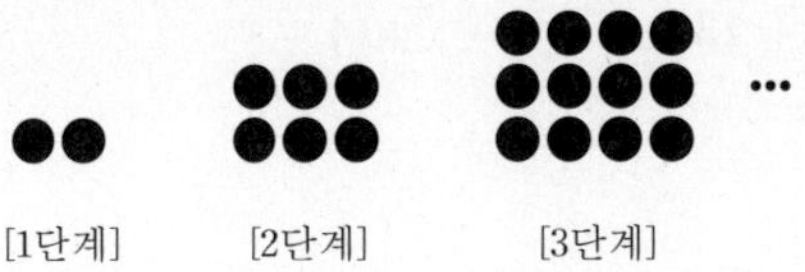

① 9단계   ② 10단계   ③ 11단계
④ 12단계   ⑤ 13단계

대표유형 **이차방정식의 활용(2) – 수**

52 연속하는 두 자연수의 제곱의 합이 85일 때, 두 자연수 중에서 작은 수를 구하여라.

내신 UP POINT

수에 관한 활용
(1) 연속하는 두 정수(자연수) : x, $x+1$
(2) 연속하는 세 정수(자연수) : $x-1$, x, $x+1$
(3) 연속하는 두 짝수 : x, $x+2$ (단, x는 짝수)
(4) 연속하는 두 홀수 : x, $x+2$ (단, x는 홀수)

53 어떤 수 x에 3을 더하여 제곱한 수는 어떤 수의 2배보다 5만큼 크다고 한다. 이때 x를 구하는 식으로 옳은 것은?

① $x^2 - 3 = 2x + 5$ ② $(x+3)^2 = 2x - 5$
③ $x^2 + 3 = 2x + 5$ ④ $(x+3)^2 = 2x + 5$
⑤ $(x-3)^2 = 2x - 5$

출제율 95%

54 연속하는 세 자연수의 제곱의 합이 365일 때, 가장 큰 수는?

① 10 ② 11 ③ 12
④ 13 ⑤ 14

출제율 95%

55 연속하는 두 홀수의 제곱의 합이 130일 때, 두 홀수 중 작은 수는?

① 5 ② 7 ③ 9
④ 11 ⑤ 13

출제율 90%

56 어떤 수에 3을 더한 후 제곱한 결과와 어떤 수에 3을 더한 후 2배한 결과는 같았다. 이때 어떤 수를 구하여라.

출제율 85%

57 어떤 자연수를 제곱해야 할 것을 잘못하여 9배를 하였더니 제곱한 것보다 22가 작게 되었다. 어떤 자연수를 구하여라.

출제율 90%

58 두 자리 자연수가 있다. 이 수의 십의 자리의 숫자는 일의 자리의 숫자의 2배이고, 각 자리의 숫자의 곱은 원래의 수보다 34만큼 작다고 할 때, 이 자연수를 구하여라.

출제율 85%

59 일의 자리의 숫자가 십의 자리의 숫자보다 4만큼 더 큰 두 자리 자연수가 있다. 이 자연수는 각 자리의 숫자를 곱한 수의 3배라고 할 때, 이 두 자리 수를 구하면?

① 15 ② 26 ③ 37
④ 48 ⑤ 51

대표유형 이차방정식의 활용(3) – 실생활에서의 수

60 어떤 책을 펼쳤더니 두 면의 쪽수의 곱이 600이었다. 이 두 면의 쪽수의 합은?

① 27 ② 32 ③ 38
④ 42 ⑤ 49

61 나이가 3살 차이 나는 자매가 있다. 언니 나이의 8배는 동생 나이의 제곱보다 4살이 많다고 한다. 언니의 나이는?

① 13살　　② 14살　　③ 15살
④ 16살　　⑤ 17살

62 오빠와 동생의 나이 차가 5살이고 오빠와 동생의 나이를 각각 제곱하여 더하면 193살일 때, 오빠와 동생의 나이의 합을 구하여라.

63 사탕 440개를 학생들에게 똑같이 나누어 주려고 한다. 한 학생에게 돌아가는 사탕의 개수는 학생 수보다 2만큼 많다고 한다. 학생 수를 구하여라.

64 문구점에서 연필 10타를 샀다. 이 연필을 남김없이 학생들에게 똑같이 나누어 주었더니 한 사람이 받은 연필의 개수가 학생 수보다 2만큼 적었다. 이때 한 사람이 받은 연필의 개수를 구하여라.

65 어떤 달력의 둘째 주 토요일의 날짜와 셋째 주 토요일의 날짜를 곱하면 198이다. 이때 이 달의 셋째 주 토요일은 며칠인지 구하여라.

대표유형 **이차방정식의 활용(4) − 쏘아 올린 물체**

66 지면에서 초속 20 m로 위로 쏘아 올린 물체의 t초 후의 높이는 $(20t - 5t^2)$ m라 한다. 이 물체의 높이가 20 m가 되는 것은 쏘아 올린 지 몇 초 후인가?

① 2초 후　　② 3초 후　　③ 4초 후
④ 5초 후　　⑤ 6초 후

내신 UP POINT

시간 t에 따른 높이 h가 $h = at^2 + bt + c$일 때
(1) t초 후의 높이 : 시간 t를 대입하여 h를 구한다.
(2) h m일 때의 시간 : 높이 h를 대입하여 t를 구한다.
(3) 땅에 떨어지는 시간 : $h = 0$을 대입하여 t를 구한다.

67 초속 50 m로 쏘아 올린 물 로켓의 t초 후의 높이가 $(50t - 5t^2)$ m일 때, 지면으로부터의 높이가 120 m인 지점을 처음으로 지나는 것은 쏘아 올린 지 몇 초 후인가?

① 3초 후　　② 4초 후　　③ 5초 후
④ 6초 후　　⑤ 7초 후

출제율 85%

68 지면에서 초속 40 m로 던져 올린 공의 t초 후의 높이를 h m라 하면 $h=40t-5t^2$의 관계가 성립한다고 한다. 공의 높이가 지면으로부터 60 m가 되는 것은 던져 올리고 나서 몇 초 후인지 구하여라.

출제율 95%

69 지면으로부터 높이가 30 m 되는 곳에서 초속 25 m로 던져 올린 공의 t초 후의 높이를 h m라 하면 $h=30+25t-5t^2$인 관계가 성립한다. 이 공이 땅에 떨어지는 것은 던져 올린 지 몇 초 후인가?

① 5초 후 ② 6초 후 ③ 7초 후
④ 8초 후 ⑤ 9초 후

출제율 95%

70 지면으로부터 120 m 높이의 건물 위에서 초속 10 m로 위로 쏘아 올린 물체의 t초 후의 높이를 h m라 하면 $h=-5t^2+10t+120$인 관계가 성립한다고 한다. 이때 이 물체의 높이가 45 m가 되는 것은 쏘아 올린 지 몇 초 후인가?

① 2초 후 ② 3초 후 ③ 4초 후
④ 5초 후 ⑤ 6초 후

출제율 90%

71 지면으로부터 높이가 35 m 되는 곳에서 초속 30 m로 던져 올린 공의 t초 후의 높이를 h m라 하면 $h=35+30t-5t^2$의 관계가 성립한다고 한다. 이 공의 높이가 80 m가 되는 것은 던져 올리고 나서 몇 초 후인지 구하여라.

출제율 85%

72 지면으로부터 높이가 60 m 되는 곳에서 물체를 위로 던져 올렸을 때 t초 후의 높이는 $(-5t^2+30t+60)$ m 이다. 물체의 높이가 100 m 이상 되는 것은 몇 초 동안인지 구하여라.

대표유형 **이차방정식의 활용(5) − 도형(1)**

73 넓이가 20 cm²인 삼각형에서 밑변의 길이가 높이보다 3 cm 더 길다고 할 때, 삼각형의 밑변의 길이는?

① 4 cm ② 5 cm ③ 6 cm
④ 7 cm ⑤ 8 cm

출제율 95%

74 가로의 길이가 세로의 길이보다 더 긴 직사각형이 있다. 둘레의 길이가 24 cm이고 넓이가 35 cm²일 때, 가로의 길이를 구하여라.

출제율 95%

75 가로, 세로의 길이가 각각 18 cm, 12 cm인 직사각형이 있다. 가로, 세로의 길이를 똑같이 늘려서 넓이가 처음 넓이의 2배가 되도록 하려면 몇 cm씩 늘려야 하는가?

① 3 cm ② 4 cm ③ 5 cm
④ 6 cm ⑤ 7 cm

출제율 90%

76 오른쪽 그림과 같이 직각이등변삼각형 ABC의 세 변에 각각 점 D, E, F를 잡아 넓이가 14 cm²인 직사각형 DCEF를 만들려고 한다. 이때 $\overline{DC}$의 길이를 구하여라.

(단, $\overline{DC} < \overline{DF}$)

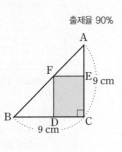

출제율 90%

77 오른쪽 그림과 같이 $\overline{BE}$의 길이가 12 cm이고, $\overline{BE}$ 위에 한 점 C를 잡아 $\overline{BC}$와 $\overline{CE}$를 각각 한 변으로 하는 정사각형 2개를 만들었다. 두 정사각형의 넓이의 합이 80 cm²일 때, 큰 정사각형의 한 변의 길이를 구하여라.

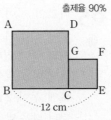

출제율 85%

78 오른쪽 그림과 같이 가로, 세로의 길이가 각각 20 cm, 16 cm인 직사각형에서 가로의 길이는 매초 1 cm씩 줄어들고, 세로의 길이는 매초 2 cm씩 늘어나고 있다. 넓이가 처음과 같아지는 데 걸리는 시간은?

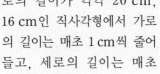
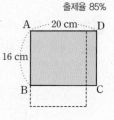

① 4초 ② 6초 ③ 8초
④ 10초 ⑤ 12초

출제율 95%

79 오른쪽 그림과 같이 가로의 길이가 세로의 길이보다 5 cm 더 긴 직사각형 모양 종이의 네 모퉁이에서 한 변의 길이가 2 cm인 정사각형을 잘라낸 나머지 도형으로 뚜껑이 없는 종이 상자를 만들었더니 부피가 48 cm²이었다. 처음 직사각형의 세로의 길이는?

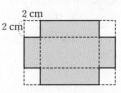

① 6 cm ② 7 cm ③ 8 cm
④ 9 cm ⑤ 10 cm

출제율 95%

80 오른쪽 그림과 같이 어떤 원에서 반지름의 길이를 3 cm만큼 늘린 원의 넓이는 처음 원의 넓이의 4배가 되었다. 처음 원의 반지름의 길이는 몇 cm인가?

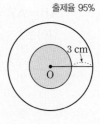

① 2 cm ② 3 cm ③ 4 cm
④ 5 cm ⑤ 6 cm

81 어떤 원의 반지름의 길이를 4 cm 늘였더니 그 넓이가 처음 원의 넓이의 3배가 되었다. 처음 원의 지름의 길이는?

① $(2+2\sqrt{3})$ cm
② $(4-2\sqrt{3})$ cm
③ $(4+4\sqrt{3})$ cm
④ $(4+2\sqrt{3})$ cm
⑤ $(4\sqrt{3}-2)$ cm

82 밑변의 길이와 높이의 비가 3 : 4인 직각삼각형이 있다. 이 직각삼각형의 넓이가 48 cm²일 때, 밑변의 길이를 구하면?

① $2\sqrt{2}$ cm
② $2\sqrt{3}$ cm
③ $3\sqrt{2}$ cm
④ $4\sqrt{3}$ cm
⑤ $6\sqrt{2}$ cm

83 오른쪽 그림에서 두 직사각형 ABCD와 DEFC는 서로 닮은 도형이다.
$\overline{AB}=\overline{AE}=1$일 때, $\overline{AD}$의 길이는?

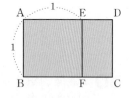

① $\dfrac{1+\sqrt{2}}{2}$
② $\dfrac{\sqrt{5}-1}{2}$
③ $\dfrac{1+\sqrt{5}}{2}$
④ $\dfrac{1+2\sqrt{2}}{2}$
⑤ $\sqrt{5}-1$

대표유형 이차방정식의 활용(6) − 도형(2)

84 가로, 세로의 길이가 각각 30 m, 24 m인 직사각형 모양의 땅에 오른쪽 그림과 같이 폭이 일정한 십자형의 도로를 만들려고 한다. 도로를 제외한 땅의 넓이가 520 m²일 때, 도로의 폭은?

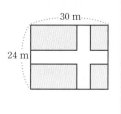

① 1 m
② 2 m
③ 3 m
④ 4 m
⑤ 5 m

내신 UP POINT

색칠한 부분의 넓이

[방법 1]

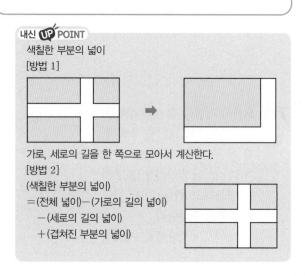

가로, 세로의 길을 한 쪽으로 모아서 계산한다.

[방법 2]

(색칠한 부분의 넓이)
=(전체 넓이)−(가로의 길의 넓이)
−(세로의 길의 넓이)
+(겹쳐진 부분의 넓이)

85 가로의 길이가 세로의 길이보다 5 m 더 긴 직사각형 모양의 밭이 있다. 오른쪽 그림과 같이 가로에 폭이 3 m, 세로에 폭이 2 m인 길을 내었더니 남은 밭의 넓이가 621 m²이었다. 길을 내기 전의 밭의 가로의 길이는?

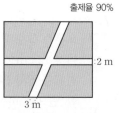

① 25 m
② 28 m
③ 30 m
④ 32 m
⑤ 35 m

개념 UP 01 여러 가지 이차방정식의 활용

(1) 미지수 x 정하기
(2) 이차방정식 세우기
(3) 이차방정식 풀기
(4) 문제의 뜻에 맞는 해 찾기

출제율 90%

86
(상) 오른쪽 그림과 같이 가로, 세로의 길이가 각각 8 m, 5 m인 화단이 있다. 이 화단의 둘레에 폭이 일정하고 넓이가 30 m²인 길을 만들려고 할 때, 폭은 몇 m로 해야 하는가?

① 1 m   ② 2 m   ③ 3 m
④ 4 m   ⑤ 5 m

출제율 85%

87
(상) 오른쪽 그림과 같이 세 반원으로 이루어진 도형에서 $\overline{AB}$의 길이가 10 cm이고 색칠한 부분의 넓이가 6π cm²일 때, $\overline{AC}$의 길이는? (단, $\overline{AC} > \overline{CB}$)

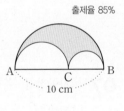

① 3 cm   ② 4 cm   ③ 5 cm
④ 6 cm   ⑤ 7 cm

출제율 85%

88
(상) 예원이와 민수의 생일은 같은 6월이고, 민수의 생일은 예원이의 생일보다 1주일 후의 같은 요일이라 한다. 두 사람의 생일의 날짜의 곱이 330일 때, 민수의 생일은 며칠인가?

① 7일   ② 15일   ③ 17일
④ 22일   ⑤ 25일

출제율 80%

89
(상) 오른쪽 그림과 같이 정사각형 세 개가 포개져 있다. 가장 큰 정사각형의 넓이가 나머지 두 정사각형의 넓이의 합과 같을 때, 색칠한 부분의 넓이는?

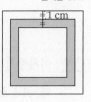

① 25 cm²   ② 28 cm²   ③ 30 cm²
④ 32 cm²   ⑤ 36 cm²

출제율 80%

90
(상) 오른쪽 그림과 같이 가로의 길이가 20 cm, 세로의 길이가 15 cm인 직사각형 ABCD에서 점 P는 점 A에서 점 B를 향하여 매초 3 cm의 속력으로 움직이고, 점 Q는 점 B에서 점 C를 향하여 매초 4 cm의 속력으로 움직인다. 두 점 P, Q가 동시에 출발하였을 때, △PBQ의 넓이가 처음으로 36 cm²가 되는 것은 몇 초 후인지 구하여라.

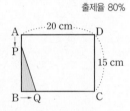

출제율 80%

91
(상) 연속하는 네 자연수에 대하여 가장 큰 수와 가장 작은 수의 제곱의 합은 나머지 두 수의 곱보다 47만큼 크다고 한다. 이때 가장 큰 수를 구하여라.

이것만 봐도 **70점!**

01 이차방정식 $2x^2+5x-1=0$의 근이 $x=\dfrac{A\pm\sqrt{B}}{4}$일 때, $A+B$의 값은? (단, A, B는 유리수)

① 28 　　 ② 32 　　 ③ 36
④ 40 　　 ⑤ 42

02 이차방정식 $5x^2+6x-3=0$의 두 근 중 작은 근을 α라 할 때, $-5\alpha-2$의 값은?

① $2\sqrt{3}$ 　　 ② $\sqrt{6}+3$ 　　 ③ $2\sqrt{6}$
④ $2\sqrt{3}-1$ 　　 ⑤ $2\sqrt{6}+1$

03 이차방정식 $(x+2)(x-3)=-7x-5$를 풀면?

① $x=-3\pm2\sqrt{2}$ 　　 ② $x=3\pm2\sqrt{2}$
③ $x=-3\pm\sqrt{10}$ 　　 ④ $x=3\pm\sqrt{10}$
⑤ $x=\dfrac{3\pm\sqrt{10}}{2}$

04 이차방정식 $\dfrac{1}{3}x^2+\dfrac{1}{2}x-\dfrac{2}{3}=0$을 풀면?

① $x=\dfrac{-2\pm\sqrt{10}}{3}$ 　　 ② $x=\dfrac{2\pm\sqrt{21}}{3}$
③ $x=\dfrac{-3\pm\sqrt{41}}{4}$ 　　 ④ $x=\dfrac{3\pm\sqrt{47}}{4}$
⑤ $x=\dfrac{-4\pm\sqrt{51}}{5}$

05 이차방정식 $0.2x^2=0.3x-0.1$의 두 근이 $x=a$ 또는 $x=b$일 때, a^2+b^2의 값은?

① $\dfrac{1}{2}$ 　　 ② $\dfrac{2}{3}$ 　　 ③ $\dfrac{5}{4}$
④ $\dfrac{3}{5}$ 　　 ⑤ $\dfrac{5}{6}$

06 이차방정식 $2(x-3)^2-7(x-3)+6=0$의 두 근의 곱은?

① $\dfrac{5}{2}$ 　　 ② $\dfrac{45}{2}$ 　　 ③ $\dfrac{11}{3}$
④ $\dfrac{51}{3}$ 　　 ⑤ $\dfrac{15}{4}$

07 이차방정식 $\dfrac{(3x+1)^2}{10}+\dfrac{2}{5}=\dfrac{3x+1}{2}$의 두 근의 합을 구하면?

① -1 　　 ② 0 　　 ③ 1
④ 2 　　 ⑤ 3

08 다음 이차방정식 중 서로 다른 두 근을 가지는 것은?

① $x^2-4x+5=0$ 　　 ② $x^2-6x-7=0$
③ $x^2+8x+16=0$ 　　 ④ $2x^2+4x+5=0$
⑤ $3x^2-6x+3=0$

09 이차방정식 $3x^2-2x+k=0$이 중근을 가질 때, 상수 k의 값은?

① $\dfrac{1}{2}$ ② $\dfrac{1}{3}$ ③ $\dfrac{2}{3}$

④ $\dfrac{1}{4}$ ⑤ $\dfrac{3}{4}$

10 이차방정식 $2x^2+5x+k=0$이 서로 다른 두 근을 가질 때, 상수 k의 값의 범위는?

① $k<\dfrac{25}{2}$ ② $k<\dfrac{25}{8}$ ③ $k\leq\dfrac{25}{8}$

④ $k>\dfrac{25}{2}$ ⑤ $k>\dfrac{25}{8}$

11 이차방정식 $x^2-2x+3-2k=0$이 근을 가지지 않게 하는 상수 k의 값의 범위는?

① $k>2$ ② $k>1$ ③ $k<1$
④ $k>-1$ ⑤ $k<2$

12 $2x^2-9x+m-2=0$이 서로 다른 두 근을 갖도록 하는 자연수 m의 개수는?

① 13개 ② 12개 ③ 10개
④ 9개 ⑤ 8개

13 대각선의 총 개수가 27개인 다각형은?

① 육각형 ② 칠각형 ③ 팔각형
④ 구각형 ⑤ 십각형

14 연속하는 두 자연수의 곱이 156일 때, 이 두 자연수를 구하여라.

15 나이의 차가 3살인 형제가 있다. 두 사람의 나이의 제곱의 합이 549일 때, 동생의 나이는?

① 15살 ② 16살 ③ 17살
④ 18살 ⑤ 19살

16 오른쪽 그림과 같이 가로의 길이가 4 m, 세로의 길이가 3 m인 직사각형 모양의 꽃밭이 있다. 가로의 길이와 세로의 길이를 똑같이 늘려서 넓이를 18 m²만큼 더 넓히려고 할 때, 몇 m씩 늘려야 하는지 구하여라.

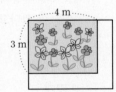

17 이차방정식 $x^2-6x+m+2=0$이 중근을 가질 때, 두 이차방정식 $(m-5)x^2+8x-10=0$, $x^2+(2m-5)x+20=0$이 공통으로 가지는 근을 구하여라.

18 다음 중 이차방정식 $(2-m)x^2-6=4x$의 해가 2개가 될 수 있게 하는 자연수 m의 값을 고르면?

① 1   ② 2   ③ 3

④ 4   ⑤ 5

19 사탕 120개를 학생들에게 똑같이 나누어 주려고 한다. 이때 학생 수가 한 사람이 받는 사탕의 개수보다 7만큼 더 크다고 할 때, 한 사람이 받는 사탕의 개수는?

① 6개   ② 8개   ③ 10개

④ 12개   ⑤ 14개

20 길이가 38 cm인 끈으로 직사각형을 만들어 그 넓이가 84 cm^{2}가 되도록 하려고 한다. 이 직사각형의 가로와 세로의 길이의 차는? (단, 가로의 길이가 세로의 길이보다 길고, 끈은 남김없이 사용한다.)

① 1 cm   ② 2 cm   ③ 3 cm

④ 4 cm   ⑤ 5 cm

21 혜진이와 유리의 생일은 같은 7월이고, 유리의 생일은 혜진이의 생일보다 1주일 후의 같은 요일이라 한다. 두 사람의 생일의 날짜의 곱이 98일 때, 유리의 생일은 며칠인지 구하여라.

22 오른쪽 그림과 같이 가로의 길이가 18 cm, 세로의 길이가 12 cm인 직사각형 ABCD에서 점 P는 점 A에서 점 B를 향하여

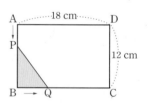

매초 2 cm의 속력으로 움직이고, 점 Q는 점 B에서 점 C를 향하여 매초 3 cm의 속력으로 움직인다. 두 점 P, Q가 동시에 출발하였을 때, △PBQ의 넓이가 처음으로 27 cm^{2}가 되는 것은 몇 초 후인가?

① 1초 후   ② 2초 후   ③ 3초 후

④ 4초 후   ⑤ 5초 후

23 단계형

이차방정식 $\frac{3}{2}x^2-6x-3k=0$은 두 근을 가지고, 이차방정식 $0.5x^2+0.75x=\frac{1}{4}(x+k)$는 해가 없도록 하는 정수 k의 값을 구하여라. [7점]

1단계 이차방정식 $\frac{3}{2}x^2-6x-3k=0$이 두 근을 가질 때의 k의 값의 범위 구하기 [3점]

_____

_____

2단계 이차방정식 $0.5x^2+0.75x=\frac{1}{4}(x+k)$가 해가 없도록 하는 k의 값의 범위 구하기 [3점]

_____

_____

3단계 정수 k의 값 구하기 [1점]

_____

_____

24 단계형

지면으로부터 초속 40 m로 쏘아 올린 물체의 t초 후의 높이를 h m라 할 때, $h=40t-5t^2$인 관계가 성립한다. 이 물체가 땅에 떨어지는 것은 쏘아 올린 지 몇 초 후인지 구하여라. [6점]

1단계 이차방정식 세우기 [2점]

_____

_____

2단계 이차방정식 풀기 [2점]

_____

_____

3단계 물체가 땅에 떨어지는 것은 쏘아 올린 지 몇 초 후인지 구하기 [2점]

_____

_____

25 사고력

이차방정식 $x^2+ax-2=0$의 근이 $x=\frac{3\pm\sqrt{b}}{2}$일 때, $a+b$의 값을 구하여라. [5점]

26 사고력

오른쪽 그림과 같이 한 변의 길이가 15 cm인 정사각형 모양 종이의 네 모퉁이에서 크기가 같은 정사각형을 잘라내어 뚜껑이 없는 종이 상자를 만들었다. 이 종이 상자의 밑넓이가 원래의 정사각형 모양 종이의 넓이보다 144 cm² 가 작다고 할 때, 잘라낸 정사각형의 한 변의 길이를 구하여라. [8점]

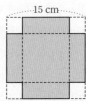
15 cm

01 이차함수의 뜻

함수 $y=f(x)$에서 $f(x)$가 x에 관한 이차식

$$y=ax^2+bx+c\,(a\neq0,\ a,\ b,\ c는\ 상수)$$

로 나타내어질 때, y를 x에 관한 이차함수라 한다.

예 $y=-x^2$, $y=\dfrac{1}{3}x^2+1$, $y=x^2-3x+1$

포인트개념

- 이차함수 ➡ $y=\dfrac{1}{x^2}(\times)$, $y=x(x+1)-x^2(\times)$, $y=-2x(x+1)(\bigcirc)$

예제 1

다음 중 이차함수인 것을 모두 고르면?

(정답 2개)

① $y=-x^2+7$　　② $y=2x-1$

③ $y=x(x-2)-2$　④ $y=\dfrac{1}{x^2}$

⑤ $y=(x^2-1)(3-x)$

02 이차함수 $y=x^2$의 그래프

(1) 아래로 볼록한 포물선이다.

(2) 원점이 꼭짓점이고, $x=0(y$축$)$이 축이다.

(3) y축에 대하여 대칭이다.

(4) $x<0$인 구간에서 x의 값이 증가하면 y의 값은 감소한다.
　　$x>0$인 구간에서 x의 값이 증가하면 y의 값도 증가한다.

(5) $y=-x^2$의 그래프와 x축에 대하여 대칭이다.

참고 포물선의 뜻과 성질
　(1) 이차함수의 그래프와 같은 모양의 곡선을 포물선이라 한다.
　(2) 포물선의 성질
　　① 포물선은 선대칭도형으로 대칭축을 포물선의 축이라 한다.
　　② 포물선과 축의 교점을 포물선의 꼭짓점이라 한다.

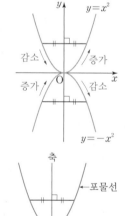

예제 2

다음 중 이차함수 $y=x^2$의 그래프에 대한 설명으로 옳지 <u>않은</u> 것은?

① 꼭짓점은 원점이다.

② x축에 대하여 대칭이다.

③ 축의 방정식은 $x=0$이다.

④ 아래로 볼록한 포물선이다.

⑤ $x<0$인 구간에서 x의 값이 증가하면 y의 값은 감소한다.

03 이차함수 $y=ax^2$의 그래프

(1) 원점이 꼭짓점이고, $x=0(y$축$)$이 축이다.

(2) $a>0$이면 그래프는 아래로 볼록한 포물선이고, $a<0$이면 그래프는 위로 볼록한 포물선이다.

(3) a의 절댓값이 클수록 그래프의 폭이 좁아진다.

(4) $y=-ax^2$의 그래프와 x축에 대하여 대칭이다.

예 $y=3x^2$의 그래프와 x축에 대하여 대칭인 그래프의 식은 $y=-3x^2$이다.

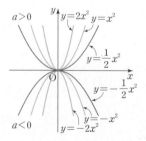

예제 3

다음 중 이차함수 $y=-2x^2$의 그래프에 대한 설명으로 옳지 <u>않은</u> 것은?

① 꼭짓점은 원점이다.

② y축에 대하여 대칭이다.

③ 위로 볼록한 포물선이다.

④ $y=2x^2$의 그래프와 x축에 대하여 대칭이다.

⑤ $x>0$인 구간에서 x의 값이 증가하면 y의 값도 증가한다.

04 이차함수 $y=ax^2+q$의 그래프

(1) 이차함수 $y=ax^2$의 그래프를 y축의 방향으로 q만큼 평행이동한 그래프이다.

(2) 꼭짓점의 좌표 : $(0, q)$

(3) 축의 방정식 : $x=0(y$축$)$

참고 $q>0$이면 y축의 양의 방향(위쪽)으로, $q<0$이면 y축의 음의 방향(아래쪽)으로 평행이동한다.

예 $y=3x^2$의 그래프를 y축의 방향으로 2만큼 평행이동

그래프의 식	$y=3x^2 \Rightarrow y=3x^2+2$
꼭짓점	$(0, 0) \Rightarrow (0, 2)$
축	$x=0(y$축$) \Rightarrow x=0(y$축$)$

05 이차함수 $y=a(x-p)^2$의 그래프

(1) 이차함수 $y=ax^2$의 그래프를 x축의 방향으로 p만큼 평행이동한 그래프이다.

(2) 꼭짓점의 좌표 : $(p, 0)$

(3) 축의 방정식 : $x=p$

참고 $p>0$이면 x축의 양의 방향(오른쪽)으로, $p<0$이면 x축의 음의 방향(왼쪽)으로 평행이동한다.

예 $y=3x^2$의 그래프를 x축의 방향으로 4만큼 평행이동

그래프의 식	$y=3x^2 \Rightarrow y=3(x-4)^2$
꼭짓점	$(0, 0) \Rightarrow (4, 0)$
축	$x=0(y$축$) \Rightarrow x=4$

06 이차함수 $y=a(x-p)^2+q$의 그래프

(1) 이차함수 $y=ax^2$의 그래프를 x축의 방향으로 p만큼, y축의 방향으로 q만큼 평행이동한 그래프이다.

(2) 꼭짓점의 좌표 : (p, q)

(3) 축의 방정식 : $x=p$

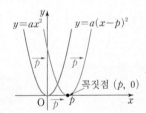

예 $y=3x^2$의 그래프를 x축의 방향으로 4만큼, y축의 방향으로 2만큼 평행이동

그래프의 식	$y=3x^2 \Rightarrow y=3(x-4)^2+2$
꼭짓점	$(0, 0) \Rightarrow (4, 2)$
축	$x=0(y$축$) \Rightarrow x=4$

예제 4

다음 이차함수의 그래프를 y축의 방향으로 [ ] 안의 수만큼 평행이동한 그래프의 식을 구하고, 꼭짓점의 좌표와 축의 방정식을 각각 구하여라.

(1) $y=-3x^2$ [2]

(2) $y=\dfrac{1}{2}x^2$ [-1]

예제 5

다음 이차함수의 그래프를 x축의 방향으로 [ ] 안의 수만큼 평행이동한 그래프의 식을 구하고, 꼭짓점의 좌표와 축의 방정식을 각각 구하여라.

(1) $y=-\dfrac{2}{3}x^2$ [-3]

(2) $y=2x^2$ [6]

예제 6

다음 이차함수의 그래프를 x축, y축의 방향으로 [ ] 안의 수만큼 각각 평행이동한 그래프의 식을 구하고, 꼭짓점의 좌표와 축의 방정식을 각각 구하여라.

(1) $y=-2x^2$ [1, -1]

(2) $y=7x^2$ [-2, 3]

대표 유형 **이차함수의 뜻**

01 다음 중 이차함수가 <u>아닌</u> 것은?

① $y = -x^2$ ② $y = x^2 + 3$

③ $y = (x+1)^2 - 2x^2$ ④ $y = x(x-1)(x+1)$

⑤ $y = x^2 - 3x - \dfrac{1}{2}$

출제율 95%

02 다음 보기 중 이차함수는 모두 몇 개인가?

보기

ㄱ. $y = x^2 - 3$ ㄴ. $y = \dfrac{1}{x^2} + 2$

ㄷ. $y = \dfrac{x^2 - 1}{3}$ ㄹ. $y = x^2 - (2-x)^2$

ㅁ. $y = (x-2)(x+3) - x^2$

① 1개   ② 2개   ③ 3개

④ 4개   ⑤ 5개

출제율 90%

03 다음 중 y가 x에 관한 이차함수인 것은?

① 반지름의 길이가 x cm인 원의 넓이 y cm²

② 시속 x km로 3시간 동안 달린 거리 y km

③ 자연수 x와 그 수보다 1이 더 큰 수의 합 y

④ 하루 중 낮의 길이가 x시간일 때, 밤의 길이 y시간

⑤ 밑변의 길이가 x cm이고 높이가 10 cm인 삼각형의 넓이 y cm²

출제율 85%

04 $y = (a-2)x^2 + x(x-1)$이 x에 관한 이차함수일 때, 다음 중 a의 값이 될 수 <u>없는</u> 것은?

① -2 ② -1 ③ 0

④ 1   ⑤ 2

출제율 85%

05 $y = a^2x^2 - 3x(ax-2) + 5$가 이차함수일 때, 다음 중 상수 a의 값이 될 수 <u>없는</u> 것을 모두 고르면? (정답 2개)

① 0   ② 1   ③ 2

④ 3   ⑤ 4

대표 유형 **이차함수의 함숫값**

06 이차함수 $f(x) = 3x^2 - x + 2$에서 $f(-2)$의 값은?

① -4 ② -2 ③ 3

④ 12   ⑤ 16

출제율 95%

07 이차함수 $f(x) = 2x^2 - 3x + 6$에서 $f(2) - \dfrac{1}{3}f(-3)$의 값은?

① -3 ② -1 ③ 2

④ 6   ⑤ 9

08 이차함수 $f(x)=3x^2+ax-2$에서 $f(-2)=2$일 때, 상수 a의 값은?

① -4 ② -1 ③ 2

④ 3 ⑤ 4

09 이차함수 $f(x)=2x^2-x+1$에서 $f(a)=7$일 때, 정수 a의 값은?

① -3 ② -2 ③ -1

④ 1 ⑤ 2

10 이차함수 $f(x)=x^2+ax+b$에서 $f(1)=2$, $f(-1)=4$일 때, 상수 a, b에 대하여 $2a+b$의 값은?

① -3 ② -1 ③ 0

④ 2 ⑤ 3

11 이차함수 $f(x)=(x-a)(x-2)$에서 $f(1)=4$일 때, $f(-2)$의 값을 구하면?

① 26 ② 27 ③ 28

④ 30 ⑤ 32

대표유형 **이차함수의 그래프가 지나는 점**

12 다음 중 이차함수 $y=x^2-3$의 그래프 위의 점이 <u>아닌</u> 것은?

① $(-3, 6)$ ② $(-1, -2)$ ③ $(0, -3)$

④ $(2, -1)$ ⑤ $(4, 13)$

13 이차함수 $y=ax^2$의 그래프가 점 $(2, -12)$를 지날 때, 상수 a의 값은?

① -3 ② -2 ③ -1

④ 2 ⑤ 3

14 이차함수 $y=ax^2$의 그래프가 두 점 $(3, 6)$, $(2, b)$를 지날 때, 상수 a, b에 대하여 $a+b$의 값은?

① $-\dfrac{8}{3}$ ② $-\dfrac{5}{2}$ ③ $\dfrac{7}{2}$

④ $\dfrac{10}{3}$ ⑤ $\dfrac{15}{4}$

출제율 90%

15 이차함수 $y=-2x^2+a$의 그래프가 두 점 $(3, -15)$,
$(-2, b)$를 지날 때, 상수 a, b에 대하여 $a-b$의 값을 구하여라.

출제율 85%

16 이차함수 $y=-\dfrac{1}{3}(x+1)^2$의 그래프가 두 점 $(a, -3)$,
$(-3, b)$를 지날 때, 상수 a, b에 대하여 ab의 값은?
(단, $a>0$)

① $-\dfrac{8}{3}$ ② $-\dfrac{5}{2}$ ③ $-\dfrac{5}{3}$

④ $\dfrac{10}{3}$ ⑤ $\dfrac{15}{4}$

대표유형 이차함수 $y=ax^2$의 그래프

17 다음 중 이차함수 $y=-x^2$의 그래프에 대한 설명으로 옳은 것은?

① 아래로 볼록한 포물선이다.
② 축의 방정식은 $y=0$이다.
③ 꼭짓점의 좌표는 구할 수 없다.
④ $y=x^2$의 그래프와 x축에 대하여 대칭이다.
⑤ $x>0$인 구간에서 x의 값이 증가하면 y의 값도 증가한다.

내신 UP POINT

이차함수 $y=ax^2$의 그래프
(1) 원점이 꼭짓점이고, $x=0$(y축)이 축이다.
(2) $a>0$이면 그래프는 아래로 볼록한 포물선이고, $a<0$이면 그래프는 위로 볼록한 포물선이다.
(3) a의 절댓값이 클수록 그래프의 폭이 좁아진다.
(4) $y=-ax^2$의 그래프와 x축에 대하여 대칭이다.

출제율 95%

18 다음 중 이차함수 $y=\dfrac{2}{3}x^2$의 그래프에 대한 설명으로 옳지 <u>않은</u> 것은?

① 꼭짓점은 원점이다.
② 축의 방정식은 $x=0$이다.
③ 점 $(-3, 6)$을 지난다.
④ 아래로 볼록한 포물선이다.
⑤ $y=-\dfrac{2}{3}x^2$의 그래프와 y축에 대하여 대칭이다.

출제율 90%

19 다음 중 이차함수 $y=-\dfrac{1}{2}x^2$의 그래프에 대한 설명으로 옳지 <u>않은</u> 것은?

① 점 $(-2, -2)$를 지난다.
② 축의 방정식은 $x=0$이다.
③ $y=-\dfrac{3}{4}x^2$의 그래프보다 폭이 넓다.
④ x의 값이 증가하면 y의 값은 감소한다.
⑤ $y=\dfrac{1}{2}x^2$의 그래프와 x축에 대하여 서로 대칭이다.

출제율 90%

20 다음 **보기** 중 이차함수 $y=ax^2$의 그래프에 대한 설명으로 옳은 것을 모두 고른 것은?

보기

ㄱ. 원점을 꼭짓점으로 하는 포물선이다.
ㄴ. 점 $(-1, a)$를 지난다.
ㄷ. x축을 대칭축으로 한다.
ㄹ. a의 절댓값이 클수록 폭이 넓어진다.
ㅁ. $y=-ax^2$의 그래프와 x축에 대하여 대칭이다.
ㅂ. $a>0$이면 위로 볼록하고, $a<0$이면 아래로 볼록하다.

① ㄴ, ㅂ   ② ㄱ, ㄴ, ㄹ   ③ ㄱ, ㄴ, ㅁ
④ ㄴ, ㄹ, ㅁ   ⑤ ㄴ, ㄷ, ㅂ

대표유형 **이차함수 $y=ax^2$의 식 구하기**

21 오른쪽 그림과 같은 포물선을
그래프로 하는 이차함수의 식
은?

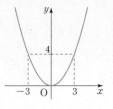

① $y=12x^2$ ② $y=\dfrac{3}{4}x^2$

③ $y=-\dfrac{4}{9}x^2$ ④ $y=\dfrac{4}{9}x^2$

⑤ $y=-\dfrac{4}{3}x^2$

내신 UP POINT

그래프가 원점을 꼭짓점으로 하는 포물선인 이차함수의 식은
$y=ax^2$의 꼴이다.

22 원점을 꼭짓점으로 하고, 점 $(-3, 6)$을 지나는 포물
선을 그래프로 하는 이차함수의 식은?

① $y=2x^2$ ② $y=-2x^2$ ③ $y=\dfrac{2}{3}x^2$

④ $y=-\dfrac{2}{3}x^2$ ⑤ $y=\dfrac{3}{4}x^2$

23 이차함수 $y=f(x)$의 그래프가
오른쪽 그림과 같을 때, $f(-3)$
의 값은?

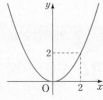

① $\dfrac{1}{2}$ ② $\dfrac{9}{2}$

③ $\dfrac{1}{3}$ ④ $\dfrac{7}{3}$

⑤ $\dfrac{10}{3}$

24 이차함수 $y=ax^2$의 그래프가 두 점 $(-2, -12)$,
$(k, -27)$을 지날 때, k의 값을 구하여라. (단, $k>0$)

25 오른쪽 그림과 같이 $\overline{AB}$가 이
차함수 $y=x^2$, $y=ax^2$의 그
래프에 의하여 사등분될 때,
상수 a의 값은?

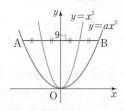

① $\dfrac{1}{2}$ ② $\dfrac{1}{3}$

③ $\dfrac{2}{3}$ ④ $\dfrac{1}{4}$

⑤ $\dfrac{1}{6}$

대표유형 **이차함수 $y=ax^2$, $y=-ax^2$의 그래프의 관계**

26 이차함수 $y=\dfrac{2}{3}x^2$의 그래프와 x축에 대하여 대칭
인 이차함수의 그래프의 식은?

① $y=\dfrac{3}{2}x^2$ ② $y=-\dfrac{3}{2}x^2$ ③ $y=-\dfrac{2}{3}x^2$

④ $y=\dfrac{4}{3}x^2$ ⑤ $y=-\dfrac{4}{3}x^2$

27 이차함수 $y=ax^2$의 그래프는 점 $(2, -12)$를 지나
고, 이차함수 $y=bx^2$의 그래프와 x축에 대하여 대칭
일 때, $a-b$의 값을 구하여라. (단, a, b는 상수)

출제율 95%

28 이차함수 $y=-\dfrac{1}{2}x^2$의 그래프와 x축에 대하여 대칭인
(중) 이차함수의 그래프가 점 $(3, k)$를 지날 때, k의 값은?

① $-\dfrac{7}{3}$ ② $-\dfrac{5}{2}$ ③ $\dfrac{9}{2}$

④ $\dfrac{11}{3}$ ⑤ $\dfrac{13}{4}$

출제율 85%

29 오른쪽 그림과 같은 이차함수의
(중) 그래프와 x축에 대하여 대칭인
이차함수의 그래프의 식은?

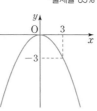

① $y=3x^2$ ② $y=-3x^2$

③ $y=\dfrac{1}{3}x^2$ ④ $y=-\dfrac{1}{3}x^2$

⑤ $y=\dfrac{2}{3}x^2$

 이차함수 $y=ax^2$의 그래프의 폭

30 다음 보기의 이차함수의 그래프를 한 좌표평면 위에
그렸을 때, 폭이 좁은 것부터 차례로 나열한 것은?

보기
ㄱ. $y=-\dfrac{1}{2}x^2$ ㄴ. $y=\dfrac{1}{3}x^2$

ㄷ. $y=-2x^2$ ㄹ. $y=3x^2$

ㅁ. $y=\dfrac{3}{2}x^2$

① ㄱ - ㄴ - ㅁ - ㄷ - ㄹ
② ㄱ - ㄷ - ㄴ - ㅁ - ㄹ
③ ㄷ - ㄹ - ㄴ - ㄱ - ㅁ
④ ㄹ - ㄷ - ㅁ - ㄱ - ㄴ
⑤ ㄹ - ㅁ - ㄷ - ㄴ - ㄱ

 POINT
이차함수 $y=ax^2$의 그래프에서 a의 절댓값이 클수록 폭이 좁
아진다.

출제율 95%

31 다음 이차함수의 그래프 중에서 위로 볼록하면서 폭
(하) 이 가장 좁은 것은?

① $y=-3x^2$ ② $y=-\dfrac{1}{3}x^2$ ③ $y=\dfrac{1}{4}x^2$

④ $y=-\dfrac{1}{4}x^2$ ⑤ $y=3x^2$

출제율 95%

32 오른쪽 그림에서 그래프 ㉠의
(하) 식이 될 수 있는 것은?

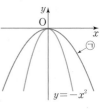

① $y=\dfrac{1}{3}x^2$ ② $y=-\dfrac{4}{3}x^2$

③ $y=-2x^2$ ④ $y=3x^2$

⑤ $y=-\dfrac{3}{4}x^2$

출제율 95%

33 오른쪽 그림은 이차함수
(중) $y=-x^2$, $y=ax^2$의 그래프이
다. 이때 상수 a의 값의 범위
는?

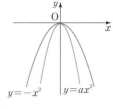

① $a<-1$ ② $a>1$
③ $0<a<1$ ④ $-1<a<0$
⑤ $-1<a<1$

 이차함수 $y=ax^2$의 그래프의 평행이동

34 다음 이차함수의 그래프 중 $y=3x^2$의 그래프를 평
행이동한 것이 <u>아닌</u> 것은?

① $y=3x^2-2$ ② $y=3x^2+\dfrac{1}{2}$

③ $y=3(x+1)^2$ ④ $y=3(x-2)^2+1$

⑤ $y=-3(x+1)^2+3$

35 이차함수 $y=\dfrac{1}{3}x^2$의 그래프를 x축의 방향으로 -4만큼, y축의 방향으로 2만큼 평행이동한 그래프의 식을 구하여라.

출제율 95%

36 오른쪽 그림은 이차함수 $y=\dfrac{1}{2}x^2$의 그래프를 평행이동한 그래프이다. 이 그래프의 식은?

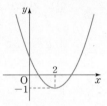

① $y=\dfrac{1}{2}(x+2)^2-1$ ② $y=\dfrac{1}{2}(x+2)^2+1$

③ $y=\dfrac{1}{2}(x-2)^2-1$ ④ $y=\dfrac{1}{2}(x-2)^2+1$

⑤ $y=\dfrac{1}{2}(x-1)^2+2$

출제율 90%

37 이차함수 $y=-\dfrac{2}{3}x^2$의 그래프를 y축의 방향으로 -1만큼 평행이동한 그래프가 점 $(3, k)$를 지날 때, k의 값을 구하여라.

출제율 90%

38 다음 중 두 이차함수 $y=3x^2-1$, $y=3(x-1)^2$의 그래프에 대한 설명으로 옳은 것은?

① $y=-3x^2$의 그래프를 평행이동한 것이다.
② 대칭축이 같다.
③ 꼭짓점의 좌표가 같다.
④ 점 $(0, 1)$을 지난다.
⑤ $y=3x^2$의 그래프와 폭이 같다.

대표유형 **이차함수 $y=a(x-p)^2+q$의 그래프의 평행이동**

39 이차함수 $y=3(x+1)^2-1$의 그래프를 x축의 방향으로 3만큼, y축의 방향으로 3만큼 평행이동한 그래프의 식을 구하여라.

내신 **UP** POINT
이차함수 $y=a(x-p)^2+q$의 그래프를 x축의 방향으로 m만큼, y축의 방향으로 n만큼 평행이동한 그래프의 식은 $y=a(x-m-p)^2+q+n$이다.

출제율 95%

40 이차함수 $y=-\dfrac{1}{2}(x+1)^2-3$의 그래프를 x축의 방향으로 m만큼, y축의 방향으로 n만큼 평행이동하였더니 $y=-\dfrac{1}{2}x^2$의 그래프와 일치하였다. 이때 $m+n$의 값은?

① -4 ② -2 ③ 2
④ 4   ⑤ 6

출제율 90%

41 이차함수 $y=2(x-4)^2+3$의 그래프를 x축의 방향으로 -3만큼, y축의 방향으로 -5만큼 평행이동한 그래프가 점 $(1, a)$를 지날 때, a의 값은?

① -2 ② -1 ③ 0

④ 1 ⑤ 2

출제율 85%

42 이차함수 $y=\dfrac{1}{2}(x-3)^2$의 그래프를 y축의 방향으로 q만큼 평행이동한 그래프가 두 점 $(1, 4)$, $(5, k)$를 지날 때, $q+k$의 값을 구하여라.

출제율 85%

43 이차함수 $y=3(x+2)^2+5$의 그래프를 x축의 방향으로 2만큼, y축의 방향으로 1만큼 평행이동하면 점 $(a, 9)$를 지날 때, 양수 a의 값을 구하면?

① 1 ② 2 ③ 3

④ 4 ⑤ 5

대표유형 이차함수의 그래프의 꼭짓점의 좌표와 축의 방정식

44 이차함수 $y=-(x+3)^2+1$의 그래프의 꼭짓점의 좌표가 (p, q)일 때, $p+q$의 값은?

① -3 ② -2 ③ -1

④ 2 ⑤ 3

출제율 95%

45 다음 이차함수의 그래프 중 꼭짓점이 제3사분면 위에 있는 것은?

① $y=-3x^2+1$ ② $y=\dfrac{1}{3}x^2-1$

③ $y=3(x-1)^2+5$ ④ $y=-\dfrac{1}{3}(x-2)^2+5$

⑤ $y=\dfrac{1}{4}(x+2)^2-1$

출제율 95%

46 이차함수 $y=a(x-p)^2+1$의 그래프는 축의 방정식이 $x=-3$이고, 점 $(-2, -1)$을 지난다. 이때 $a+p$의 값은? (단, a, p는 상수)

① -5 ② -3 ③ -1

④ 1 ⑤ 3

출제율 90%

47 이차함수 $y=\dfrac{1}{2}(x-1)^2+3$의 그래프를 x축의 방향으로 -3만큼 평행이동한 그래프의 축의 방정식은?

① $x=-3$ ② $x=-2$ ③ $x=-1$

④ $x=1$ ⑤ $x=2$

출제율 90%

48 중 이차함수 $y=-3(x+1)^2+2$의 그래프를 x축의 방향으로 2만큼, y축의 방향으로 -3만큼 평행이동한 그래프의 꼭짓점의 좌표와 축의 방정식을 차례로 구하여라.

대표 유형 **이차함수의 그래프의 꼭짓점의 활용**

49 이차함수 $y=\frac{2}{3}x^2$의 그래프를 평행이동하였더니 꼭짓점의 좌표가 $(-1,\ 4)$인 그래프가 되었다. 이 그래프의 식을 $y=a(x-p)^2+q$라 할 때, 상수 a, p, q에 대하여 $a+p+q$의 값을 구하여라.

출제율 95%

50 중 이차함수 $y=a(x-p)^2+q$의 그래프가 오른쪽 그림과 같을 때, apq의 값은? (단, a, p, q는 상수)

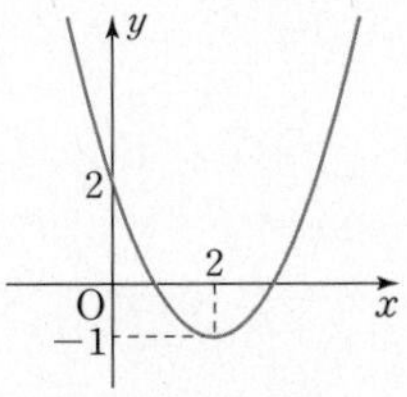

① $-\frac{5}{3}$　② $-\frac{3}{2}$　③ $\frac{5}{2}$　④ $\frac{7}{3}$　⑤ $\frac{9}{4}$

출제율 90%

51 중 이차함수 $y=-2x^2$의 그래프를 꼭짓점의 좌표가 $(1,\ -3)$이 되도록 평행이동하면 점 $(2,\ k)$를 지난다. 이때 상수 k의 값은?

① -5　② -3　③ -1　④ 2　⑤ 4

출제율 85%

52 중 이차함수 $y=-\frac{1}{3}(x-p)^2+q$의 그래프를 y축의 방향으로 -3만큼 평행이동한 그래프는 꼭짓점의 좌표가 $(-2,\ -1)$이고, 점 $(1,\ a)$를 지난다. 이때 상수 a, p, q에 대하여 $a+p+q$의 값은?

① -4　② -2　③ 2　④ 4　⑤ 6

출제율 85%

53 상 이차함수 $y=5(x+p)^2+2p^2$의 그래프의 꼭짓점이 $y=7x+4$의 그래프 위에 있을 때, 양수 p의 값을 구하면?

① $\frac{5}{2}$　② 2　③ $\frac{3}{2}$　④ 1　⑤ $\frac{1}{2}$

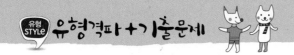

대표유형 이차함수 $y=a(x-p)^2+q$의 그래프에서 증가·감소하는 범위

54 이차함수 $y=-\dfrac{1}{2}(x+3)^2-4$의 그래프에서 x의 값이 증가하면 y의 값도 증가하는 x의 값의 범위는?

① $x>-3$ ② $x<-3$ ③ $x>3$

④ $x<3$ ⑤ $x>\dfrac{1}{2}$

내신 UP POINT

이차함수 $y=a(x-p)^2+q$의 그래프에서 증가·감소하는 범위는 축의 방정식 $x=p$를 기준으로 판별할 수 있다.

(1) $a>0$일 때

  ① $x<p$: x의 값 증가
     ➡ y의 값 감소
  ② $x>p$: x의 값 증가
     ➡ y의 값 증가

(2) $a<0$일 때

  ① $x<p$: x의 값 증가
     ➡ y의 값 증가
  ② $x>p$: x의 값 증가
     ➡ y의 값 감소

$a>0$
감소 / 증가
$x=p$

$a<0$
증가 / 감소
$x=p$

출제율 90%

55 이차함수 $y=(x+1)^2-3$의 그래프를 x축의 방향으로 2만큼, y축의 방향으로 4만큼 평행이동한 그래프에서 x의 값이 증가할 때, y의 값도 증가하는 x의 값의 범위는?

① $x>1$ ② $x<1$ ③ $x>0$

④ $x<0$ ⑤ $x>-1$

출제율 85%

56 이차함수 $y=ax^2$의 그래프는 점 $(-1,\ -3)$을 지난다. 이 그래프를 x축의 방향으로 1만큼 평행이동한 그래프에서 x의 값이 증가할 때, y의 값은 감소하는 x의 값의 범위는?

① $x<1$ ② $x>1$ ③ $x<0$

④ $x>0$ ⑤ $x>-1$

대표유형 이차함수의 그래프의 대칭이동

57 이차함수 $y=-3(x+1)^2-2$의 그래프를 x축에 대하여 대칭이동한 그래프의 식은?

① $y=-3(x-1)^2+2$ ② $y=-3(x+1)^2+2$

③ $y=3(x-1)^2+2$ ④ $y=3(x-1)^2-2$

⑤ $y=3(x+1)^2+2$

내신 UP POINT

이차함수 $y=a(x-p)^2+q$의 그래프를

(1) x축에 대하여 대칭이동한 그래프의 식을 구할 때에는 y 대신 $-y$를 대입한다.

(2) y축에 대하여 대칭이동한 그래프의 식을 구할 때에는 x 대신 $-x$를 대입한다.

출제율 90%

58 이차함수 $y=\dfrac{1}{2}(x-1)^2+3$의 그래프를 y축에 대하여 대칭이동한 그래프가 점 $(1,\ k)$를 지날 때, 상수 k의 값은?

① -4 ② $-\dfrac{1}{2}$ ③ $\dfrac{5}{2}$

④ 3 ⑤ 5

출제율 80%

59 이차함수 $y=(x-1)^2-2$의 그래프를 y축에 대하여 대칭이동한 후 다시 x축에 대하여 대칭이동한 그래프의 식은?

① $y=(x+1)^2-2$ ② $y=(x+1)^2+2$

③ $y=-(x+1)^2-2$ ④ $y=-(x+1)^2+2$

⑤ $y=-(x-1)^2+2$

대표유형 **이차함수 $y=a(x-p)^2+q$의 그래프 그리기**

60 다음 중 이차함수 $y=-\dfrac{1}{3}(x+2)^2-1$의 그래프는?

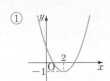
①

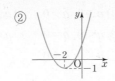
②

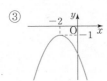
③

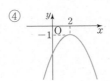
④

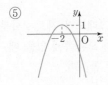
⑤

내신 UP POINT

이차함수 $y=a(x-p)^2+q$의 그래프 그리기
(1) 꼭짓점의 좌표 (p, q)와 포물선이 y축과 만나는 점의 좌표를 구한다.
(2) $a>0$이면 아래로 볼록, $a<0$이면 위로 볼록한 포물선을 그린다.

출제율 95%

61 이차함수 $y=3(x+1)^2+4$의 그래프가 지나지 <u>않는</u> 사분면은?

① 제1, 2사분면 　　② 제2, 3사분면
③ 제3, 4사분면 　　④ 제1, 4사분면
⑤ 모든 사분면을 지난다.

출제율 85%

62 다음 이차함수의 그래프 중 모든 사분면을 지나는 것은?

① $y=-x^2-4$ 　　② $y=3(x-1)^2$
③ $y=2(x+1)^2-1$ 　　④ $y=-(x-2)^2+1$
⑤ $y=-\dfrac{1}{3}(x-2)^2+5$

대표유형 **이차함수 $y=a(x-p)^2+q$의 그래프의 성질**

63 이차함수 $y=2(x-3)^2+1$의 그래프에 대한 설명 중 옳은 것은?

① $y=2x^2$의 그래프를 x축의 방향으로 -3만큼, y축의 방향으로 1만큼 평행이동한 그래프이다.
② 이차함수 $y=\dfrac{1}{2}x^2$의 그래프와 포물선의 폭이 같다.
③ 꼭짓점의 좌표는 $(-3, 1)$이다.
④ 축의 방정식은 $x=-3$이다.
⑤ $x>3$인 구간에서 x의 값이 증가하면 y의 값도 증가한다.

출제율 95%

64 이차함수 $y=-\dfrac{1}{3}(x+1)^2-2$의 그래프에 대한 설명 중 옳지 <u>않은</u> 것은?

① 위로 볼록한 포물선이다.
② 꼭짓점의 좌표는 $(-1, -2)$이다.
③ $x<-1$인 구간에서 x의 값이 증가하면 y의 값도 증가한다.
④ $x>-1$인 구간에서 x의 값이 증가하면 y의 값은 감소한다.
⑤ $y=\dfrac{1}{3}(x+1)^2-2$의 그래프와 x축에 대하여 대칭이다.

출제율 90%

65 이차함수 $y=3x^2$의 그래프를 x축의 방향으로 2만큼, y축의 방향으로 1만큼 평행이동한 그래프에 대한 설명 중 옳은 것은?

① 위로 볼록한 포물선이다.
② 꼭짓점의 좌표는 $(-2, 1)$이다.
③ $y=-2x^2$의 그래프보다 폭이 좁다.
④ $y=-3(x+2)^2-1$의 그래프와 x축에 대하여 대칭이다.
⑤ $x<2$인 구간에서 x의 값이 증가하면 y의 값도 증가한다.

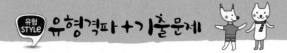

대표유형 이차함수 $y=a(x-p)^2+q$의 그래프에서 a, p, q의 부호

66 이차함수 $y=a(x-p)^2+q$의 그래프가 오른쪽 그림과 같을 때, 다음 중 옳은 것은?

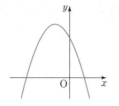

① $a<0, p<0, q<0$
② $a<0, p<0, q>0$
③ $a<0, p>0, q<0$
④ $a<0, p>0, q>0$
⑤ $a>0, p<0, q>0$

내신 UP POINT

이차함수 $y=a(x-p)^2+q$의 그래프에서 a, p, q의 부호
(1) a의 부호 : 그래프의 모양에 의해 결정
 ① 아래로 볼록 : $a>0$
 ② 위로 볼록 : $a<0$
(2) p, q의 부호 : 꼭짓점의 위치에 의해 결정
 ① 제1사분면 : $p>0, q>0$
 ② 제2사분면 : $p<0, q>0$
 ③ 제3사분면 : $p<0, q<0$
 ④ 제4사분면 : $p>0, q<0$

67 이차함수 $y=a(x-p)^2+q$의 그래프가 오른쪽 그림과 같을 때, $y=q(x-a)^2+q$의 그래프로 옳은 것은?

출제율 95%

①   ②
③   ④
⑤

68 이차함수 $y=ax^2+q$의 그래프가 오른쪽 그림과 같을 때, 다음 중 a, q의 부호로 옳은 것은?

출제율 90%

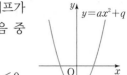

① $a>0, q>0$ ② $a>0, q<0$
③ $a<0, q=0$ ④ $a<0, q>0$
⑤ $a<0, q<0$

69 이차함수 $y=a(x-p)^2$의 그래프가 제1, 2사분면을 지나지 않고 꼭짓점이 y축의 오른쪽에 있을 때, 다음 **보기** 중 옳지 <u>않은</u> 것을 모두 골라라.

출제율 85%

보기
ㄱ. $a>0$ ㄴ. $p>0$
ㄷ. $ap<0$ ㄹ. $a-p>0$

70 일차함수 $y=ax+b$의 그래프가 오른쪽 그림과 같을 때, 이차함수 $y=(x-a)^2+b$의 그래프로 옳은 것은?

출제율 90%

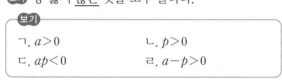

① 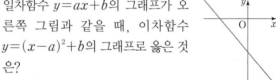   ②
③   ④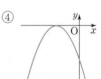
⑤

개념 UP ▶ **01** 이차함수 $y=a(x-p)^2+q$ 의 그래프와 넓이

(1) 꼭짓점의 좌표, x축과 만나는 점의 좌표, y축과 만나는 점의 좌표 등을 구하여 그래프를 그린다.
(2) 주어진 도형의 넓이를 구한다.

출제율 85%

71 오른쪽 그림과 같은 이차함수 $y=-(x-2)^2+4$의 그래프의 꼭짓점을 A라 하자. x축과 원점, 점 C에서 각각 만난다고 할 때, △AOC의 넓이를 구하여라.

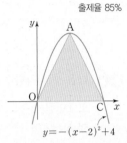

$y=-(x-2)^2+4$

출제율 80%

72 오른쪽 그림은 이차함수 $y=\dfrac{2}{3}x^2$의 그래프를 y축의 방향으로 -6만큼 평행이동한 그래프와 $y=\dfrac{1}{3}x^2$의 그래프를 y축의 방향으로 -3만큼 평행이동한 그래프이다. 이때 색칠한 부분의 넓이를 구하여라.

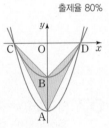

출제율 80%

73 오른쪽 그림과 같이 이차함수 $y=-2(x-1)^2$의 그래프의 꼭짓점을 A라 할 때, 이 그래프 위의 한 점 P에 대하여 △AOP의 넓이가 5이다. 이때 점 P의 좌표를 구하여라. (단, 점 O는 원점이고, 점 P는 제3사분면 위의 점이다.)

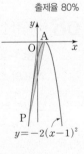

$y=-2(x-1)^2$

개념 UP ▶ **02** 이차함수 $y=a(x-p)^2+q$의 그래프에서 a, p, q의 부호

(1) a의 부호 : 그래프의 모양에 의해 결정
 ① 아래로 볼록 : $a>0$
 ② 위로 볼록 : $a<0$
(2) p, q의 부호 : 꼭짓점의 위치에 의해 결정
 ① 제1사분면 : $p>0, q>0$
 ② 제2사분면 : $p<0, q>0$
 ③ 제3사분면 : $p<0, q<0$
 ④ 제4사분면 : $p>0, q<0$

출제율 85%

74 이차함수 $y=\dfrac{3}{2}(x-a+2)^2-3a-15$의 그래프의 꼭짓점이 제3사분면 위에 있을 때, 정수 a의 값을 모두 구하여라.

출제율 85%

75 이차함수 $y=a(x+p)^2-q$의 그래프가 제1, 2, 4사분면만을 지날 때, 다음 중 a, p, q의 부호로 옳은 것은?

① $a<0, p<0, q<0$ ② $a<0, p>0, q<0$
③ $a>0, p<0, q<0$ ④ $a>0, p<0, q>0$
⑤ $a>0, p>0, q<0$

출제율 80%

76 이차함수 $y=-3(x+a-1)^2+2a-2$의 그래프의 축이 y축의 오른쪽에 있을 때, 이 그래프의 꼭짓점이 위치한 사분면을 구하여라.

이것만 봐도  70점!

01 다음 중 이차함수가 **아닌** 것은?

① $y = -\dfrac{x^2}{3}$ ② $y = x(1-x)$

③ $y = -x^2 + 2x$ ④ $y = x^2 - (3 + x^2)$

⑤ $y = \dfrac{1}{2}x^2 - x + 3$

02 다음 중 y가 x에 관한 이차함수인 것은?

① 밑변의 길이가 6, 높이가 x인 삼각형의 넓이 y

② 한 변의 길이가 x인 정사각형의 둘레의 길이 y

③ 반지름의 길이가 $2x$인 원의 넓이 y

④ 가로의 길이가 $x+2$, 세로의 길이가 x인 직사각형의 둘레의 길이 y

⑤ 윗변과 아랫변의 길이가 각각 x, $2x$이고 높이가 4인 사다리꼴의 넓이 y

03 다음 중 이차함수 $y = ax^2$의 그래프에 대한 설명으로 옳지 **않은** 것은?

① 꼭짓점은 원점이다.

② y축에 대하여 대칭인 선대칭도형이다.

③ $y = -ax^2$의 그래프와 x축에 대하여 대칭이다.

④ $a > 0$일 때, 아래로 볼록하다.

⑤ a의 절댓값이 클수록 폭이 넓어진다.

04 다음 이차함수의 그래프 중 위로 볼록하고, 포물선의 폭이 가장 좁은 것은?

① $y = -4x^2$ ② $y = -2x^2$ ③ $y = -\dfrac{2}{3}x^2$

④ $y = \dfrac{1}{2}x^2$ ⑤ $y = 3x^2$

05 오른쪽 그림은 이차함수 $y = 2x^2$, $y = ax^2$의 그래프이다. 이때 상수 a의 값의 범위를 구하여라.

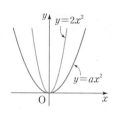

06 다음 중 이차함수 $y = -\dfrac{1}{2}x^2$의 그래프를 x축의 방향으로 1만큼, y축의 방향으로 -3만큼 평행이동한 그래프의 식은?

① $y = -\dfrac{1}{2}(x+1)^2 - 3$ ② $y = -\dfrac{1}{2}(x+1)^2 + 3$

③ $y = -\dfrac{1}{2}(x-1)^2 + 3$ ④ $y = -\dfrac{1}{2}(x-1)^2 - 3$

⑤ $y = \left(-\dfrac{1}{2}x + 1\right)^2 - 3$

07 이차함수 $y = 3x^2$의 그래프를 x축의 방향으로 p만큼 평행이동하면 점 $(3, 3)$을 지난다. 이때 p의 값을 모두 고르면? (정답 2개)

① -3 ② -2 ③ 1

④ 2 ⑤ 4

08 이차함수 $y = -\dfrac{1}{3}(x-1)^2 + 2$의 그래프를 x축의 방향으로 -2만큼, y축의 방향으로 -3만큼 평행이동한 그래프의 식은?

① $y = -3x^2 + 2$ ② $y = -3(x+2)^2 - 3$

③ $y = -\dfrac{1}{3}(x-3)^2 - 1$ ④ $y = -\dfrac{1}{3}(x+2)^2 - 3$

⑤ $y = -\dfrac{1}{3}(x+1)^2 - 1$

09 다음 중 이차함수의 그래프의 축의 방정식과 꼭짓점의 좌표를 옳게 구한 것은?

① $y=2(x-2)^2+1$ $[x=2, (-2, 1)]$

② $y=\dfrac{1}{2}(x+2)^2+3$ $[x=-2, (2, 3)]$

③ $y=-(x-3)^2-1$ $[x=3, (3, -1)]$

④ $y=-2(x+1)^2+1$ $[x=-2, (-1, 1)]$

⑤ $y=-\dfrac{2}{3}(x-3)^2+1$ $[x=-\dfrac{2}{3}, (-3, 1)]$

10 이차함수 $y=-\dfrac{3}{2}x^2+q$의 그래프가 점 $(-2, -1)$을 지날 때, 꼭짓점의 좌표를 구하여라.

11 이차함수 $y=a(x-p)^2$의 그래프가 오른쪽 그림과 같을 때, 상수 a, p에 대하여 $a+p$의 값은?

① $-\dfrac{7}{2}$
② $-\dfrac{6}{2}$

③ $\dfrac{3}{2}$
④ $\dfrac{5}{2}$

⑤ $\dfrac{7}{2}$

12 이차함수 $y=\dfrac{1}{2}(x-1)^2+3$의 그래프에서 x의 값이 증가하면 y의 값은 감소하는 x의 값의 범위는?

① $x<1$
② $x>1$
③ $x>\dfrac{1}{2}$

④ $x>-1$
⑤ $x<3$

13 이차함수 $y=-\dfrac{1}{2}(x-3)^2+1$의 그래프를 x축에 대하여 대칭이동한 그래프의 식은?

① $y=-\dfrac{1}{2}(x+3)^2-1$
② $y=-\dfrac{1}{2}(x-3)^2-1$

③ $y=\dfrac{1}{2}(x-3)^2+1$
④ $y=\dfrac{1}{2}(x-3)^2-1$

⑤ $y=\dfrac{1}{2}(x+3)^2-1$

14 이차함수 $y=-2(x-3)^2-1$의 그래프가 지나지 <u>않는</u> 사분면은?

① 제1, 2사분면
② 제2, 3사분면
③ 제3, 4사분면
④ 제1, 4사분면
⑤ 모든 사분면을 지난다.

15 이차함수 $y=-3(x+4)^2-1$의 그래프에 대한 설명 중 옳지 <u>않은</u> 것은?

① 축의 방정식은 $x=-4$이다.
② 위로 볼록한 포물선이다.
③ 꼭짓점의 좌표는 $(-4, -1)$이다.
④ $y=-2x^2$의 그래프보다 폭이 넓다.
⑤ $y=-3x^2$의 그래프를 x축의 방향으로 -4만큼, y축의 방향으로 -1만큼 평행이동한 것이다.

16 오른쪽 그림은 이차함수 $y=a(x-p)^2+q$의 그래프이다. a, p, q의 부호를 옳게 나타낸 것은?

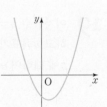

① $a>0, p>0, q>0$
② $a>0, p>0, q<0$
③ $a>0, p<0, q>0$
④ $a<0, p>0, q>0$
⑤ $a<0, p>0, q<0$

17 오른쪽 그림과 같이 $\overline{AB}$가 이차함수 $y=-x^2$, $y=ax^2$의 그래프에 의하여 사등분될 때, 상수 a의 값은?

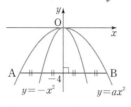

① $-\dfrac{1}{2}$ ② $-\dfrac{1}{4}$

③ $-\dfrac{1}{8}$ ④ $\dfrac{1}{4}$

⑤ $\dfrac{1}{2}$

18 이차함수 $y=-\dfrac{1}{4}x^2+1$의 그래프를 x축의 방향으로 2만큼 평행이동한 그래프가 점 $(3, k)$를 지난다고 한다. 이때 상수 k의 값은?

① $-\dfrac{3}{2}$ ② $-\dfrac{3}{4}$ ③ $\dfrac{3}{4}$

④ $\dfrac{3}{2}$ ⑤ 3

19 이차함수 $y=a(x-p)^2$은 x좌표가 3일 때 x축과 접하고 y좌표가 3일 때 y축과 만난다고 할 때, 상수 a, p에 대하여 $a+p$의 값은?

① -1 ② 0 ③ 1

④ 3 ⑤ $\dfrac{10}{3}$

20 다음 이차함수의 그래프 중 모든 사분면을 지나는 것이 아닌 것은?

① $y=2(x+2)^2-9$ ② $y=3(x-1)^2+1$

③ $y=-(x-2)^2+6$ ④ $y=2(x+1)^2-3$

⑤ $y=-\dfrac{1}{3}(x-2)^2+5$

21 오른쪽 그림과 같은 이차함수 $y=2\left(x+\dfrac{1}{2}\right)^2-\dfrac{9}{2}$의 그래프의 꼭짓점을 A, x축과 만나는 두 점을 각각 B, C라 할 때, $\triangle ABC$의 넓이를 구하여라.

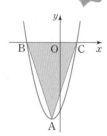

22 이차함수 $y=a(x+p)^2-q$의 그래프가 제1, 3, 4사분면만을 지날 때, 다음 중 a, p, q의 부호로 옳은 것은?

① $a<0$, $p<0$, $q<0$ ② $a<0$, $p<0$, $q>0$

③ $a<0$, $p>0$, $q<0$ ④ $a>0$, $p<0$, $q<0$

⑤ $a>0$, $p<0$, $q>0$

단계형

23 이차함수 $y=ax^2$의 그래프가 두 점 $(-2, -8)$, $(k, -18)$을 지날 때, 상수 a, k에 대하여 $a+k$의 값을 구하여라. (단, $k>0$) [6점]

1단계 상수 a의 값 구하기 [2점]

_____

_____

2단계 상수 k의 값 구하기 [2점]

_____

_____

3단계 $a+k$의 값 구하기 [2점]

_____

_____

단계형

24 이차함수 $y=a(x-p)^2+q$의 그래프가 오른쪽 그림과 같을 때, 상수 a, p, q에 대하여 $a+p+q$의 값을 구하여라. [7점]

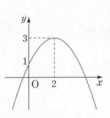

1단계 상수 p, q의 값을 각각 구하기 [3점]

_____

_____

2단계 상수 a의 값 구하기 [2점]

_____

_____

3단계 $a+p+q$의 값 구하기 [2점]

_____

_____

사고력

25 이차함수 $f(x)=3x^2+2x-2$에서 $f(1)-\dfrac{1}{2}f(-2)$의 값을 구하여라. [6점]

사고력

26 이차함수 $y=-\dfrac{1}{2}x^2+3$의 그래프를 x축의 방향으로 1만큼, y축의 방향으로 q만큼 평행이동하면 두 점 $(3, k)$, $(5, -7)$을 지난다. 이때 $q+k$의 값을 구하여라. [7점]

01 이차함수 $y=ax^2+bx+c$의 그래프

이차함수 $y=ax^2+bx+c$의 그래프는 $y=a(x-p)^2+q$의 꼴로 고치면 꼭짓점의 좌표를 쉽게 알 수 있다.

$$y=ax^2+bx+c \implies y=a\left(x+\frac{b}{2a}\right)^2-\frac{b^2-4ac}{4a}$$

(1) 꼭짓점의 좌표 : $\left(-\dfrac{b}{2a},\ -\dfrac{b^2-4ac}{4a}\right)$

(2) 축의 방정식 : $x=-\dfrac{b}{2a}$

참고 $y=ax^2+bx+c=a\left(x^2+\dfrac{b}{a}x\right)+c=a\left\{x^2+\dfrac{b}{a}x+\left(\dfrac{b}{2a}\right)^2-\left(\dfrac{b}{2a}\right)^2\right\}+c$

$\qquad\quad=a\left\{x^2+\dfrac{b}{a}x+\left(\dfrac{b}{2a}\right)^2\right\}-\dfrac{b^2}{4a}+c=a\left(x+\dfrac{b}{2a}\right)^2-\dfrac{b^2-4ac}{4a}$

02 이차함수의 그래프와 x축, y축과의 교점

이차함수 $y=ax^2+bx+c$의 그래프에서

(1) x축과의 교점 : $y=0$일 때의 x의 값, 즉 $ax^2+bx+c=0$의 해를 구한다.

(2) y축과의 교점

　　① $x=0$일 때의 y의 값을 구한다.　　② y축과의 교점의 좌표 : $(0,\ c)$

예 이차함수 $y=x^2+2x-3$에서

　　(1) $y=0$을 대입하면 $0=x^2+2x-3$, $(x+3)(x-1)=0$ ∴ $x=-3$ 또는 $x=1$

　　➡ x축과의 교점의 좌표 : $(-3,\ 0)$, $(1,\ 0)$

　　(2) $x=0$을 대입하면 $y=0^2+2\times0-3=-3$ ➡ y축과의 교점의 좌표 : $(0,\ -3)$

03 이차함수 $y=ax^2+bx+c$의 그래프에서 a, b, c의 부호

(1) a의 부호 : 그래프의 모양에 따라 결정된다.

　　① 아래로 볼록 ➡ $a>0$

　　② 위로 볼록 ➡ $a<0$

(2) b의 부호 : 축의 위치에 따라 결정된다.

　　① 축이 y축의 왼쪽에 있을 때

　　　➡ a와 같은 부호($ab>0$)

　　② 축이 y축과 일치할 때　　　➡ $b=0$

　　③ 축이 y축의 오른쪽에 있을 때 ➡ a와 다른 부호($ab<0$)

$ab>0$　　$b=0$　　$ab<0$

참고 $y=ax^2+bx+c \implies y=a\left(x+\dfrac{b}{2a}\right)^2-\dfrac{b^2-4ac}{4a}$에서 축의 방정식은 $x=-\dfrac{b}{2a}$이므로

　　① 축이 y축의 왼쪽에 있으면 $-\dfrac{b}{2a}<0$이므로 a, b는 서로 같은 부호

　　② 축이 y축의 오른쪽에 있으면 $-\dfrac{b}{2a}>0$이므로 a, b는 서로 다른 부호

(3) c의 부호 : y축과의 교점의 위치에 따라 결정된다.

　　① y축과의 교점이 x축의 위쪽에 있을 때　➡ $c>0$

　　② y축과의 교점이 원점일 때　　　　　　　➡ $c=0$

　　③ y축과의 교점이 x축의 아래쪽에 있을 때 ➡ $c<0$

예 이차함수 $y=ax^2+bx+c$의 그래프가 오른쪽 그림과 같을 때, 아래로 볼록하므로 $a>0$

축이 y축의 오른쪽에 있으므로 b는 a와 다른 부호이다. 즉, $b<0$

y축과의 교점이 x축의 위쪽에 있으므로 $c>0$

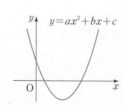

$y=ax^2+bx+c$

예제 1

다음 이차함수의 그래프의 꼭짓점의 좌표와 축의 방정식을 각각 구하여라.

(1) $y=x^2+2x+3$

(2) $y=-2x^2+4x-3$

예제 2

이차함수 $y=x^2-6x+5$의 그래프와 x축, y축과의 교점의 좌표를 각각 구하여라.

예제 3

이차함수 $y=ax^2+bx+c$의 그래프가 다음 그림과 같을 때, 상수 a, b, c의 부호를 각각 말하여라.

04 이차함수의 식 구하기(1)

꼭짓점의 좌표 (p, q)와 그래프가 지나는 다른 한 점의 좌표 (m, n)을 알 때
① 이차함수의 식을 $y=a(x-p)^2+q$로 놓는다.
② 이 식에 $x=m$, $y=n$을 대입하여 a의 값을 구한다.

예 꼭짓점의 좌표가 $(1, 2)$이고 점 $(2, 0)$을 지나는 포물선을 그래프로 하는
이차함수의 식을 구하면
① 이차함수의 식을 $y=a(x-1)^2+2$로 놓고
② $x=2$, $y=0$을 대입하면 $0=a(2-1)^2+2$ ∴ $a=-2$
따라서 구하는 이차함수의 식은 $y=-2(x-1)^2+2$, 즉 $y=-2x^2+4x$

예제 4
꼭짓점의 좌표가 $(1, 0)$이고 점 $(3, 4)$를 지나는 포물선을 그래프로 하는 이차함수의 식을 $y=ax^2+bx+c$의 꼴로 나타내어라.

05 이차함수의 식 구하기(2)

축의 방정식 $x=p$와 그래프가 지나는 두 점을 알 때
① 이차함수의 식을 $y=a(x-p)^2+q$로 놓는다.
② 이 식에 두 점의 좌표를 각각 대입하여 a, q의 값을 구한다.

예 축의 방정식이 $x=1$이고 두 점 $(-1, 6)$, $(4, 11)$을 지나는 포물선을 그래프로 하는
이차함수의 식을 구하면
① 이차함수의 식을 $y=a(x-1)^2+q$로 놓고
② $x=-1$, $y=6$과 $x=4$, $y=11$을 각각 대입하면
$6=4a+q$, $11=9a+q$이므로 연립하여 풀면 $a=1$, $q=2$
따라서 구하는 이차함수의 식은 $y=(x-1)^2+2$, 즉 $y=x^2-2x+3$

예제 5
축의 방정식이 $x=-2$이고 두 점 $(0, -7)$, $(-3, -1)$을 지나는 포물선을 그래프로 하는 이차함수의 식을 $y=ax^2+bx+c$의 꼴로 나타내어라.

06 이차함수의 식 구하기(3)

그래프가 지나는 세 점을 알 때
① 이차함수의 식을 $y=ax^2+bx+c$로 놓는다.
② 이 식에 세 점의 좌표를 각각 대입하여 a, b, c의 값을 구한다.

예 세 점 $(0, 3)$, $(1, 6)$, $(-1, 2)$를 지나는 포물선을 그래프로 하는 이차함수의 식을 구하면
① 이차함수의 식을 $y=ax^2+bx+c$로 놓고
② $x=0$, $y=3$을 대입하면 $3=c$이므로 $y=ax^2+bx+3$
$x=1$, $y=6$을 대입하면 $6=a+b+3$, $a+b=3$
$x=-1$, $y=2$를 대입하면 $2=a-b+3$, $a-b=-1$
두 식을 연립하여 풀면 $a=1$, $b=2$이므로 구하는 이차함수의 식은 $y=x^2+2x+3$

예제 6
세 점 $(0, -1)$, $(-2, 7)$, $(1, 4)$를 지나는 포물선을 그래프로 하는 이차함수의 식을 구하여라.

07 이차함수의 식 구하기(4)

x축과의 교점의 좌표 $(\alpha, 0)$, $(\beta, 0)$과 그래프 위의 다른 한 점을 알 때
① 이차함수의 식을 $y=a(x-\alpha)(x-\beta)$로 놓는다.
② 이 식에 다른 한 점의 좌표를 대입하여 a의 값을 구한다.

예 x축과의 교점의 좌표가 $(-2, 0)$, $(3, 0)$이고 점 $(1, 6)$을 지나는 포물선을 그래프로 하는
이차함수의 식을 구하면
① 이차함수의 식을 $y=a(x+2)(x-3)$으로 놓고
② $x=1$, $y=6$을 대입하면 $a=-1$이므로 $y=-(x+2)(x-3)=-x^2+x+6$

예제 7
x축과의 교점의 좌표가 $(-3, 0)$, $(2, 0)$이고 점 $(0, 12)$를 지나는 포물선을 그래프로 하는 이차함수의 식을 $y=ax^2+bx+c$의 꼴로 나타내어라.

출제율 90%

04 이차함수 $y=3x^2-6x+7$을 $y=a(x-p)^2+q$의 꼴로 고칠 때, $a+p+q$의 값은? (단, a, p, q는 상수)

① 2   ② 4   ③ 6
④ 8   ⑤ 10

대표유형 이차함수 $y=ax^2+bx+c$를 $y=a(x-p)^2+q$의 꼴로 변형하기

01 이차함수 $y=-\dfrac{1}{3}x^2+2x-1$을 $y=-\dfrac{1}{3}(x-p)^2+q$

의 꼴로 나타낼 때, 상수 p, q에 대하여 $p+q$의 값은?

① -5 ② -3 ③ -1
④ 3   ⑤ 5

대표유형 이차함수 $y=ax^2+bx+c$의 그래프의 꼭짓점의 좌표와 축의 방정식

05 이차함수 $y=2x^2-4x+1$의 그래프의 꼭짓점의 좌표는?

① $(-3, 2)$ ② $(-2, -4)$ ③ $(-1, 2)$
④ $(1, -1)$ ⑤ $(2, 4)$

출제율 95%

02 이차함수 $y=-2x^2+4x+1$을 $y=a(x-p)^2+q$의 꼴로 고치는 과정이다. $A+B+C+D$의 값은?

$$y=-2x^2+4x+1=-2(x^2-2x+A-A)+1$$
$$=-2(x-B)^2+C+1=-2(x-B)^2+D$$

① 3   ② 4   ③ 5
④ 6   ⑤ 7

출제율 95%

06 이차함수 $y=-\dfrac{1}{3}x^2+2x-4$의 그래프의 축의 방정식은?

① $x=-3$ ② $x=-\dfrac{2}{3}$ ③ $x=\dfrac{3}{2}$
④ $x=2$ ⑤ $x=3$

출제율 95%

03 다음 중 이차함수의 식을 $y=a(x-p)^2+q$의 꼴로 옳게 고친 것은?

① $y=-2x^2+4x \Rightarrow y=-2(x-1)^2$
② $y=x^2-6x-3 \Rightarrow y=(x-3)^2-6$
③ $y=2x^2+\dfrac{2}{3}x+\dfrac{1}{3} \Rightarrow y=2\left(x+\dfrac{1}{3}\right)^2+\dfrac{1}{3}$
④ $y=-\dfrac{1}{4}x^2+x+2 \Rightarrow y=-\dfrac{1}{4}(x-2)^2+3$
⑤ $y=(x+2)(x-3) \Rightarrow y=\left(x-\dfrac{1}{2}\right)^2+\dfrac{23}{4}$

출제율 95%

07 이차함수 $y=2x^2-8x+2$의 그래프의 축의 방정식은 $x=a$, 꼭짓점의 좌표는 (b, c)일 때, $a+b+c$의 값을 구하면?

① -1 ② -2 ③ -3
④ -4 ⑤ -5

08 이차함수 $y=-x^2+2x+2a-1$의 그래프의 꼭짓점의 좌표가 $(1, -4)$일 때, 상수 a의 값은?

① -4 ② -2 ③ -1

④ 2 ⑤ 4

09 이차함수 $y=-3x^2+kx-2$의 그래프가 점 $(1, 1)$을 지날 때, 이 그래프의 꼭짓점의 좌표는? (단, k는 상수)

① $(-3, -2)$ ② $(-2, 1)$ ③ $(1, -2)$

④ $(1, 1)$ ⑤ $(2, 3)$

10 이차함수 $y=2x^2-ax+7$의 그래프가 점 $(2, -1)$을 지날 때, 이 그래프의 축의 방정식은? (단, a는 상수)

① $x=-4$ ② $x=-2$ ③ $x=-1$

④ $x=2$ ⑤ $x=4$

11 두 이차함수 $y=3x^2-18x+26$과

$y=-\dfrac{1}{3}x^2+ax+b$의 꼭짓점의 좌표가 같을 때,

$a+b$의 값을 구하여라.

대표 유형 이차함수 $y=ax^2+bx+c$의 그래프의 평행이동

12 이차함수 $y=2x^2-8x+1$의 그래프는 이차함수 $y=2x^2$의 그래프를 x축의 방향으로 m만큼, y축의 방향으로 n만큼 평행이동한 것이다. 이때 $m+n$의 값은?

① -5 ② -4 ③ -2

④ 2 ⑤ 4

내신 UP POINT

이차함수 $y=ax^2+bx+c$의 그래프를 x축의 방향으로 m만큼, y축의 방향으로 n만큼 평행이동한 이차함수의 그래프의 식은 $y=a(x-p)^2+q$의 꼴로 고쳐서 구한다.

즉, $y=ax^2+bx+c$ ➡ $y=a(x-p)^2+q$

➡ $y=a(x-m-p)^2+q+n$

13 이차함수 $y=-\dfrac{1}{2}x^2+x-3$의 그래프를 x축의 방향으로 -3만큼, y축의 방향으로 2만큼 평행이동한 이차함수의 그래프의 식이 $y=ax^2+bx+c$일 때, 상수 a, b, c에 대하여 $a+b+c$의 값은?

① -5 ② $-\dfrac{7}{2}$ ③ -2

④ $\dfrac{2}{3}$ ⑤ 3

14 이차함수 $y=-x^2+4x-3$의 그래프를 x축의 방향으로 m만큼, y축의 방향으로 n만큼 평행이동하면 $y=-x^2-2x+4$의 그래프와 일치한다. 이때 $m+n$의 값은?

① -3 ② -1 ③ 1

④ 3 ⑤ 5

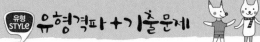
출제율 90%

15 이차함수 $y=-2x^2+12x-3$의 그래프를 x축의 방향으로 -2만큼, y축의 방향으로 -5만큼 평행이동한 그래프의 꼭짓점의 좌표를 구하여라.

출제율 90%

16 이차함수 $y=x^2-6x+5$의 그래프를 x축의 방향으로 -5만큼 평행이동하면 점 $(3, k)$를 지난다. 이때 k의 값은?

① 2 　　　② 5 　　　③ 9

④ 15 　　　⑤ 21

대표유형 **이차함수 $y=ax^2+bx+c$의 그래프에서 a의 의미**

17 다음 중 이차함수의 그래프의 폭이 가장 넓은 것은?

① $y=x^2$ 　　　② $y=-\dfrac{1}{2}x^2+5$

③ $y=3(x-1)^2+4$ 　　④ $y=\dfrac{2}{3}x^2-5x+1$

⑤ $y=-3x^2+2x-4$

출제율 95%

18 다음 중 이차함수의 그래프가 위로 볼록하고, 폭이 가장 좁은 것은?

① $y=-\dfrac{1}{3}x^2+1$ 　　② $y=4(x-1)^2$

③ $y=-(x-3)^2+1$ 　　④ $y=\dfrac{1}{2}x^2+4x-3$

⑤ $y=-3x^2-5x+2$

출제율 95%

19 다음 이차함수의 그래프 중 평행이동하여 다른 포물선과 포개어지지 <u>않는</u> 것은?

① $y=-\dfrac{1}{2}x^2$ 　　　② $y=-\dfrac{1}{2}x^2+6$

③ $y=-\dfrac{1}{2}(x+4)^2$ 　④ $y=-\dfrac{1}{2}x^2+4x-3$

⑤ $y=\dfrac{1}{2}x(x-1)+4$

출제율 85%

20 다음 보기 의 이차함수의 그래프 중 평행이동하여 서로 포개어지는 것으로 바르게 짝지은 것은?

보기
ㄱ. $y=\dfrac{1}{3}x^2+1$ 　　ㄴ. $y=-\dfrac{5}{3}x^2-5x$

ㄷ. $y=\dfrac{3}{5}(x-2)^2$ 　ㄹ. $y=-2x^2+4x+1$

ㅁ. $y=-2(x-3)^2-1$ 　ㅂ. $y=3x^2-2x-4$

① ㄱ, ㄴ 　　② ㄴ, ㄷ 　　③ ㄹ, ㅁ

④ ㄱ, ㅂ 　　⑤ ㄴ, ㅂ

대표유형 **이차함수 $y=ax^2+bx+c$의 그래프에서 증가·감소하는 범위**

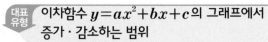

21 이차함수 $y=-\dfrac{1}{2}x^2-x-\dfrac{7}{2}$의 그래프에서 x의 값이 증가할 때, y의 값도 증가하는 x의 값의 범위는?

① $x<1$ 　　② $x>1$ 　　③ $x<-1$
④ $x>-1$ 　　⑤ $x>-3$

22 이차함수 $y=3x^2+kx-1$의 그래프가 점 $(-2, -1)$
을 지날 때, x의 값이 증가하면 y의 값도 증가하는 x
의 값의 범위를 구하여라. (단, k는 상수)

23 이차함수 $y=x^2+ax-12$의 그래프는 점 $(2, 4)$를
지나고 $x<b$에서 x의 값이 증가할 때, y의 값이 감소
한다. 이때 상수 a, b의 값을 각각 구하여라.

24 다음 이차함수의 그래프 중 $x<2$인 범위에서 x의 값
이 증가할 때, y의 값이 감소하는 것은?

① $y=2x^2+12x+17$ ② $y=3x^2-12x+15$
③ $y=4x^2+16x+1$ ④ $y=-2x^2+8x-10$
⑤ $y=-3x^2-18x-20$

대표유형 **이차함수 $y=ax^2+bx+c$의 그래프가 축과 만나는 점**

25 이차함수 $y=-x^2+2x+3$의 그래프가 x축과 만나
는 점의 좌표는?

① $(-1, 0)$, $(-3, 0)$ ② $(-1, 0)$, $(3, 0)$
③ $(1, 0)$, $(3, 0)$ ④ $(1, 0)$, $(-3, 0)$
⑤ $(2, 0)$, $(3, 0)$

---

26 이차함수 $y=2x^2-5x+3$의 그래프가 x축과 만나는
두 점의 x좌표를 m, n, y축과 만나는 점의 y좌표를 k
라 할 때, $m+n+k$의 값은?

① $\dfrac{7}{2}$ ② $\dfrac{11}{2}$ ③ $\dfrac{5}{3}$

④ $\dfrac{10}{3}$ ⑤ $\dfrac{3}{4}$

27 오른쪽 그림은 이차함수
$y=x^2+4x+3$의 그래프이다.
다음 중 옳지 <u>않은</u> 것은?

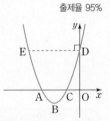

① $A(-3, 0)$
② $B(-2, -1)$
③ $C(-1, 0)$
④ $D(0, 3)$
⑤ $E(-5, 3)$

28 이차함수 $y=-x^2-4x+12$의 그래프와 x축과의 두
교점을 A, B라 할 때, $\overline{AB}$의 길이는?

① 2 ② 4 ③ 6
④ 8 ⑤ 10

29 이차함수 $y=2x^2-4x+2$의 그래프를 x축의 방향으로 1만큼, y축의 방향으로 -2만큼 평행이동하였을 때, x축과 만나는 두 점 사이의 거리를 구하여라.

출제율 85%

30 이차함수 $y=2x^2-4x+k$의 그래프가 x축과 만나는 두 점 사이의 거리가 6일 때, 상수 k의 값은?

① -2 ② -4 ③ -8

④ -12 ⑤ -16

출제율 85%

대표유형 이차함수 $y=ax^2+bx+c$의 그래프 그리기

31 다음 중 이차함수 $y=x^2-4x$의 그래프는?

① 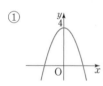   ②

③   ④

⑤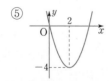

내신 UP POINT
이차함수 $y=ax^2+bx+c$의 그래프는 $y=a(x-p)^2+q$의 꼴로 고쳐서 점 (p, q)를 꼭짓점으로 하고, 점 $(0, c)$를 지나는 포물선을 그린다.

---

32 다음 중 이차함수 $y=-\dfrac{1}{2}x^2+2x-3$의 그래프는?

출제율 95%

①   ②

③   ④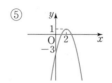

⑤

33 다음 중 이차함수 $y=-2x^2+8x-3$의 그래프가 지나지 <u>않는</u> 사분면은?

출제율 90%

① 제1사분면   ② 제2사분면   ③ 제3사분면

④ 제4사분면   ⑤ 제1, 2사분면

34 다음 두 이차함수의 그래프가 공통으로 지나는 사분면은 어느 사분면인가?

출제율 85%

$$y=x^2-4x+5,\ y=-\dfrac{1}{2}x^2-2x-1$$

① 제1사분면   ② 제2사분면   ③ 제3사분면

④ 제4사분면   ⑤ 제3, 4사분면

35 다음 이차함수의 그래프 중 모든 사분면을 지나는 것은?

① $y = \dfrac{1}{2}x^2 - 3x$　　② $y = -2x^2 + 8x - 5$

③ $y = x^2 + 6x - 4$　　④ $y = x^2 - 3x + 3$

⑤ $y = -\dfrac{1}{3}x^2 - 2x - 1$

---

37 오른쪽 그림과 같이 이차함수 $y = x^2 - 2x - 8$의 그래프가 x축과 만나는 두 점을 각각 B, C라 하고 꼭짓점을 A라 할 때, $\triangle ABC$의 넓이를 구하여라.

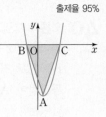

대표유형 **이차함수의 그래프와 넓이**

36 오른쪽 그림과 같이 이차함수 $y = -x^2 + 2x + 15$의 그래프가 x축과 만나는 두 점을 각각 A, B라 하고 꼭짓점을 C라 할 때, $\triangle ABC$의 넓이는?

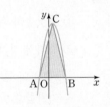

① 16　　② 32　　③ 48

④ 56　　⑤ 64

내신 UP POINT

이차함수 $y = ax^2 + bx + c$의 그래프의 꼭짓점을 A, x축과의 교점을 B, C라 할 때, $\triangle ABC$의 넓이는 다음과 같이 구한다.

① $y = a(x - p)^2 + q$의 꼴로 고쳐서 꼭짓점의 좌표 A(p, q)를 구한다.
② $y = 0$을 대입하여 x축과의 교점 B, C의 좌표를 구한다.
③ $\triangle ABC$의 넓이를 구한다.

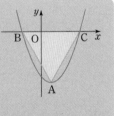

---

38 오른쪽 그림과 같이 이차함수 $y = -x^2 + 2x + 3$의 그래프와 x축과의 교점을 각각 A, B라 하고 y축과의 교점을 C라 할 때, $\triangle ABC$의 넓이는?

① 6　　② 10　　③ 12

④ 15　　⑤ 18

---

39 오른쪽 그림과 같이 이차함수 $y = -2x^2 + 4x + 16$의 그래프와 x축과의 두 교점을 A, B라 하고 y축과의 교점을 C, 꼭짓점의 x좌표를 D라 할 때, $\triangle BCD$의 넓이는?

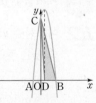

① 15　　② 24　　③ 28

④ 30　　⑤ 36

출제율 85%

40 오른쪽 그림과 같이 이차함수 $y=x^2+bx+c$의 그래프가 x축과 두 점 O, B에서 만나고 꼭짓점이 A일 때, △OAB의 넓이는?

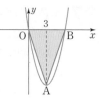

① 12 ② 15 ③ 18
④ 24 ⑤ 27

출제율 80%

41 오른쪽 그림과 같이 이차함수 $y=-\dfrac{3}{4}x^2-3x+5$의 그래프의 꼭짓점은 A, 점 A에서 x축에 내린 수선의 발을 H, 그래프와 y축과의 교점을 B라 할 때, ☐AHOB의 넓이를 구하여라.

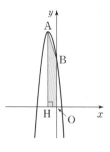

대표 유형 **이차함수 $y=ax^2+bx+c$의 그래프의 성질**

42 이차함수 $y=-x^2-8x-12$의 그래프에 대한 설명 중 옳은 것은?

① 아래로 볼록하다.
② 축의 방정식은 $x=4$이다.
③ 꼭짓점의 좌표는 $(4, 4)$이다.
④ y축과 만나는 점의 y좌표는 -12이다.
⑤ $x>-4$인 구간에서 x의 값이 증가하면 y의 값도 증가한다.

출제율 95%

43 다음 중 이차함수 $y=-\dfrac{1}{2}x^2-2x+2$의 그래프에 대한 설명으로 옳지 <u>않은</u> 것은?

① 위로 볼록하다.
② x축과 두 점에서 만난다.
③ $y=\dfrac{1}{3}x^2-2x+2$의 그래프보다 폭이 좁다.
④ $y=\dfrac{1}{2}x^2+2x-2$의 그래프와 x축에 대하여 대칭이다.
⑤ x의 값이 증가할 때, y의 값이 감소하는 x의 값의 범위는 $x<-2$이다.

출제율 90%

44 다음 중 이차함수 $y=ax^2+bx+c$의 그래프에 대한 설명으로 옳지 <u>않은</u> 것은?

① 꼭짓점의 좌표는 (a, b)이다.
② 축의 방정식은 $x=-\dfrac{b}{2a}$이다.
③ y축과의 교점의 좌표는 $(0, c)$이다.
④ 이차함수 $y=ax^2$의 그래프를 평행이동한 것이다.
⑤ $a>0$이면 아래로 볼록하고, $a<0$이면 위로 볼록하다.

출제율 90%

45 다음 중 이차함수 $y=2x^2+12x+2$의 그래프에 대한 설명으로 옳지 <u>않은</u> 것은?

① 꼭짓점의 좌표는 $(-3, -16)$이다.
② 축의 방정식은 $x=-3$이다.
③ $y=2x^2$의 그래프를 x축의 방향으로 -3만큼, y축의 방향으로 -16만큼 평행이동한 그래프이다.
④ x축과의 교점의 x좌표는 $-2, -1$이다.
⑤ x의 값이 증가하면 y의 값은 감소하는 구간은 $x<-3$이다.

대표유형 **이차함수 $y=ax^2+bx+c$의 그래프에서 a, b, c의 부호**

46 이차함수 $y=ax^2+bx+c$의 그래프가 오른쪽 그림과 같을 때, a, b, c의 부호로 옳은 것은?

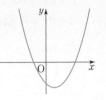

① $a>0, b>0, c<0$
② $a>0, b<0, c<0$
③ $a>0, b=0, c=0$
④ $a<0, b>0, c<0$
⑤ $a<0, b=0, c=0$

내신 UP POINT

(1) a의 부호 : 그래프의 모양에 따라 결정된다.
　① 아래로 볼록 ➡ $a>0$
　② 위로 볼록 ➡ $a<0$
(2) b의 부호 : 축의 위치에 따라 결정된다.
　① 축이 y축의 왼쪽에 있을 때
　　➡ a와 같은 부호($ab>0$)
　② 축이 y축과 일치할 때
　　➡ $b=0$
　③ 축이 y축의 오른쪽에 있을 때
　　➡ a와 다른 부호($ab<0$)
(3) c의 부호 : y축과의 교점의 위치에 따라 결정된다.
　① y축과의 교점이 x축의 위쪽에 있을 때 ➡ $c>0$
　② y축과의 교점이 원점일 때 ➡ $c=0$
　③ y축과의 교점이 x축의 아래쪽에 있을 때 ➡ $c<0$

47 이차함수 $y=-x^2+ax+b$의 그래프가 오른쪽 그림과 같을 때, 함수 $y=ax+b$의 그래프가 지나지 <u>않는</u> 사분면은?

① 제1사분면　　② 제2사분면
③ 제3사분면　　④ 제4사분면
⑤ 모든 사분면을 지난다.

48 일차함수 $y=ax+b$의 그래프가 오른쪽 그림과 같을 때, 다음 중 이차함수 $y=x^2+ax-b$의 그래프로 알맞은 것은?

① ②

③ ④

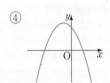

⑤

49 이차함수 $y=ax^2+bx+c$의 그래프가 오른쪽 그림과 같을 때, 다음 중 이차함수 $y=cx^2+bx+a$의 그래프로 알맞은 것은?

① ②

③ ④

⑤

출제율 95%

대표 유형 **이차함수의 식 구하기(1) - 꼭짓점과 다른 한 점을 알 때**

50 꼭짓점의 좌표가 $(0, -4)$이고 점 $(-2, 4)$를 지나는 포물선을 그래프로 하는 이차함수의 식은?

① $y = 2x^2 - 4$ ② $y = 3(x-2)^2$

③ $y = -2x^2 + x + 4$ ④ $y = 3x^2 - 4x + 1$

⑤ $y = -4x^2 + 3x + 2$

내신 UP POINT

꼭짓점의 좌표에 따른 이차함수의 식 세우기

(1) $(0, 0)$ ➡ $y = ax^2$

(2) $(0, q)$ ➡ $y = ax^2 + q$

(3) $(p, 0)$ ➡ $y = a(x-p)^2$

(4) (p, q) ➡ $y = a(x-p)^2 + q$

53 꼭짓점의 좌표가 $(-1, 4)$이고 점 $(-2, 1)$을 지나는 포물선을 그래프로 하는 이차함수의 식을 $y = ax^2 + bx + c$라 할 때, 상수 a, b, c에 대하여 $a + b + c$의 값은?

① -8 ② -5 ③ -2

④ 4 ⑤ 9

출제율 95%

51 오른쪽 그림과 같이 꼭짓점의 좌표가 $(2, -2)$이고 원점을 지나는 포물선을 그래프로 하는 이차함수의 식은?

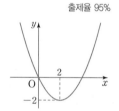

① $y = x^2 + 4x$

② $y = x^2 - 4x$

③ $y = \dfrac{1}{2}x^2 - 2x$

④ $y = \dfrac{1}{2}x^2 + 2x$

⑤ $y = 2x^2 - 8x$

출제율 90%

54 꼭짓점의 좌표가 $(3, -1)$이고 점 $(0, 8)$을 지나는 포물선이 점 $(2, m)$을 지날 때, 상수 m의 값은?

① -4 ② -2 ③ 0

④ 2 ⑤ 4

출제율 85%

55 꼭짓점의 좌표가 $(1, -1)$이고 이차함수 $y = x^2 - x + 4$의 그래프와 y축에서 만나는 포물선을 그래프로 하는 이차함수의 식을 $y = ax^2 + bx + c$의 꼴로 나타내어라.

출제율 95%

52 오른쪽 그림과 같이 꼭짓점의 좌표가 $(2, 3)$이고 점 $(0, -1)$을 지나는 포물선을 그래프로 하는 이차함수의 식은?

① $y = -x^2 - 4x - 1$

② $y = -x^2 + 4x - 1$

③ $y = x^2 - 4x - 1$

④ $y = x^2 + 4x - 1$

⑤ $y = 2x^2 + x + 4$

출제율 85%

56 이차함수 $y = -2x^2 - 4kx + 6$의 꼭짓점의 y좌표가 14일 때, 양수 k의 값을 구하여라.

대표유형 이차함수의 식 구하기(2) − 축의 방정식과 두 점을 알 때

57 오른쪽 그림은 이차함수 $y=ax^2+bx+c$의 그래프이다. 이때 상수 a, b, c에 대하여 abc의 값은?

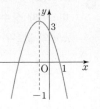

① -6 ② -3

③ 0 ④ 3

⑤ 6

출제율 95%

58 축의 방정식이 $x=3$이고 두 점 $(2, 2)$, $(5, -4)$를 지나는 포물선을 그래프로 하는 이차함수의 식을 $y=ax^2+bx+c$의 꼴로 나타내어라.

출제율 90%

59 축의 방정식이 $x=-2$이고 두 점 $(0, 1)$, $(2, -5)$를 지나는 포물선의 꼭짓점의 좌표는?

① $(-3, -2)$ ② $(-2, 3)$ ③ $(-1, 5)$

④ $(2, 5)$ ⑤ $(3, 7)$

출제율 90%

60 이차함수 $y=x^2+bx+c$의 그래프는 축의 방정식이 $x=-2$이고 점 $(-1, -2)$를 지나는 포물선이다. 이때 상수 b, c에 대하여 $b+c$의 값은?

① -3 ② -1 ③ 1

④ 3 ⑤ 5

출제율 80%

61 이차함수 $y=ax^2+bx+c$의 그래프가 다음 조건을 모두 만족할 때, 상수 a, b, c에 대하여 $a-b+c$의 값을 구하여라.

> Ⅰ. 축의 방정식은 $x=2$이다.
> Ⅱ. 꼭짓점은 직선 $y=4x-1$ 위에 있다.
> Ⅲ. $y=-x^2$의 그래프를 평행이동하여 포갤 수 있다.

대표유형 이차함수의 식 구하기(3) − 세 점을 알 때

62 세 점 $(0, 0)$, $(2, -4)$, $(1, -3)$을 지나는 포물선을 그래프로 하는 이차함수의 식은?

① $y=x^2-4x$ ② $y=2x^2+3$

③ $y=-x^2+3x$ ④ $y=2x^2-x+1$

⑤ $y=-2x^2+3x+1$

출제율 90%

63 이차함수 $y=ax^2+bx+c$의 그래프가 세 점 $(-1, -6)$, $(0, -1)$, $(1, 2)$를 지날 때, 이 이차함수의 꼭짓점의 y좌표를 구하여라.

64 세 점 $(1, 0)$, $(0, 3)$, $(-2, 3)$을 지나는 포물선의 축의 방정식을 구하여라.
(중)

출제율 90%

65 세 점 $(-1, 7)$, $(2, 4)$, $(5, k)$를 지나는 포물선을 그래프로 하는 이차함수의 식을 $y=x^2+bx+c$라 할 때, 상수 k의 값은?
(상)

출제율 85%

① 7   ② 15   ③ 19
④ 24   ⑤ 27

대표유형 이차함수의 식 구하기(4) − x축과의 두 교점과 다른 한 점을 알 때

66 x축과의 두 교점이 $(-3, 0)$, $(2, 0)$이고 다른 한 점 $(-2, 4)$를 지나는 포물선을 그래프로 하는 이차함수의 식은?

① $y=-x^2-x+4$ ② $y=-x^2-x+6$
③ $y=-2x^2+3x-5$ ④ $y=2x^2-x+7$
⑤ $y=-2x^2-5x+4$

내신 UP POINT

x축과 두 점 $(m, 0)$, $(n, 0)$에서 만나고 다른 한 점 (x_1, y_1)을 지나는 이차함수의 그래프의 식 구하기
(1) x축과 두 점 $(m, 0)$, $(n, 0)$에서 만나므로 이차함수의 식을 $y=a(x-m)(x-n)$으로 놓는다.
(2) 다른 한 점 (x_1, y_1)을 지나므로 이 점의 좌표를 대입하여 a의 값을 구한다.

출제율 95%

67 이차함수 $y=-2x^2+3x-1$의 그래프와 모양이 같고 x축과 두 점 $(-1, 0)$, $(3, 0)$에서 만나는 포물선을 그래프로 하는 이차함수의 식은?
(하)

① $y=x^2-2x+3$ ② $y=-x^2+2x-5$
③ $y=2x^2+4x+6$ ④ $y=-2x^2+4x+6$
⑤ $y=-3x^2+2x-1$

출제율 90%

68 오른쪽 그림은 이차함수 $y=ax^2+bx+c$의 그래프이다. 이때 상수 a, b, c에 대하여 abc의 값은?
(중)

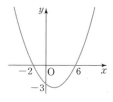

① $-\dfrac{5}{2}$ ② $-\dfrac{2}{3}$

③ $\dfrac{1}{2}$ ④ $\dfrac{3}{4}$

⑤ $\dfrac{5}{6}$

출제율 85%

69 오른쪽 그림은 이차함수 $y=ax^2+bx+c$의 그래프이다. 이 그래프의 꼭짓점의 좌표는?
(상)

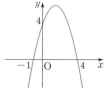

① $\left(-\dfrac{1}{2}, \dfrac{1}{3}\right)$

② $\left(\dfrac{1}{3}, -\dfrac{3}{4}\right)$

③ $\left(-\dfrac{2}{3}, -\dfrac{15}{4}\right)$

④ $\left(-\dfrac{5}{3}, -\dfrac{17}{4}\right)$

⑤ $\left(\dfrac{3}{2}, \dfrac{25}{4}\right)$

출제율 85%

70 x축과의 두 교점이 $(-2, 0)$, $(1, 0)$이고 y축의 교점의 좌표가 -10인 그래프가 점 $(2, k)$를 지날 때, 상수 k의 값은?
(상)

① 10   ② 15   ③ 20
④ 25   ⑤ 30

개념 UP 01 이차함수 $y=ax^2+bx+c$의 그래프

이차함수 $y=ax^2+bx+c$의 그래프는 $y=a(x-p)^2+q$의 꼴로 고치면 꼭짓점의 좌표, 축의 방정식, 증가·감소 범위 등을 쉽게 알 수 있다.

출제율 95%

71 이차함수 $y=x^2-6x+3m+5$의 그래프의 꼭짓점을 직선 $y=2x-1$이 지날 때, 상수 m의 값은?

① -5　　　② -3　　　③ -1
④ 1　　　⑤ 3

출제율 90%

72 이차함수 $y=\dfrac{1}{2}x^2+2kx-3k+2$의 그래프에서

$x<-2$인 구간에서 x의 값이 증가할 때 y의 값은 감소하고, $x>-2$인 구간에서 x의 값이 증가할 때 y의 값도 증가한다. 이때 이 이차함수의 그래프의 꼭짓점의 좌표를 구하여라. (단, k는 상수)

출제율 80%

73 이차함수 $y=-x^2-2x+k$의 그래프를 y축의 방향으로 -3만큼 평행이동하였더니 x축과 만나지 않았다. 이때 실수 k의 값의 범위는?

① $k<2$　　　② $k\leq 2$　　　③ $k>2$
④ $k\geq 2$　　　⑤ $k>-1$

개념 UP 02 이차함수 $y=ax^2+bx+c$의 그래프에서 a, b, c의 부호

(1) a의 부호 : 그래프의 모양이
　① 아래로 볼록 : $a>0$
　② 위로 볼록 : $a<0$
(2) b의 부호 : 축의 위치가
　① y축의 왼쪽 : a와 같은 부호
　② y축과 일치 : $b=0$
　③ y축의 오른쪽 : a와 다른 부호
(3) c의 부호 : y축과의 교점의 위치가
　① x축의 위쪽 : $c>0$
　② 원점 : $c=0$
　③ x축의 아래쪽 : $c<0$

출제율 85%

74 오른쪽 그림은 이차함수 $y=ax^2+bx+c$의 그래프이다. 다음 중 옳지 <u>않은</u> 것은?

① $b>0$　　　② $ab<0$
③ $bc>0$　　　④ $4a+2b+c>0$
⑤ $a-2b+4c>0$

출제율 80%

75 일차함수 $y=ax+b$의 그래프가 오른쪽 그림과 같을 때, 다음 중 이차함수 $y=x^2-(a+b)x+ab$의 그래프로 알맞은 것은?

①

②
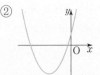

③
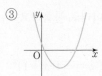

④
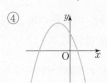

⑤

 이것만 봐도 70점!

01 이차함수 $y=\dfrac{1}{3}x^2-\dfrac{4}{3}x-1$을 $y=a(x-p)^2+q$의 꼴로 나타낼 때, 상수 a, p, q에 대하여 $a+p+q$의 값은?

① $-\dfrac{7}{2}$ ② -2 ③ 0

④ $\dfrac{5}{3}$ ⑤ 2

02 이차함수 $y=-\dfrac{2}{3}x^2+ax+b$의 그래프의 꼭짓점의 좌표가 $(1, 2)$일 때, $a-b$의 값을 구하여라. (단, a, b는 상수)

03 이차함수 $y=2x^2+8x-5$의 그래프를 x축의 방향으로 -3만큼, y축의 방향으로 3만큼 평행이동한 그래프의 식은?

① $y=-2x^2+6x+5$ ② $y=-2x^2-5x-8$
③ $y=2x^2-4x+15$ ④ $y=2x^2-15x-16$
⑤ $y=2x^2+20x+40$

04 다음 이차함수의 그래프 중 아래로 볼록하고, 폭이 가장 넓은 것은?

① $y=2x^2+1$ ② $y=-4(x+1)^2$
③ $y=-\dfrac{2}{3}(x+4)^2+5$ ④ $y=\dfrac{1}{2}x^2-x+5$
⑤ $y=3x^2+2x-7$

05 다음 이차함수의 그래프 중 평행이동하여 다른 포물선과 포개어지지 <u>않는</u> 것은?

① $y=3x^2$ ② $y=3(x-1)^2$
③ $y=5-3x^2$ ④ $y=3(x-1)(x+2)$
⑤ $y=3x^2-x+\dfrac{1}{2}$

06 이차함수 $y=-2x^2+6x-5$의 그래프에서 x의 값이 증가할 때, y의 값은 감소하는 x의 값의 범위는?

① $x>-\dfrac{1}{3}$ ② $x<-3$ ③ $x>\dfrac{3}{2}$

④ $x<2$ ⑤ $x>\dfrac{4}{3}$

07 이차함수 $y=-2x^2-2x+4$의 그래프와 x축과의 두 교점을 A, B라 할 때, $\overline{AB}$의 길이는?

① 1 ② 2 ③ 3
④ 4 ⑤ 5

08 다음 중 이차함수 $y=-\dfrac{1}{2}x^2+2x+1$의 그래프는?

① 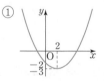   ②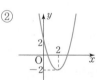

③   ④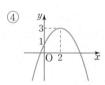

⑤

09 다음 중 이차함수 $y=\dfrac{1}{3}x^2+2x+2$의 그래프가 지나지 <u>않는</u> 사분면은?

① 제1사분면   ② 제2사분면   ③ 제3사분면
④ 제4사분면   ⑤ 제3, 4사분면

10 오른쪽 그림과 같은 이차함수 $y=-x^2+4x+5$의 그래프에서 x축과의 두 교점을 A, B라 하고 꼭짓점을 C라 할 때, △ABC의 넓이를 구하여라.

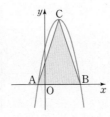

11 이차함수 $y=3x^2-6x+5$의 그래프에 대한 설명 중 옳지 <u>않은</u> 것은?

① y축과의 교점의 좌표는 $(0, 5)$이다.
② 꼭짓점의 좌표는 $(1, 2)$이다.
③ 축의 방정식은 $x=1$이다.
④ $x<1$인 구간에서 x의 값이 증가하면 y의 값도 증가한다.
⑤ $y=3x^2$의 그래프를 평행이동하여 그릴 수 있다.

12 이차함수 $y=ax^2+bx+c$의 그래프가 오른쪽 그림과 같을 때, a, b, c의 부호를 각각 말하여라.

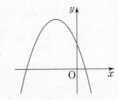

13 꼭짓점의 좌표가 $(-1, 2)$이고 점 $(1, -10)$을 지나는 포물선을 그래프로 하는 이차함수의 식을 $y=ax^2+bx+c$라 할 때, abc의 값은? (단, a, b, c는 상수)

① -18 ② -12 ③ -9
④ 12 ⑤ 18

14 꼭짓점의 좌표가 $(2, 3)$이고 점 $(4, 1)$을 지나는 포물선이 점 $(-2, k)$를 지날 때, 상수 k의 값은?

① -6 ② -5 ③ -3
④ 1 ⑤ 3

15 오른쪽 그림은 직선 $x=1$을 축으로 하는 이차함수 $y=ax^2+bx+c$의 그래프이다. 이때 상수 a, b, c에 대하여 $a-b-c$의 값을 구하여라.

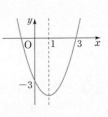

16 세 점 $(-1, 9)$, $(0, 5)$, $(2, 3)$을 지나는 포물선을 그래프로 하는 이차함수의 식을 $y=ax^2+bx+c$의 꼴로 나타내어라.

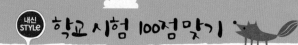

17 이차함수 $y=-x^2-2x+k$의 그래프가 x축과 만나는 두 점 사이의 거리가 4일 때, 상수 k의 값은?

① -3　　② -1　　③ 1

④ 3　　⑤ 5

18 이차함수 $y=\dfrac{1}{2}x^2+4x+k$의 그래프가 제3사분면을 지나지 않도록 하는 상수 k의 값의 범위는?

① $k\geq 8$　　② $k>-8$　　③ $k\leq 8$

④ $k<8$　　⑤ $k\geq -8$

19 이차함수 $y=ax^2+bx+c$의 그래프가 세 점 $(-3, 0)$, $(1, 0)$, $(0, -3)$을 지날 때, 다음 중 이 그래프에 대한 설명으로 옳은 것은?

① 축의 방정식은 $x=1$이다.

② 꼭짓점의 좌표는 $(-1, -3)$이다.

③ 이차함수 $y=-x^2$의 그래프를 평행이동한 그래프이다.

④ 제1, 2, 3사분면만을 지난다.

⑤ $x>-1$인 구간에서 x의 값이 증가하면 y의 값도 증가한다.

20 일차함수 $y=ax+b$의 그래프가 오른쪽 그림과 같을 때, 이차함수 $y=x^2+ax+b$의 그래프로 알맞은 것은?

① 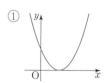　　②

③ 　　④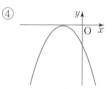

⑤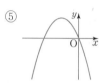

21 이차함수 $y=-2x^2+4x+2m-1$의 그래프의 꼭짓점을 직선 $y=-3x+2$가 지날 때, 상수 m의 값을 구하여라.

22 오른쪽 그림과 같은 이차함수 $y=ax^2+bx+c$의 그래프에 대하여 다음 중 옳지 <u>않은</u> 것은?

① $a>0$, $b>0$, $c<0$

② $-\dfrac{b}{2a}<0$

③ $a+b+c=0$

④ $9a-3b+c<0$

⑤ $a+2b+4c>0$

단계형

23 이차함수 $y=3x^2-6x+1$의 그래프를 x축의 방향으로 1만큼, y축의 방향으로 -2만큼 평행이동하면 점 $(-1, k)$를 지난다. 이때 k의 값을 구하여라. [6점]

1단계 주어진 이차함수의 식을 $y=a(x-p)^2+q$의 꼴로 나타내기 [2점]

_____

_____

2단계 평행이동한 그래프의 식 구하기 [2점]

_____

_____

3단계 k의 값 구하기 [2점]

_____

_____

단계형

24 이차함수 $y=ax^2+bx+c$의 그래프가 다음 조건을 모두 만족할 때, abc의 값을 구하여라. (단, a, b, c는 상수) [7점]

> Ⅰ. 꼭짓점의 좌표는 $(2, -3)$이다.
> Ⅱ. 점 $(4, -5)$를 지난다.

1단계 a의 값 구하기 [3점]

_____

_____

2단계 b, c의 값을 각각 구하기 [3점]

_____

_____

3단계 abc의 값 구하기 [1점]

_____

_____

사고력

25 오른쪽 그림과 같은 이차함수 $y=ax^2+bx+c$의 그래프의 꼭짓점의 좌표를 구하여라. [6점]

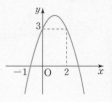

사고력

26 이차함수 $y=ax^2+bx+c$의 그래프는 아래로 볼록하고, 이차함수 $y=-2(x+3)^2-1$의 그래프와 폭이 같으며 이차함수 $y=\dfrac{1}{3}(x+2)^2-4$의 그래프와 꼭짓점이 일치한다. 이때 상수 a, b, c에 대하여 $a+b+c$의 값을 구하여라. [7점]

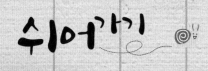

왕은 처음에 금화를 몇 개 가지고 있었을까?

어떤 왕이 그의 세 딸에게 다음과 같이 금화를 나누어 주었습니다.

가장 큰 딸에게는 자신이 가지고 있는 금화의 절반에다 금화 한 개를 더 보태어 주었습니다.

둘째 딸에게는 나머지 금화의 절반에다 금화 한 개를 더 보태어 주었습니다.

마지막으로 막내딸에게는 나머지 금화의 절반과 금화 한 개를 더 보태어 주었습니다.

이렇게 주고 나자 왕은 금화를 한 개도 가지고 있지 않았습니다.

그러면 왕은 처음에 금화를 몇 개 가지고 있었을까요?

이 문제는 방정식을 이용하여 풀 수 있습니다.

왕이 처음에 가지고 있었던 금화의 개수를 x개라 하면

큰 딸이 가진 금화의 개수는 $\left(\frac{1}{2}x+1\right)$개이고 나머지 금화의 개수는 $\left(\frac{1}{2}x-1\right)$개입니다.

또, 둘째 딸이 가진 금화의 개수는 $\left\{\frac{1}{2}\left(\frac{1}{2}x-1\right)+1\right\}$개이고 나머지 금화의 개수는 $\left\{\frac{1}{2}\left(\frac{1}{2}x-1\right)-1\right\}$개입니다.

마지막으로 막내딸이 가진 금화의 개수는 $\left[\frac{1}{2}\left\{\frac{1}{2}\left(\frac{1}{2}x-1\right)-1\right\}+1\right]$개입니다.

이때 왕이 처음에 가지고 있었던 금화의 개수와 세 딸이 가진 금화의 개수의 합은 서로 같으므로

$x=\left(\frac{1}{2}x+1\right)+\left\{\frac{1}{2}\left(\frac{1}{2}x-1\right)+1\right\}+\left[\frac{1}{2}\left\{\frac{1}{2}\left(\frac{1}{2}x-1\right)-1\right\}+1\right]$이 됩니다.

양변에 8을 곱하면 $8x=4x+8+2x+4+x+2$이므로 $x=14$입니다.

따라서 왕은 처음에 금화를 14개 가지고 있었습니다.

중학 수학

Part II

싹쓸이 핵심 기출문제

싹쓸이 핵심 예상문제

실전 모의고사

01 이차방정식의 뜻

다음 중 이차방정식이 <u>아닌</u> 것은?

① $x^2=1$ 　　② $3x^2=0$ 　　③ $-x^2=x$

④ $2x^2=2x-1$ 　　⑤ $x^2+3x=x(x-2)$

02 이차방정식의 해

다음 중 [　] 안의 수가 주어진 이차방정식의 해가 <u>아닌</u> 것은?

① $x^2-2x=3$ [-1] 　　② $x(x+1)=0$ [0]

③ $x^2+2x-1=0$ [1] 　　④ $x(x+3)=3x+9$ [3]

⑤ $(x-3)(x+1)=-3$ [2]

03 이차방정식의 한 근이 주어졌을 때, 미지수의 값 구하기

x에 관한 이차방정식 $3x^2-2x+a=0$의 한 근이 -1일 때, 상수 a의 값은?

① -5 　　② -2 　　③ 1

④ 3 　　⑤ 5

04 인수분해를 이용한 이차방정식의 풀이

이차방정식 $x^2+2x-15=0$의 해는?

① $x=-5$ 또는 $x=-3$ 　　② $x=-5$ 또는 $x=3$

③ $x=5$ 또는 $x=-3$ 　　④ $x=-2$ 또는 $x=5$

⑤ $x=2$ 또는 $x=-5$

05 완전제곱식을 이용한 이차방정식의 풀이

다음은 완전제곱식을 이용하여 이차방정식 $x^2-6x-1=0$을 푸는 과정이다. □ 안에 들어갈 수로 옳지 <u>않은</u> 것은?

$$x^2-6x-1=0,\ x^2-6x=\boxed{(가)}$$
$$x^2-6x+\boxed{(나)}=1+9,\ (x-3)^2=\boxed{(다)}$$
$$x-3=\boxed{(라)}\quad \therefore\ x=\boxed{(마)}$$

① (가) 1 　　② (나) 9 　　③ (다) $\sqrt{10}$

④ (라) $\pm\sqrt{10}$ 　　⑤ (마) $3\pm\sqrt{10}$

06 이차방정식의 근의 공식

이차방정식 $2x^2-5x+1=0$을 풀면?

① $x=\dfrac{-5\pm\sqrt{13}}{2}$ 　② $x=\dfrac{5\pm\sqrt{13}}{2}$ 　③ $x=\dfrac{-5\pm\sqrt{17}}{4}$

④ $x=\dfrac{5\pm\sqrt{17}}{4}$ 　⑤ $x=\dfrac{-5\pm\sqrt{19}}{4}$

07 복잡한 이차방정식의 풀이

이차방정식 $0.3x^2 + \dfrac{1}{2}x - \dfrac{1}{5} = 0$을 풀면?

① $x=2$ 또는 $x=\dfrac{1}{3}$ 　② $x=-2$ 또는 $x=\dfrac{1}{3}$

③ $x=2$ 또는 $x=-\dfrac{1}{3}$ 　④ $x=3$ 또는 $x=-\dfrac{1}{2}$

⑤ $x=-3$ 또는 $x=\dfrac{1}{2}$

08 이차방정식의 근의 개수

다음 이차방정식 중 서로 다른 두 근을 가지는 것을 모두 고르면? (정답 2개)

① $x^2 - 2x + 7 = 0$ 　② $x^2 + 3x - 2 = 0$

③ $x^2 - 4x + 4 = 0$ 　④ $2x^2 - 3x + 4 = 0$

⑤ $3x^2 - 4x + 1 = 0$

09 이차방정식이 중근을 가질 조건

x에 관한 이차방정식 $x^2 - 8x + 5m + 1 = 0$이 중근을 가지도록 하는 상수 m의 값은?

① 3 　② 4 　③ 5

④ 6 　⑤ 7

10 이차방정식의 활용

1부터 n까지의 자연수의 합은 $\dfrac{n(n+1)}{2}$이다. 1부터 n까지의 자연수의 합이 105일 때, n의 값을 구하여라.

11 이차방정식의 활용 – 쏘아 올린 물체

지면으로부터 초속 40 m로 쏘아 올린 물체의 t초 후의 높이 h m에 대하여 $h = -5t^2 + 40t$인 관계가 성립한다. 이 물체의 높이가 처음으로 75 m가 되는 것은 쏘아 올린 지 몇 초 후인가?

① 2초 후 　② 3초 후 　③ 4초 후

④ 5초 후 　⑤ 6초 후

12 이차방정식의 활용 – 도형

오른쪽 그림과 같이 가로의 길이가 8 cm, 세로의 길이가 6 cm인 직사각형에서 가로와 세로의 길이를 x cm 만큼 똑같이 늘렸더니 넓이가 처음보다 51 cm²만큼 늘어났다. 이때 늘린 길이는?

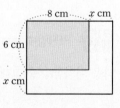

① 1 cm 　② 2 cm 　③ 3 cm

④ 4 cm 　⑤ 5 cm

13 이차함수의 뜻

다음 중 이차함수인 것은?

① $y=2$ ② $y=2x-1$ ③ $y=x^2-(x+1)^2$

④ $y=x(5-3x)$ ⑤ $y=x^2(x-1)$

14 이차함수 $y=ax^2$의 그래프의 성질

다음은 이차함수 $y=ax^2$의 그래프에 대한 설명이다. 옳지 <u>않은</u> 것은?

① 원점을 꼭짓점으로 한다.

② y축에 대하여 대칭인 포물선이다.

③ $a>0$일 때, 아래로 볼록한 포물선이다.

④ a의 절댓값이 클수록 그래프의 폭이 넓어진다.

⑤ $y=-ax^2$의 그래프와 x축에 대하여 대칭이다.

15 이차함수 $y=ax^2$의 그래프의 폭

다음 이차함수 중 그래프의 폭이 가장 좁은 것은?

① $y=-3x^2$ ② $y=-\dfrac{1}{2}x^2$ ③ $y=\dfrac{1}{3}x^2$

④ $y=\dfrac{4}{3}x^2$ ⑤ $y=2x^2$

16 이차함수 $y=ax^2+q$의 그래프

이차함수 $y=3x^2$의 그래프를 y축의 방향으로 -2만큼 평행이동한 그래프의 식은?

① $y=3x^2-2$ ② $y=-3x^2+2$ ③ $y=3(x+2)^2$

④ $y=3(x-2)^2$ ⑤ $y=-3(x+2)^2$

17 이차함수 $y=a(x-p)^2$의 그래프

이차함수 $y=-2x^2$의 그래프를 x축의 방향으로 3만큼 평행이동한 그래프의 꼭짓점의 좌표를 구하여라.

18 이차함수 $y=a(x-p)^2+q$의 그래프

이차함수 $y=\dfrac{1}{2}x^2$의 그래프를 x축의 방향으로 2만큼, y축의 방향으로 -1만큼 평행이동한 그래프의 식을 구하여라.

19 이차함수 $y=a(x-p)^2+q$의 그래프에서 a, p, q의 부호

이차함수 $y=a(x-p)^2+q$의 그래프가 오른쪽 그림과 같을 때, a, p, q의 부호로 옳은 것은?

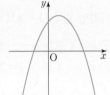

① $a>0, p>0, q>0$
② $a>0, p>0, q<0$
③ $a<0, p>0, q>0$
④ $a<0, p<0, q>0$
⑤ $a<0, p<0, q<0$

20 이차함수 $y=ax^2+bx+c$의 그래프의 꼭짓점의 좌표와 축의 방정식

이차함수 $y=2x^2-4x-3$의 그래프의 꼭짓점의 좌표와 축의 방정식을 차례로 나타낸 것은?

① $(-1, -5), x=-1$　② $(-1, -5), x=1$
③ $(1, -5), x=-1$　④ $(1, -5), x=1$
⑤ $(1, 5), x=1$

21 이차함수 $y=ax^2+bx+c$의 그래프의 평행이동

이차함수 $y=\dfrac{1}{3}x^2-2x+1$의 그래프를 x축의 방향으로 -1만큼, y축의 방향으로 3만큼 평행이동한 그래프의 식을 $y=ax^2+bx+c$의 꼴로 나타내어라.

22 이차함수 $y=ax^2+bx+c$의 그래프에서 a, b, c의 부호

이차함수 $y=ax^2+bx+c$의 그래프가 오른쪽 그림과 같을 때, a, b, c의 부호로 옳은 것은?

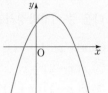

① $a>0, b>0, c<0$
② $a>0, b<0, c<0$
③ $a<0, b>0, c>0$
④ $a<0, b<0, c>0$
⑤ $a<0, b<0, c<0$

23 이차함수의 식 구하기(1)

꼭짓점의 좌표가 $(-2, 9)$이고 점 $(-1, 6)$을 지나는 포물선을 그래프로 하는 이차함수의 식을 $y=ax^2+bx+c$의 꼴로 나타내어라.

24 이차함수의 식 구하기(2)

축의 방정식이 $x=-2$이고 두 점 $(-3, 1)$, $(0, -5)$를 지나는 포물선을 그래프로 하는 이차함수의 식을 $y=ax^2+bx+c$의 꼴로 나타내어라.

25 이차함수의 식 구하기(3)

오른쪽 그림은 이차함수 $y=ax^2+bx+c$의 그래프이다. 이때 $a+b+c$의 값을 구하여라.

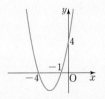

01 이차방정식의 뜻

다음 중 이차방정식인 것은?

① x^2+x-1
② $(x+2)^2=(x+1)(x-1)$
③ $x(x-2)=x^2$
④ $(2x-1)^2=2x(x+1)$
⑤ $x(x-1)(x+1)=2x^2$

02 이차방정식의 해

다음 이차방정식 중 $x=1$을 해로 가지는 것은?

① $x^2-4x=0$
② $x^2+2x=3$
③ $(x+1)(x+2)=0$
④ $x^2+3x+2=0$
⑤ $2x^2-3x-5=0$

03 이차방정식의 한 근이 주어졌을 때, 미지수의 값 구하기

이차방정식 $x^2-ax+4=0$의 한 근이 2일 때, 상수 a의 값은?

① -4
② -2
③ 2
④ 4
⑤ 6

04 인수분해를 이용한 이차방정식의 풀이

이차방정식 $(x+4)(x-3)=0$의 해는?

① $x=4$ 또는 $x=-3$
② $x=4$ 또는 $x=3$
③ $x=-4$ 또는 $x=3$
④ $x=-4$ 또는 $x=-3$
⑤ $x=4$ 또는 $x=-\dfrac{4}{3}$

05 완전제곱식을 이용한 이차방정식의 풀이

이차방정식 $x^2-8x+5=0$을 $(x+p)^2=q$의 꼴로 나타낼 때, $p+q$의 값은? (단, p, q는 상수)

① 5
② 7
③ 9
④ 12
⑤ 15

06 이차방정식의 근의 공식

이차방정식 $x^2+3x-1=0$을 근의 공식을 이용하여 풀면 $x=\dfrac{A\pm\sqrt{B}}{2}$이다. 이때 A, B의 값은? (단, A, B는 유리수)

① $A=3$, $B=13$
② $A=-3$, $B=13$
③ $A=3$, $B=17$
④ $A=-3$, $B=17$
⑤ $A=-3$, $B=19$

07 복잡한 이차방정식의 풀이

이차방정식 $0.1x^2+\dfrac{1}{2}x-0.3=0$을 풀면?

① $x=\dfrac{5\pm\sqrt{13}}{2}$ ② $x=\dfrac{-5\pm\sqrt{13}}{2}$

③ $x=\dfrac{-5\pm2\sqrt{13}}{2}$ ④ $x=\dfrac{5\pm\sqrt{37}}{2}$

⑤ $x=\dfrac{-5\pm\sqrt{37}}{2}$

08 이차방정식의 근의 개수

다음 이차방정식 중 해의 개수가 나머지 넷과 <u>다른</u> 하나는?

① $x^2-1=0$ ② $x^2-x+1=0$
③ $x^2+3x+1=0$ ④ $x^2-4x-4=0$
⑤ $2x^2-5x+1=0$

09 이차방정식이 중근을 가질 조건

이차방정식 $2x^2-kx+8=0$이 중근을 가지도록 하는 상수 k의 값은?

① ±4 ② ±6 ③ ±8
④ ±10 ⑤ ±12

10 이차방정식의 활용

연속하는 세 짝수의 제곱의 합이 200일 때, 가장 큰 수는?

① 8   ② 10   ③ 12
④ 14   ⑤ 16

11 이차방정식의 활용 – 쏘아 올린 물체

지면으로부터 40 m 높이의 건물 위에서 초속 10 m로 던져 올린 물체의 t초 후의 높이 h m에 대하여 $h=-5t^2+10t+40$인 관계가 성립한다. 이 물체가 지면에 떨어지는 것은 몇 초 후인가?

① 2초 후   ② 3초 후   ③ 4초 후
④ 5초 후   ⑤ 6초 후

12 이차방정식의 활용 – 도형

정사각형의 가로, 세로의 길이를 각각 4 cm, 2 cm 늘렸더니 넓이가 처음 정사각형의 넓이의 3배가 되었다. 이때 처음 정사각형의 한 변의 길이는?

① 3 cm   ② 4 cm   ③ 5 cm
④ 6 cm   ⑤ 7 cm

13 이차함수의 뜻

다음 보기 중 이차함수는 모두 몇 개인가?

보기
ㄱ. $y=-x^2$ ㄴ. $y=x(x-2)$
ㄷ. $y=-\dfrac{1}{x^2}$ ㄹ. $y=\dfrac{x^2}{3}-1$
ㅁ. $y=(1-x)x^2$

① 1개   ② 2개   ③ 3개
④ 4개   ⑤ 5개

14 이차함수 $y=ax^2$의 그래프의 성질

다음 중 이차함수 $y=-2x^2$의 그래프에 대한 설명으로 옳은 것은?

① 아래로 볼록한 포물선이다.
② 점 $(-1, 2)$를 지난다.
③ $y=2x^2$의 그래프와 y축에 대하여 대칭이다.
④ 그래프는 제3사분면과 제4사분면을 지난다.
⑤ $x<0$인 구간에서 x의 값이 증가하면 y의 값은 감소한다.

15 이차함수 $y=ax^2$의 그래프의 폭

다음 이차함수의 그래프 중 아래로 볼록하면서 폭이 가장 넓은 것은?

① $y=-2x^2$ ② $y=-\dfrac{2}{3}x^2$ ③ $y=-\dfrac{1}{2}x^2$

④ $y=\dfrac{1}{4}x^2$ ⑤ $y=\dfrac{3}{2}x^2$

16 이차함수 $y=ax^2+q$의 그래프

이차함수 $y=-\dfrac{1}{3}x^2$의 그래프를 y축의 방향으로 q만큼 평행이동하면 점 $(-3, 1)$을 지난다. 이때 상수 q의 값은?

① -4 ② -2 ③ 2
④ 4   ⑤ 6

17 이차함수 $y=a(x-p)^2$의 그래프

이차함수 $y=-\dfrac{3}{2}(x+1)^2$의 그래프에서 x의 값이 증가할 때, y의 값도 증가하는 x의 값의 범위는?

① $x>-1$ ② $x<-1$ ③ $x>1$
④ $x<1$ ⑤ $x>-\dfrac{3}{2}$

18 이차함수 $y=a(x-p)^2+q$의 그래프

이차함수 $y=2(x-1)^2+2$의 그래프에 대한 설명 중 옳지 않은 것은?

① 이차함수 $y=2x^2$의 그래프를 x축의 방향으로 1만큼, y축의 방향으로 2만큼 평행이동한 그래프이다.
② 꼭짓점의 좌표는 $(1, 2)$이다.
③ 축의 방정식은 $x=1$이다.
④ $y=2x^2$의 그래프와 포물선의 폭이 같다.
⑤ $x<1$인 구간에서 x의 값이 증가하면 y의 값도 증가한다.

19 이차함수 $y=a(x-p)^2+q$의 그래프에서 a, p, q의 부호

이차함수 $y=a(x-p)^2+q$의 그래프가 오른쪽 그림과 같을 때, a, p, q의 부호로 옳은 것은?

① $a>0, p>0, q>0$
② $a>0, p>0, q<0$
③ $a>0, p<0, q<0$
④ $a<0, p<0, q>0$
⑤ $a<0, p<0, q<0$

20 이차함수 $y=ax^2+bx+c$의 그래프의 꼭짓점의 좌표와 축의 방정식

이차함수 $y=-\dfrac{1}{2}x^2+x-3$의 그래프의 꼭짓점의 좌표는?

① $\left(1, -\dfrac{5}{2}\right)$ ② $(-1, 2)$ ③ $\left(\dfrac{3}{2}, -1\right)$

④ $(1, -3)$ ⑤ $(-1, -2)$

21 이차함수 $y=ax^2+bx+c$의 그래프의 평행이동

이차함수 $y=-3x^2+12x-5$의 그래프를 x축의 방향으로 m만큼, y축의 방향으로 n만큼 평행이동하면 $y=-3x^2-6x+1$의 그래프와 일치한다. 이때 $m+n$의 값은?

① -6 ② -4 ③ -2
④ 0 ⑤ 2

22 이차함수 $y=ax^2+bx+c$의 그래프에서 a, b, c의 부호

이차함수 $y=ax^2+bx+c$의 그래프가 오른쪽 그림과 같을 때, a, b, c의 부호로 옳은 것은?

① $a>0, b>0, c>0$
② $a>0, b>0, c<0$
③ $a>0, b<0, c>0$
④ $a>0, b<0, c<0$
⑤ $a<0, b>0, c>0$

23 이차함수의 식 구하기(1)

꼭짓점의 좌표가 $(2, 5)$이고 이차함수 $y=x^2-6x-3$의 그래프와 y축에서 만나는 포물선을 그래프로 하는 이차함수의 식을 $y=ax^2+bx+c$의 꼴로 나타내어라.

24 이차함수의 식 구하기(2)

축의 방정식이 $x=4$이고 두 점 $(0, 17)$, $(3, 2)$를 지나는 포물선의 꼭짓점의 좌표는?

① $(-4, 3)$ ② $(-2, 2)$ ③ $(-1, 3)$
④ $(3, -2)$ ⑤ $(4, 1)$

25 이차함수의 식 구하기(3)

세 점 $(-1, 6)$, $(0, 1)$, $(1, 2)$를 지나는 포물선을 그래프로 하는 이차함수의 식을 구하여라.

01 다음 중 이차방정식이 <u>아닌</u> 것은?

① $3x^2=0$ ② $x(x+3)=0$
③ $2x-5=-3x^2$ ④ $(x-1)^2-1=0$
⑤ $4x^2-3=(2x+1)^2$

02 다음 이차방정식 중 [ ] 안의 수가 방정식의 해가 되는 것은?

① $x^2-2=0\,[\,2\,]$ ② $2x^2+6x=0\,[\,3\,]$
③ $x^2-3x+2=0\,[-2\,]$ ④ $3x^2-5x+2=0\left[\dfrac{1}{3}\right]$
⑤ $2x^2+2x+\dfrac{1}{2}=0\left[-\dfrac{1}{2}\right]$

03 x에 관한 이차방정식
$(a-1)x^2-(a^2+1)x+2(a+1)=0$의 한 근이 2일 때, 다른 한 근은? (단, $a\neq1$)

① 1   ② 2   ③ 3
④ 4   ⑤ 5

04 이차방정식 $x^2+5x+a=3x-10$이 중근을 가질 때, 상수 a의 값은?

① -9 ② -6 ③ -2
④ 2   ⑤ 6

05 이차방정식 $3(x-2)^2=9$를 풀면?

① $x=\pm4$ ② $x=\pm2$ ③ $x=2\pm\sqrt{3}$
④ $x=3\pm\sqrt{2}$ ⑤ $x=-4\pm2\sqrt{3}$

06 이차방정식 $2x^2+3x-3=0$의 근이 $x=\dfrac{A\pm\sqrt{B}}{4}$일 때, $A+B$의 값은? (단, A, B는 유리수)

① 27   ② 30   ③ 33
④ 36   ⑤ 39

07 이차방정식 $\dfrac{2}{3}x^2-x=\dfrac{1}{2}$을 풀면?

① $x=3\pm\sqrt{21}$ ② $x=\dfrac{3\pm\sqrt{21}}{2}$
③ $x=\dfrac{-3\pm3\sqrt{13}}{2}$ ④ $x=\dfrac{3\pm\sqrt{21}}{4}$
⑤ $x=\dfrac{-3\pm\sqrt{21}}{4}$

08 이차방정식 $3(x+2)^2-5(x+2)+2=0$을 풀면?

① $x=-2$ 또는 $x=\dfrac{1}{3}$ ② $x=-1$ 또는 $x=-\dfrac{4}{3}$

③ $x=1$ 또는 $x=\dfrac{2}{3}$ ④ $x=0$ 또는 $x=-\dfrac{5}{3}$

⑤ $x=2$ 또는 $x=\dfrac{1}{3}$

09 이차방정식 $x^2+ax+b=0$을 푸는데 예원이는 a의 값을 잘못 보아 해를 $x=-4$ 또는 $x=3$으로 구했고, 민수는 b의 값을 잘못 보아 해를 $x=-5$ 또는 $x=1$로 구했다. 이 방정식의 옳은 해를 구하면?

① $x=-6$ 또는 $x=1$ ② $x=-6$ 또는 $x=2$

③ $x=-4$ 또는 $x=1$ ④ $x=-4$ 또는 $x=2$

⑤ $x=-2$ 또는 $x=3$

10 어떤 수를 제곱해야 할 것을 잘못하여 2배를 하였더니 어떤 수를 제곱한 수보다 99만큼 작아졌다. 이때 어떤 수를 구하여라.

11 사탕 340개를 학생들에게 똑같이 나누어 주려고 한다. 한 학생에게 돌아가는 사탕의 개수는 학생 수보다 3만큼 많다고 한다. 학생 수를 구하여라.

12 다음 보기 중 y가 x에 관한 이차함수인 것을 모두 고른 것은?

┌ 보기 ┐
ㄱ. $xy=-2$ ㄴ. $y=x(x-1)$
ㄷ. $y=2x^2-1$ ㄹ. $y=-2x^2+x(2x+1)$
ㅁ. $y=(x+1)^2-(x-1)^2$
└────────┘

① ㄱ, ㄴ   ② ㄴ, ㄷ   ③ ㄱ, ㄷ, ㅁ
④ ㄴ, ㄷ, ㅁ   ⑤ ㄴ, ㄷ, ㄹ, ㅁ

13 이차함수 $y=ax^2+b$의 그래프가 두 점 $(-1, 1)$, $(2, 10)$을 지날 때, $a-b$의 값은?

① -5 ② -1 ③ 1
④ 3 ⑤ 5

14 다음 보기 중 이차함수 $y=a(x-p)^2$의 그래프에 대한 설명으로 옳은 것을 모두 고른 것은?

┌─ 보기 ┐
ㄱ. 꼭짓점의 좌표는 $(0, 0)$이다.
ㄴ. $a>0$이면 그래프는 아래로 볼록하다.
ㄷ. $a>0$이면 a가 클수록 그래프의 폭은 좁아진다.
ㄹ. 축의 방정식은 $x=p$이다.
ㅁ. $y=ax^2$의 그래프를 y축의 방향으로 p만큼 평행이동시킨 것이다.
└────────┘

① ㄱ, ㄴ, ㄷ ② ㄱ, ㄹ, ㅁ ③ ㄴ, ㄷ, ㄹ
④ ㄴ, ㄷ, ㅁ ⑤ ㄷ, ㄹ, ㅁ

15 이차함수 $y=a(x+p)^2-q$의 그래프가 오른쪽 그림과 같을 때, 다음 중 옳은 것은?

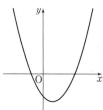

① $a<0, p>0, q>0$
② $a>0, p<0, q<0$
③ $a>0, p<0, q>0$
④ $a>0, p>0, q<0$
⑤ $a>0, p>0, q>0$

16 이차함수 $y=3x^2$의 그래프를 x축의 방향으로 -1만큼, y축의 방향으로 2만큼 평행이동한 그래프의 식은?

① $y=3x^2+6x+5$ ② $y=3x^2-6x+5$
③ $y=3x^2-6x-5$ ④ $y=-3x^2+6x+5$
⑤ $y=-3x^2+6x-5$

17 이차함수 $y=-\dfrac{1}{2}x^2-3x+\dfrac{3}{2}$ 을 $y=-\dfrac{1}{2}(x-p)^2+q$의 꼴로 나타낼 때, 상수 p, q에 대하여 $p+q$의 값은?

① -9 ② -3 ③ 3
④ 6 ⑤ 9

18 이차함수 $y=-\dfrac{1}{3}x^2+2x-2$의 그래프의 꼭짓점의 좌표는?

① $(3, 1)$ ② $(2, 3)$ ③ $(2, -1)$
④ $(-1, 2)$ ⑤ $(-3, 2)$

19 다음 중 이차함수 $y=2x^2-5x-3$의 그래프는?

①   ②

③   ④

⑤

20 다음 중 이차함수 $y=\frac{1}{3}x^2-2x+1$의 그래프가 지나지 않는 사분면은?

① 제1사분면 ② 제2사분면 ③ 제3사분면
④ 제4사분면 ⑤ 제1, 2사분면

21 이차함수 $y=\frac{1}{2}x^2$의 그래프와 모양이 같고 x축과 만나는 두 점의 x좌표가 -4, 2인 포물선을 그래프로 하는 이차함수의 식은?

① $y=2x^2-x+1$
② $y=2x^2+x-3$
③ $y=\frac{1}{2}x^2+x-4$
④ $y=\frac{1}{2}x^2-3x+2$
⑤ $y=\frac{1}{2}x^2+3x-1$

22 이차함수 $y=ax^2+bx+c$의 그래프가 세 점 $(0, 5)$, $(2, 3)$, $(4, 5)$를 지날 때, abc의 값은? (단, a, b, c는 상수)

① -20 ② -5 ③ -3
④ 4   ⑤ 12

23 이차방정식 $x^2-3x-28=0$의 두 근 중 큰 근을 m, 작은 근을 n이라 할 때, $m-n$의 값을 구하여라. [7점]

24 오른쪽 그림과 같이 길이가 10 cm인 $\overline{AB}$ 위에 점 P를 잡아 각각 $\overline{AP}$와 $\overline{BP}$를 한 변으로 하는 정사각형을 만들 때, 두 정사각형의 넓이의 합이 58 cm^{2}이었다면 $\overline{AP}$의 길이는 얼마인지 구하여라.

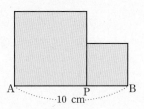

(단, $\overline{AP}>\overline{BP}$) [8점]

25 꼭짓점의 좌표가 $(4, 1)$이고 점 $(2, -3)$을 지나는 포물선이 점 $(-1, m)$, $(n, -15)$을 지날 때, 상수 m, n에 대하여 $m+n$의 값을 구하여라. (단, $n>0$) [8점]

01 $-3x^2+4=-2x$를 x에 관한 이차방정식 $ax^2+bx+c=0$(단, $a>0$)의 꼴로 나타낼 때, $a+b+c$의 값은? (단, a, b, c는 상수)

① -9 ② -3 ③ -1
④ 3 ⑤ 9

02 이차방정식 $x^2-5x+a=0$의 한 근이 3일 때, 상수 a의 값은?

① 2 ② 3 ③ 4
④ 5 ⑤ 6

03 이차방정식 $(3x-1)(x+1)=0$을 풀면?

① $x=1$ 또는 $x=-1$ ② $x=3$ 또는 $x=\dfrac{1}{3}$

③ $x=-1$ 또는 $x=3$ ④ $x=\dfrac{1}{3}$ 또는 $x=-1$

⑤ $x=-\dfrac{1}{3}$ 또는 $x=1$

04 다음 이차방정식 중 중근을 가지는 것은?

① $x^2+2x=0$ ② $x^2-6x+5=0$
③ $2x^2-3x-9=0$ ④ $5x^2+12x+4=0$
⑤ $9x^2-6x+1=0$

05 두 이차방정식 $x^2+x+m=0$, $2x^2-nx-4=0$의 공통인 근이 2일 때, $m+n$의 값은? (단, m, n은 상수)

① -10 ② -6 ③ -4
④ 4 ⑤ 8

06 이차방정식 $\dfrac{(x+2)(x-2)}{3}=\dfrac{x(x+1)}{5}$의 두 근의 합을 구하면?

① $\dfrac{1}{2}$ ② 1 ③ $\dfrac{3}{2}$

④ 2 ⑤ $\dfrac{5}{2}$

07 이차방정식 $(2x+2)^2-(x-2)^2=0$을 풀면?

① $x=0$ 또는 $x=-4$ ② $x=0$ 또는 $x=-3$
③ $x=1$ 또는 $x=-3$ ④ $x=2$ 또는 $x=-4$
⑤ $x=2$ 또는 $x=3$

08 다음 이차방정식 중 서로 다른 두 근을 가지는 것은?

① $3(x-1)(x+1)=-3$　　② $2x^2+8=6x$

③ $-x^2-4x+2=6$　　④ $x^2-\dfrac{2}{3}x-\dfrac{1}{3}=0$

⑤ $0.1x^2-0.3x=-\dfrac{1}{2}$

09 이차방정식 $y=-x^2-8x-k-3$이 해를 가지지 않도록 하는 가장 작은 정수 k의 값은?

① 10　　　　② 11　　　　③ 12

④ 13　　　　⑤ 14

10 언니는 동생보다 3살이 많고, 언니 나이의 5배는 동생 나이의 제곱보다 1살이 많다고 한다. 이때 언니의 나이는?

① 7살　　　② 10살　　　③ 12살

④ 14살　　　⑤ 16살

11 오른쪽 그림과 같이 가로의 길이가 세로의 길이보다 3 cm 더 긴 직사각형 모양의 종이의 네 모퉁이에서 한 변의 길이가 2 cm인 정사각형을 잘라낸 나머지로 직육면체 모양의 뚜껑이 없는 상자를 만들었다. 만든 상자를 가득 채웠을 때의 부피가 36 cm³라면 처음 직사각형 모양의 종이의 세로의 길이는?

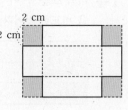

① $6\sqrt{2}$ cm　　② 7 cm　　③ $8\sqrt{2}$ cm

④ 9 cm　　　⑤ $9\sqrt{2}$ cm

12 오른쪽 그림과 같이 가로의 길이와 세로의 길이가 각각 30 m, 20 m인 직사각형 모양의 밭에 폭이 일정한 길을 만들어 길의 넓이를 141 m²가 되게 하려고 한다. 이때 길의 폭은?

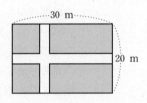

① 1 m　　　② 2 m　　　③ 3 m

④ 4 m　　　⑤ 5 m

13 다음 중 y가 x에 관한 이차함수인 것은?

① 밑변의 길이가 4 cm, 높이가 x cm인 삼각형의 넓이 y cm²

② 한 변의 길이가 $2x$ cm인 정삼각형의 둘레의 길이 y cm

③ 반지름의 길이가 $2x$ cm인 사분원의 넓이 y cm²

④ 가로의 길이가 $(x+2)$ cm, 세로의 길이가 x cm인 직사각형의 둘레의 길이 y cm

⑤ 윗변과 아랫변의 길이가 각각 x cm, $2x$ cm이고, 높이가 4 cm인 사다리꼴의 넓이 y cm²

14 다음 표는 두 이차함수 $y=x^2$과 $y=(x-p)^2$의 함숫값을 비교한 것이다. 이때 p의 값은?

x	$\cdots$	-3	-2	-1	0	1	2	3	$\cdots$
$y=x^2$	$\cdots$	9	4	1	0	1	4	9	$\cdots$
$y=(x-p)^2$	$\cdots$	25	16	9	4	1	0	1	$\cdots$

① -2 ② -1 ③ 1
④ 2 ⑤ 3

15 다음 보기는 이차함수 $y=-(x+2)^2-1$의 그래프에 대한 설명이다. 옳은 것을 모두 고른 것은?

┤ 보기 ├
ㄱ. 축의 방정식은 $x=2$이다.
ㄴ. y축과 만나는 점의 좌표는 $(0, -5)$이다.
ㄷ. 그래프는 제2, 3, 4사분면을 지난다.
ㄹ. 그래프는 $x<-2$인 구간에서 x의 값이 증가하면 y의 값은 감소한다.
ㅁ. $y=-x^2$의 그래프를 x축의 방향으로 -2만큼, y축의 방향으로 -1만큼 평행이동한 것이다.

① ㄱ, ㄴ   ② ㄱ, ㅁ   ③ ㄴ, ㄷ
④ ㄴ, ㅁ   ⑤ ㄹ, ㅁ

16 다음 이차함수의 그래프를 같은 좌표평면 위에 그릴 때, 포물선의 폭이 가장 넓은 것은?

① $y=-\dfrac{1}{3}x^2$ ② $y=-x^2+\dfrac{1}{3}$

③ $y=2(x-1)^2$ ④ $y=-\left(x+\dfrac{1}{4}\right)^2-1$

⑤ $y=-\dfrac{1}{2}x^2+2x-5$

17 이차함수 $y=\dfrac{1}{2}x^2-2x+5$의 그래프에서 x의 값이 증가할 때, y의 값도 증가하는 x의 값의 범위는?

① $x>-2$ ② $x<-2$ ③ $x>2$
④ $x<2$ ⑤ $x<4$

18 오른쪽 그림은 이차함수 $y=ax^2+bx+c$의 그래프이다. 다음 중 옳지 않은 것은?

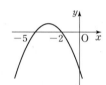

① $a<0$ ② $b<0$
③ $c<0$ ④ $9a-3b+c>0$
⑤ $a+2b+4c>0$

19 꼭짓점의 좌표가 $(1, 5)$이고 점 $(0, 3)$을 지나는 포물선을 그래프로 하는 이차함수의 식은?

① $y=-(x+1)^2+5$ ② $y=(x-1)^2+5$
③ $y=-2(x-1)^2+5$ ④ $y=2(x+1)^2+5$
⑤ $y=3(x-1)^2+5$

20 다음 이차함수 중 꼭짓점의 y좌표가 가장 큰 것은?

① $y=x^2-2x-3$ ② $y=-x^2+2x+3$

③ $y=x^2-4x+2$ ④ $y=-3(x-1)^2+2$

⑤ $y=-2x^2-x-2$

21 $y=x^2+ax+b$의 그래프는 축의 방정식이 $x=2$이고, 점 $(1, 3)$을 지나는 포물선이다. 이때 상수 a, b에 대하여 ab의 값은?

① -20 ② -24 ③ -28

④ -32 ⑤ -35

22 이차함수 $y=ax^2+bx+c$의 그래프가 세 점 $(0, -1)$, $(-2, 5)$, $\left(1, -\dfrac{5}{2}\right)$를 지날 때, 이 이차함수의 축의 방정식을 구하여라.

23 이차방정식 $x^2+bx-c=0$을 푸는데 민영이는 x의 계수를 잘못 보고 풀어 $x=4$ 또는 $x=-5$를 구하였고, 민주는 c의 값을 잘못 보고 풀어 $x=-2$ 또는 $x=3$을 구하였다. 이 이차방정식의 옳은 해를 구하여라. [8점]

24 오른쪽 그래프는 $y=ax^2$의 그래프를 y축의 방향으로 q만큼 평행이동한 것이다. 이때 이 그래프가 점 $(-2, c)$를 지난다고 할 때, $ac-q$의 값을 구하여라. [7점]

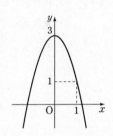

25 이차함수 $y=2x^2+ax+b$의 그래프가 두 점 $(1, -3)$, $(-2, 15)$를 지난다고 할 때, 이 이차함수의 꼭짓점의 좌표를 구하여라. [8점]

01 다음 중 x에 관한 이차방정식이 <u>아닌</u> 것은?

① $-x^2=1$ ② $x^2-3x=0$

③ $(x-1)^2-1=0$ ④ $(x+1)^2=x^2$

⑤ $5x-1=-2x^2$

02 이차방정식 $ax^2+bx-10=0$의 두 근이 -2, 5일 때, $a+b$의 값은?

① -4 ② -2 ③ 1

④ 3 ⑤ 5

03 이차방정식 $2x^2-7x+2=0$의 한 근이 m일 때, $2m^2-7m-3$의 값은?

① -5 ② -3 ③ -1

④ 1 ⑤ 5

04 두 이차방정식 $x^2+3x+a=0$, $x^2-2x+b=0$의 공통인 해가 1일 때, $a+b$의 값은? (단, a, b는 상수)

① -5 ② -3 ③ 1

④ 3 ⑤ 5

05 이차방정식 $x^2-8x+7=0$을 $(x+a)^2=b$의 꼴로 나타낼 때, $a+b$의 값은? (단, a, b는 상수)

① -5 ② -2 ③ 3

④ 5 ⑤ 8

06 이차방정식 $(x+1)(x-3)=12$를 풀면?

① $x=-1$ 또는 $x=3$ ② $x=-2$ 또는 $x=4$

③ $x=-3$ 또는 $x=5$ ④ $x=-4$ 또는 $x=3$

⑤ $x=-5$ 또는 $x=7$

07 이차방정식 $\dfrac{(x-2)(x+1)}{3}=2$를 풀어라.

08 이차방정식 $\frac{1}{2}x^2 - \frac{2}{3}x - 1 = 0$의 두 근 중 작은 근을 a라 할 때, $(3a-2)^2$의 값은?

① 20　　　② 21　　　③ 22
④ 23　　　⑤ 24

09 다음 이차방정식 중 서로 다른 두 근을 가지는 것은?

① $x^2 - 4x + 4 = 0$　　② $x^2 - x + 1 = 0$
③ $2x^2 - 4x + 1 = 0$　　④ $3x^2 - 5x + 4 = 0$
⑤ $9x^2 = -6x - 1$

10 이차방정식 $kx^2 - 8x + k + 6 = 0$이 중근을 가지도록 하는 모든 상수 k의 값들의 합은?

① -6　　　② -4　　　③ 2
④ 4　　　⑤ 6

11 어떤 수의 2배를 제곱하여 3을 더해야 하는데 잘못하여 3을 더한 뒤 제곱하여 2배 했더니 원래의 답보다 33이 커졌다. 처음의 수를 구하여라.

12 어떤 정사각형에 대하여 각 변의 길이를 2 cm씩 늘인 정사각형의 넓이는 각 변의 길이를 2 cm씩 줄인 정사각형의 넓이의 9배가 된다고 한다. 이때 처음 정사각형의 한 변의 길이는?

① 4 cm　　② 5 cm　　③ 6 cm
④ 7 cm　　⑤ 8 cm

13 대각선의 개수와 변의 개수의 합이 105개인 다각형은?

① 구각형　　② 십각형　　③ 십일각형
④ 십이각형　　⑤ 십오각형

14 다음 중 이차함수 $y = -\frac{1}{2}x^2$의 그래프에 대한 설명으로 옳지 <u>않은</u> 것은?

① 꼭짓점은 원점이다.
② 점 $(-2, -2)$를 지난다.
③ 위로 볼록한 포물선이다.
④ 축의 방정식은 $x = 0$이다.
⑤ $x > 0$인 구간에서 x의 값이 증가하면 y의 값도 증가한다.

15 이차함수 $y = -3x^2$의 그래프와 x축에 대하여 대칭인 이차함수의 그래프가 점 $(2, k)$를 지날 때, 상수 k의 값은?

① 3 　　② 6 　　③ 9
④ 12 　　⑤ 15

16 다음 중 그래프가 위로 볼록하면서 폭이 가장 넓은 이차함수는?

① $y = x^2$ 　　② $y = -\frac{4}{3}x^2$ 　　③ $y = \frac{1}{2}x^2$
④ $y = -2x^2$ 　　⑤ $y = -\frac{1}{4}x^2$

17 이차함수 $y = -x^2 + ax + b$의 그래프가 오른쪽 그림과 같을 때, 이 그래프의 꼭짓점의 좌표는?

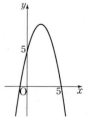

① $(2, 7)$ 　　② $(2, 9)$
③ $(3, 7)$ 　　④ $(3, 8)$
⑤ $(3, 9)$

18 이차함수 $y = -\frac{1}{3}x^2 + 2x - 2$의 그래프의 축의 방정식과 꼭짓점의 좌표를 각각 구하여라.

19 다음 보기는 이차함수 $y = -x^2 + 6x - 5$의 그래프에 대한 설명이다. 옳은 것을 모두 고른 것은?

┤보기├
ㄱ. 꼭짓점의 좌표는 $(-3, 4)$이다.
ㄴ. y축과의 교점의 좌표는 $(0, 4)$이다.
ㄷ. 축의 방정식은 $x = 3$이다.
ㄹ. 제2사분면을 지나지 않는다.
ㅁ. $x > 3$인 구간에서 x의 값이 증가하면 y의 값도 증가한다.

① ㄱ, ㄴ 　　② ㄱ, ㅁ 　　③ ㄴ, ㄷ
④ ㄷ, ㄹ 　　⑤ ㄷ, ㅁ

20 오른쪽 그림은 이차함수 $y=-x^2+ax+b$의 그래프이다. 이때 △ABC의 넓이는?

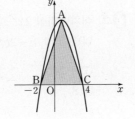

① 18   ② 24

③ 27   ④ 32

⑤ 36

21 이차함수 $y=-\dfrac{1}{3}x^2+2kx-k-7$의 꼭짓점의 y좌표가 17일 때, 양수 k의 값은?

① 2   ② 3   ③ 4

④ 5   ⑤ 6

22 이차함수 $y=ax^2+bx+c$의 그래프가 세 점 $(-6,0)$, $(-2,0)$, $(0,-3)$을 지날 때, 상수 a, b, c에 대하여 $4a+2b+c$의 값을 구하여라.

서술형 문제

23 이차방정식 $x^2-2ax-16=0$의 한 근이 -2이고 다른 한 근은 이차방정식 $x^2-(b+3)x+3b=0$의 근일 때, 상수 a, b에 대하여 $a+b$의 값을 구하여라. [8점]

24 오른쪽 그래프의 식이 $y=a(x-p)^2+q$라 할 때, $y=px^2+qx+a$의 꼭짓점의 좌표를 구하여라. [7점]

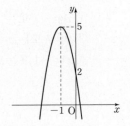

25 세 점 $(0,0)$, $(3,-3)$, $(1,1)$을 지나는 포물선을 그래프로 하는 이차함수의 식을 구하여라. [8점]

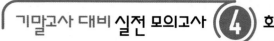
01 다음 중 [ ] 안의 수가 주어진 이차방정식의 해인 것은?

① $x^2+x-6=0$ [1]   ② $x^2+x-2=0$ [-2]

③ $x^2-6x+3=0$ [3]   ④ $x(3+x)=x+3$ [-1]

⑤ $(x-1)(x-5)=0$ [2]

02 이차방정식 $x^2+5x-14=0$을 풀면?

① $x=-7$ 또는 $x=-2$ ② $x=7$ 또는 $x=2$

③ $x=7$ 또는 $x=-2$ ④ $x=-7$ 또는 $x=2$

⑤ $x=-1$ 또는 $x=14$

03 x에 관한 이차방정식 $ax^2+(a^2-1)x+5=0$의 한 근이 -1일 때, 다른 한 근을 구하면? (단, $a>0$)

① -3 ② $-\dfrac{5}{3}$ ③ -1

④ $\dfrac{3}{2}$ ⑤ 3

04 이차방정식 $2x^2-12x+11=0$을 $(x+a)^2=b$의 꼴로 나타낼 때, $a-2b$의 값은? (단, a, b는 유리수)

① -20 ② -10 ③ -6

④ 8 ⑤ 20

05 이차방정식 $2x^2-3x-4=0$의 해가 $\dfrac{A\pm\sqrt{B}}{4}$일 때, $A+B$의 값은? (단, A, B는 유리수)

① 15 ② 28 ③ 33

④ 37 ⑤ 44

06 이차방정식 $\dfrac{3}{2}x^2-\dfrac{1}{3}x-\dfrac{1}{6}=0$의 근이 $x=\dfrac{1\pm\sqrt{A}}{9}$일 때, A의 값은? (단, A는 유리수)

① 5 ② 10 ③ 15

④ 23 ⑤ 26

07 이차방정식 $\dfrac{3x-1}{5}=0.4(x+1)(x-2)$를 풀어라.

08 이차방정식 $(x+1)^2-(x+1)-12=0$의 두 근 중 큰 근이 이차방정식 $x^2+(a-1)x+2a+1=0$의 한 근 일 때, 상수 a의 값을 구하여라.

09 이차방정식 $x^2-4x+(a-3)=0$이 중근을 가질 때, 상수 a의 값은?

① -3 ② -1 ③ 2
④ 5 ⑤ 7

10 초속 60 m로 쏘아 올린 물 로켓의 t초 후의 높이가 $(60t-5t^2)$ m일 때, 지면으로부터의 높이가 100 m인 지점을 처음으로 지나는 것은 쏘아 올린 지 몇 초 후인가?

① 2초 후   ② 4초 후   ③ 5초 후
④ 8초 후   ⑤ 10초 후

11 어떤 원의 반지름의 길이를 4 cm 줄였더니 넓이가 처음 원의 넓이의 $\dfrac{1}{4}$이 되었다고 한다. 이때 처음 원의 반지름의 길이를 구하여라.

12 오른쪽 그림과 같이 가로, 세로의 길이가 각각 40 m, 30 m인 직사각형 모양의 잔디밭에 폭이 일정한 길을 만들려고 한다. 길을 제외한 잔디밭의 넓이가 875 m²가 되도록 하려면 길의 폭을 얼마로 하여야 하는가?

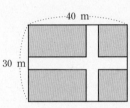

① 2 m   ② 3 m   ③ 4 m
④ 5 m   ⑤ 6 m

13 이차함수 $f(x)=-x^2+4x-3$에서 $f(-2)$의 값은?

① -15 ② -12 ③ -7
④ 1 ⑤ 9

14 오른쪽 그림은 이차함수 $y=ax^2$의 그래프를 평행이동한 것이다. 이 그래프를 나타내는 이차함수의 식은?

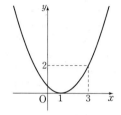

① $y=x^2-1$

② $y=2x^2-1$

③ $y=(x-1)^2$

④ $y=\dfrac{1}{2}x^2+1$

⑤ $y=\dfrac{1}{2}(x-1)^2$

15 이차함수 $y=-2x^2$의 그래프를 x축의 방향으로 3만큼, y축의 방향으로 5만큼 평행이동하면 점 $(2, k)$를 지난다. 이때 k의 값을 구하여라.

16 이차함수 $y=(x-2)^2+1$의 그래프를 x축에 대하여 대칭이동한 다음 y축의 방향으로 1만큼 평행이동한 그래프의 꼭짓점의 좌표는?

① $(2, -2)$ ② $(2, -1)$ ③ $(2, 0)$

④ $(2, 1)$ ⑤ $(2, 2)$

17 이차함수 $y=ax^2$의 그래프를 x축의 방향으로 -1만큼, y축의 방향으로 3만큼 평행이동하면 이차함수 $y=-2x^2+bx+c$의 그래프와 일치한다고 할 때, $a+b+c$의 값을 구하여라.

18 다음 이차함수의 그래프 중 꼭짓점이 x축 위의 점이 <u>아닌</u> 것은?

① $y=-\dfrac{1}{3}x^2$ ② $y=(x-1)^2$

③ $y=-2(x+1)^2$ ④ $y=\dfrac{1}{2}x^2-3x+\dfrac{9}{2}$

⑤ $y=3x^2-6x-1$

19 이차함수 $y=-x^2+2x-4$의 그래프의 축의 방정식은?

① $x=-3$ ② $x=-2$ ③ $x=-1$

④ $x=1$ ⑤ $x=2$

20 이차함수 $y=ax^2+bx+c$의 그래프가 오른쪽 그림과 같을 때, a, b, c의 부호는?

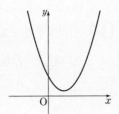

① $a>0$, $b>0$, $c>0$
② $a>0$, $b<0$, $c>0$
③ $a>0$, $b<0$, $c<0$
④ $a<0$, $b>0$, $c>0$
⑤ $a<0$, $b<0$, $c<0$

21 이차함수 $y=ax^2+bx+c$의 그래프는 꼭짓점의 좌표가 $(2, -3)$이고 제3사분면을 지나지 않을 때, 상수 a의 값의 범위는?

① $a<\dfrac{3}{4}$ ② $a\leq\dfrac{3}{4}$ ③ $0<a\leq\dfrac{3}{4}$

④ $0<a<\dfrac{3}{4}$ ⑤ $a\geq\dfrac{3}{4}$

22 이차함수 $y=x^2-4kx-8k+15$가 다음 조건을 만족할 때, 상수 k의 값을 구하여라.

> Ⅰ. 꼭짓점의 y좌표는 3이다.
> Ⅱ. 축의 위치는 y축의 왼쪽에 있다.

서술형 문제

23 이차방정식 $x^2-5x+2m-1=0$이 서로 다른 두 근을 가지기 위한 상수 m의 값 중 가장 큰 정수를 구하여라. [7점]

24 이차함수 $y=3x^2-5x-2$의 그래프가 x축과 만나는 두 점의 x좌표를 m, n, y축과 만나는 점의 y좌표를 k라 할 때, $m+n+k$의 값을 구하여라. (단, $m<n$) [8점]

25 이차함수 $y=ax^2+bx+c$의 그래프가 오른쪽 그림과 같을 때, 이 그래프가 x축과 만나는 점을 각각 A, B, 꼭짓점을 C라 하자. $\triangle$ABC의 넓이가 8일 때, abc의 값을 구하여라. [8점]

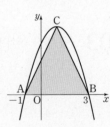

01 $(3x-1)(ax+2)=-4x^2+3x$가 x에 관한 이차방정식일 때, 상수 a의 값으로 옳지 <u>않은</u> 것은?

① -2 ② $-\dfrac{5}{3}$ ③ $-\dfrac{4}{3}$

④ -1 ⑤ $-\dfrac{2}{3}$

02 x의 값이 부등식 $2x-3 \geq 3(x-2)$를 만족하는 자연수일 때, 이차방정식 $(x-3)^2=1$의 해는?

① $x=1$ ② $x=2$ ③ $x=3$

④ $x=4$ ⑤ $x=5$

03 x에 관한 이차방정식 $ax^2-7x+2a-1=0$의 한 근이 3이고 다른 한 근은 b라 할 때, ab의 값은?

（단, a, b는 상수)

① -4 ② -2 ③ 1

④ 3 ⑤ 4

04 이차방정식 $-3x^2+6x+2=0$의 근이 $x=\dfrac{A\pm\sqrt{B}}{3}$일 때, $A+B$의 값은? (단, A, B는 유리수)

① 9 ② 12 ③ 15

④ 18 ⑤ 21

05 이차방정식 $x^2-3x+4a=7x-5$가 중근을 가질 때, 상수 a의 값은?

① -5 ② -3 ③ 1

④ 3 ⑤ 5

06 이차방정식 $(3x+2)(x+6)=0$을 $3x^2+ax+b=0$의 꼴로 나타내었을 때, $x^2-bx+a=0$을 풀면?

① $x=-2$ 또는 $x=-5$ ② $x=6$ 또는 $x=6$

③ $x=-2$ 또는 $x=-6$ ④ $x=2$ 또는 $x=10$

⑤ $x=3$ 또는 $x=-10$

07 다음 중 이차방정식 $(2+k)x^2-8x+4=0$이 해를 갖도록 하는 가장 큰 정수 k의 값은?

① -2 ② -1 ③ 1

④ 2 ⑤ 3

08 이차방정식 $(2x+1)^2+4x+2-15=0$의 두 근의 곱은?

① -3 ② -2 ③ -1

④ 1 ⑤ 2

09 혜수가 수학책을 펼쳤더니 두 면의 쪽수의 곱이 420이었다. 이 두 면의 쪽수의 합은?

① 33   ② 35   ③ 37

④ 39   ⑤ 41

10 지면으로부터 150 m 높이의 건물 위에서 초속 10 m로 쏘아 올린 물체의 t초 후의 높이를 h m라 하면 $h=-5t^2+10t+150$인 관계가 성립한다고 한다. 이때 이 물체의 높이가 110 m가 되는 것은 쏘아 올린지 몇 초 후인가?

① 2초 후   ② 3초 후   ③ 4초 후

④ 5초 후   ⑤ 6초 후

11 어떤 원의 반지름의 길이는 3 cm 늘였더니 그 넓이가 처음 원의 넓이의 $\dfrac{9}{4}$배가 되었다. 처음 원의 반지름의 길이는?

① 3 cm   ② 4 cm   ③ 5 cm

④ 6 cm   ⑤ 9 cm

12 이차함수 $f(x)=2x^2+ax+b$에서 $f(1)=4$, $f(-2)=19$일 때, 상수 a, b에 대하여 $a+2b$의 값은?

① 3   ② 5   ③ 7

④ 9   ⑤ 11

13 이차함수 $y=-\dfrac{1}{3}(x+2)^2$의 그래프가 두 점 $(m, -3)$, $(0, n)$을 지날 때, $m+n$의 값은? (단, $m>0$)

① $\dfrac{1}{4}$ ② $\dfrac{1}{3}$ ③ 1

④ $-\dfrac{1}{3}$ ⑤ $-\dfrac{1}{2}$

14 이차함수 $y=(x+1)^2+4$의 그래프를 x축의 방향으로 3만큼, y축의 방향으로 -5만큼 평행이동한 그래프에서 x의 값이 증가할 때, y의 값도 증가하는 x의 값의 범위는?

① $x>-2$ ② $x>2$ ③ $x<1$

④ $x>1$ ⑤ $x<3$

15 이차함수 $y=a(x-p)^2+q$의 그래프가 제3, 4사분면을 지나지 않고 꼭짓점이 y축의 왼쪽에 있을 때, 다음 보기 중 옳은 것을 모두 골라라. (단, $q\neq0$)

┥보기┝

ㄱ. $a<0$ ㄴ. $pq<0$

ㄷ. $ap^2+q=0$ ㄹ. $a+q>0$

16 이차함수 $y=-3(x+p)^2+3p^2$의 그래프의 꼭짓점이 $y=5x+2$의 그래프 위에 있을 때, 양수 p의 값은?

① 1   ② $\dfrac{1}{2}$ ③ $\dfrac{1}{3}$

④ $\dfrac{2}{3}$ ⑤ 2

17 다음 이차함수의 그래프 중 모든 사분면을 지나는 것은?

① $y=-2x^2-3$ ② $y=4(x+2)^2$

③ $y=3(x-1)^2+1$ ④ $y=-(x+1)^2+1$

⑤ $y=-\dfrac{1}{4}(x+2)^2+5$

18 이차함수 $y=-2x^2+12x-13$의 그래프의 축의 방정식은 $x=a$, 꼭짓점의 좌표는 (b, c)일 때, $a+b+c$의 값을 구하면?

① 5   ② 7   ③ 9

④ 11   ⑤ 13

19 이차함수 $y=-2x^2+4x-6$의 그래프를 x축의 방향으로 m만큼, y축의 방향으로 n만큼 평행이동하면 $y=-2x^2-8x-9$의 그래프와 일치한다. 이때 $m+n$의 값은?

① -2 ② -1 ③ 0

④ 1   ⑤ 2

20 두 이차함수 $y=-3x^2+24x-45$와 $y=\dfrac{1}{2}x^2+ax+b$의 그래프의 꼭짓점이 같을 때, 상수 a, b에 대하여 $b-a$의 값은?

① 12   ② 13   ③ 14

④ 15   ⑤ 16

21 축의 방정식이 $x=-3$이고 두 점 $(1, -6)$, $(-1, 6)$을 지나는 포물선을 그래프로 하는 이차함수의 식을 $y=ax^2+bx+c$의 꼴로 나타내어라.

22 이차함수 $y=-x^2+bx+c$의 그래프가 오른쪽 그림과 같을 때, △AOB의 넓이는?

① 6   ② 8

③ 10   ④ 12

⑤ 14

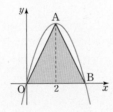

23 x^2의 계수가 1인 이차방정식을 혜원이는 일차항의 계수를 잘못 보고 풀어 해가 -4, 6이 되었고, 현수는 상수항을 잘못 보고 풀어 해가 -7, 2가 나왔다. 이때 올바른 이차방정식의 두 근의 합을 구하여라. [8점]

24 어떤 달력의 셋째 주 수요일의 날짜와 넷째 주 수요일의 날짜를 곱하면 330이다. 이때 이 달의 둘째 주 수요일의 날짜를 구하여라. [7점]

25 이차함수 $y=\dfrac{1}{4}x^2+x$의 그래프를 x축의 방향으로 4만큼, y축의 방향으로 -3만큼 평행이동 하였을 때, x축과 만나는 두 점 사이의 거리를 구하여라. [8점]

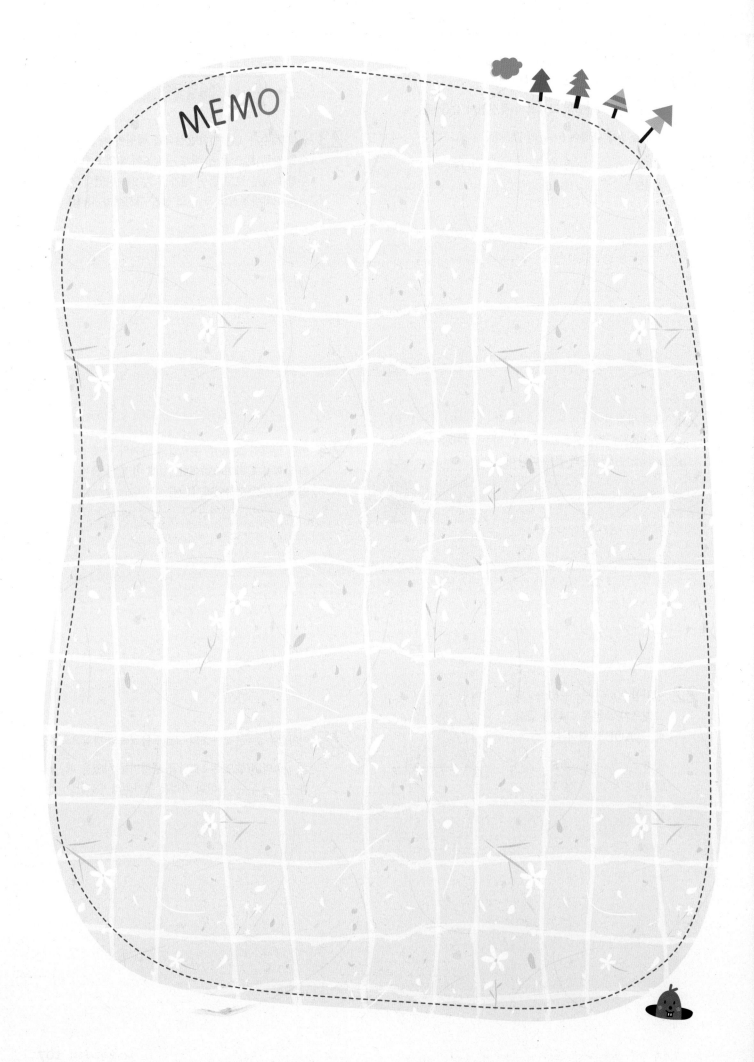

MEMO

기말고사대비

절대공부감각 내신업

www.왕수학.com

새로운 개정 교육과정 반영

 +  총망라

중학 수학 3·1

기말고사
정답 및 해설

중학 수학 **3·1**

정답 & 해설

6. 이차방정식의 뜻과 풀이

시험에 나오는 핵심개념
6쪽~7쪽

예제 1 답 ②, ⑤

② $-3x-1=0$(일차방정식)

⑤ 이차식

예제 2 답 $x=0$

$x=-1$일 때, $(-1)^2+2\times(-1)=-1\neq0$(거짓)

$x=0$일 때, $0^2+2\times0=0$(참)

$x=1$일 때, $1^2+2\times1=3\neq0$(거짓)

$x=2$일 때, $2^2+2\times2=8\neq0$(거짓)

따라서 구하는 해는 $x=0$

예제 3 답 (1) $x=-1$ 또는 $x=2$ (2) $x=1$ 또는 $x=\dfrac{3}{2}$

예제 4 답 (1) $x=-1$ 또는 $x=2$ (2) $x=-4$ 또는 $x=1$

(1) $(x+1)(x-2)=0$

  $\therefore x=-1$ 또는 $x=2$

(2) $(x+4)(x-1)=0$

  $\therefore x=-4$ 또는 $x=1$

예제 5 답 (1) $x=-3$(중근) (2) $x=2$(중근)

  (3) $x=-\dfrac{3}{2}$(중근) (4) $x=4$(중근)

(2) $(x-2)^2=0$ $\therefore x=2$(중근)

(3) $(2x+3)^2=0$ $\therefore x=-\dfrac{3}{2}$(중근)

(4) $x^2-8x+16=0$, $(x-4)^2=0$ $\therefore x=4$(중근)

예제 6 답 (1) $x=\pm\sqrt{2}$ (2) $x=\pm\sqrt{5}$

  (3) $x=-1\pm\sqrt{3}$ (4) $x=2\pm\sqrt{6}$

(1) $x^2=2$ $\therefore x=\pm\sqrt{2}$

(2) $x^2=5$ $\therefore x=\pm\sqrt{5}$

(3) $(x+1)^2=3$, $x+1=\pm\sqrt{3}$ $\therefore x=-1\pm\sqrt{3}$

(4) $(x-2)^2=6$, $x-2=\pm\sqrt{6}$ $\therefore x=2\pm\sqrt{6}$

예제 7 답 (1) $(x+1)^2=3$ (2) $(x-3)^2=12$

(1) $x^2+2x+1=2+1$ $\therefore (x+1)^2=3$

(2) $x^2-6x=3$, $x^2-6x+9=3+9$ $\therefore (x-3)^2=12$

예제 8 답 (1) $x=-5\pm\sqrt{7}$ (2) $x=1\pm\sqrt{2}$

(1) $x^2+10x+25=-18+25$, $(x+5)^2=7$

  $\therefore x=-5\pm\sqrt{7}$

(2) $x^2-2x-1=0$, $x^2-2x+1=1+1$, $(x-1)^2=2$ $\therefore x=1\pm\sqrt{2}$

유형 격파 + 기출 문제
8쪽~17쪽

01 ④	02 ③	03 ④	04 ①	05 4	06 ①
07 ⑤	08 ④	09 ③	10 ①	11 ⑤	12 ③
13 ⑤	14 13	15 ④	16 ①	17 ④	18 ⑤
19 ②	20 ③	21 ③	22 ②	23 ⑤	24 ⑤
25 ②	26 ③	27 ④	28 ①	29 ⑤	30 ③
31 -1	32 4	33 ①	34 $\dfrac{3}{2}$	35 ③	36 ③
37 ④	38 ⑤	39 $\dfrac{25}{12}$	40 ±14	41 ②	42 ②
43 $-1, 2$	44 0	45 ②	46 ④	47 ⑤	48 ①
49 ②	50 ⑤	51 $x=\dfrac{2\pm\sqrt{5}}{2}$		52 -11	53 ①
54 ③	55 ②	56 ③	57 ⑤	58 ①	59 ③
60 ④	61 ②	62 ①	63 ④	64 ②	65 ③
66 ①	67 ②	68 ③	69 ③	70 ③	

01 ① 이차식

② $2x=0$(일차방정식)

③ $-\dfrac{1}{2}x=0$(일차방정식)

⑤ x^3항이 있으므로 이차방정식이 아니다.

02 ㄱ. $x=0$(일차방정식) ㄴ. $\dfrac{1}{2}x^2+5x-\dfrac{1}{2}=0$(이차방정식)

ㄷ. $x^2-x-6=0$(이차방정식) ㄹ. $-4x-1=0$(일차방정식)

ㅁ. $x^2-4x-5=0$(이차방정식)

03 주어진 등식이 x에 관한 이차방정식이 되려면 $a-1\neq0$에서 $a\neq1$이어야 한다.

04 $2ax^2+ax-6x-3=-3x^2+4$, $(2a+3)x^2+(a-6)x-7=0$

$2a+3\neq0$ $\therefore a\neq-\dfrac{3}{2}$

05 $-2(x^2+2x+1)+5x=9x^2-6x+1$

$-2x^2-4x-2+5x=9x^2-6x+1$, $11x^2-7x+3=0$

따라서 $a=11$, $b=-7$이므로 $a+b=11+(-7)=4$

06 $x=-2$일 때, $(-2)^2+2\times(-2)-3=-3\neq0$(거짓)

$x=-1$일 때, $(-1)^2+2\times(-1)-3=-4\neq0$(거짓)

$x=0$일 때, $0^2+2\times0-3=-3\neq0$(거짓)

$x=1$일 때, $1^2+2\times1-3=0$(참)

$x=2$일 때, $2^2+2\times2-3=5\neq0$(거짓)

07 ① $(-2-2)^2=16\neq0$(거짓)

② $(-2+5)^2=9\neq10$(거짓)

③ $(-2)^2+4\times(-2)-6=-10\neq0$(거짓)

④ $(-2)^2+(-2)-6=-4\neq0$(거짓)

⑤ $(-2)^2+5\times(-2)+6=0$(참)

08 ① $4^2=16\neq4$(거짓)

② $(-2-2)(-2+3)=-4\neq0$(거짓)

③ $(-1)^2+3=4\neq4\times(-1)=-4$(거짓)

④ $3^2-3-6=0$(참)

⑤ $2\times2^2+3\times2-5=9\neq0$(거짓)

09 x의 값은 -1, 0, 1, 2이다.

$x=-1$일 때, $(-1)^2+(-1)-2=-2\neq0$(거짓)

$x=0$일 때, $0^2+0-2=-2\neq0$(거짓)

$x=1$일 때, $1^2+1-2=0$(참)

$x=2$일 때, $2^2+2-2=4\neq0$(거짓)

10 $2x-2\leq x+1$, $x\leq3$이므로 x의 값은 1, 2, 3이다.

$x=1$일 때, $(1-2)^2=1$(참)

$x=2$일 때, $(2-2)^2=0\neq2$(거짓)

$x=3$일 때, $(3-2)^2=1\neq3$(거짓)

11 $x=\dfrac{1}{2}$을 대입하면 $2\times\left(\dfrac{1}{2}\right)^2-a\times\dfrac{1}{2}+2=0$ $\therefore a=5$

12 $x=-2$를 대입하면 $(a+2)\times(-2)^2+3\times(-2)-2=0$

$\therefore a=0$

13 $2x^2+ax-5=0$에 $x=-1$을 대입하면

$2\times(-1)^2+a\times(-1)-5=0$, $a=-3$

$3x^2-4x+b=0$에 $x=2$를 대입하면

$3\times2^2-4\times2+b=0$, $b=-4$

$\therefore ab=(-3)\times(-4)=12$

14 $x=2$를 $x^2-ax=-10$에 대입하면

$2^2-2a=-10$, $-2a=-14$ $\therefore a=7$

$x=2$를 $2x^2-x-b=0$에 대입하면 $2\times2^2-2-b=0$ $\therefore b=6$

따라서 $a+b=13$

15 $x=a$를 대입하면 $2a^2+3a-5=0$, $2a^2+3a=5$

$\therefore 2a^2+3a-1=5-1=4$

16 $x=m$을 대입하면 $3m^2-6m+2=0$, $3m^2-6m=-2$

따라서 양변을 3으로 나누면 $m^2-2m=-\dfrac{2}{3}$

17 $x=a$를 대입하면 $a^2-4a+1=0$

양변을 a로 나누면 $a-4+\dfrac{1}{a}=0$ $\therefore a+\dfrac{1}{a}=4$

18 $x^2-3x-4=0$에 $x=a$를 대입하면 $a^2-3a-4=0$, $a^2-3a=4$

$2x^2+x-5=0$에 $x=b$를 대입하면 $2b^2+b-5=0$, $2b^2+b=5$

$\therefore a^2+2b^2-3a+b=a^2-3a+2b^2+b=4+5=9$

19 $(x+3)(2x-1)=0$에서 $x+3=0$ 또는 $2x-1=0$

$\therefore x=-3$ 또는 $x=\dfrac{1}{2}$

20 ① $x=-2$ 또는 $x=\dfrac{4}{3}$　　② $x=-2$ 또는 $x=\dfrac{4}{3}$

③ $x=2$ 또는 $x=-\dfrac{4}{3}$　　④ $x=-2$ 또는 $x=1$

⑤ $x=-2$ 또는 $x=1$

21 ①, ②, ④, ⑤ $x=\dfrac{1}{2}$ 또는 $x=-\dfrac{2}{3}$

③ $x=-\dfrac{1}{2}$ 또는 $x=-\dfrac{2}{3}$

22 $(x+3)(x-4)=0$ $\therefore x=-3$ 또는 $x=4$

23 $x^2-9=0$, $(x+3)(x-3)=0$

$\therefore x=-3$ 또는 $x=3$

24 $(x+4)(x-5)=0$ $\therefore x=-4$ 또는 $x=5$

따라서 $m=5$, $n=-4$이므로 $m-n=5-(-4)=9$

25 $(x+3)(4x-1)=0$

$\therefore x=-3$ 또는 $x=\dfrac{1}{4}$

따라서 두 근의 합은 $-3+\dfrac{1}{4}=-\dfrac{11}{4}$

26 $(x+2)(x+3)=2x^2$, $x^2+5x+6=2x^2$, $x^2-5x-6=0$

$(x-6)(x+1)=0$ $\therefore x=-1$ 또는 $x=6$

따라서 두 근의 곱은 -6이다.

27 $(x-1)(3x-4)=0$ $\therefore x=1$ 또는 $x=\dfrac{4}{3}$

$A=1+\dfrac{4}{3}=\dfrac{7}{3}$, $B=1\times\dfrac{4}{3}=\dfrac{4}{3}$

$\therefore A+B=\dfrac{7}{3}+\dfrac{4}{3}=\dfrac{11}{3}$

28 $x=2$를 대입하면 $2^2+a\times2-a-6=0$, $a=2$

$a=2$를 대입하면

$x^2+2x-2-6=0$, $x^2+2x-8=0$, $(x+4)(x-2)=0$

$\therefore x=-4$ 또는 $x=2$

따라서 다른 한 근은 -4이다.

29 $x=4$를 대입하면 $4^2-6\times4+a=0$ $\therefore a=8$

$a=8$을 대입하면 $x^2-6x+8=0$, $(x-2)(x-4)=0$,

$x=2$ 또는 $x=4$ $\therefore b=2$

$\therefore a+b=8+2=10$

30 $x=1$을 대입하면 $1^2-a\times1+2a=0$ $\therefore a=-1$

$a=-1$을 대입하면

$x^2+x-2=0$, $(x+2)(x-1)=0$, $x=-2$ 또는 $x=1$

$\therefore b=-2$

$\therefore ab=(-1)\times(-2)=2$

31 $x=2$를 대입하면 $(a-1)\times2^2-(a^2+1)\times2+2(a+1)=0$

$a^2-3a+2=0$, $(a-1)(a-2)=0$, $a=1$ 또는 $a=2$

그런데 이차방정식이므로 $a=2$

$a=2$를 대입하면

$x^2-5x+6=0$, $(x-2)(x-3)=0$, $x=2$ 또는 $x=3$

$\therefore b=3$

$\therefore a-b=2-3=-1$

32 $(x+3)(x-5)=0$

근이 $x=-3$ 또는 $x=5$이므로 두 근의 합은 2이다.

$x=2$를 $x^2-4x+k=0$에 대입하면

$2^2-4\times2+k=0$ $\therefore k=4$

33 $(x+5)(x-2)=0$, $x=-5$ 또는 $x=2$

$x=2$를 $x^2+2ax-3a+1=0$에 대입하면

$2^2+2a\times2-3a+1=0$ $\therefore a=-5$

34 $x^2-x-2=0$, $(x+1)(x-2)=0$, $x=-1$ 또는 $x=2$

$x=-1$을 $2x^2+(a-1)x-3=0$에 대입하면

$2\times(-1)^2+(a-1)\times(-1)-3=0$, $a=0$

정답 & 해설 **3**

$a=0$을 $2x^2+(a-1)x-3=0$에 대입하면 $2x^2-x-3=0$

$(x+1)(2x-3)=0$, $x=-1$ 또는 $x=\dfrac{3}{2}$

따라서 다른 한 근은 $\dfrac{3}{2}$이다.

35 $x=2$를 $x^2-3ax+8=0$에 대입하면 $2^2-3a\times2+8=0$, $a=2$

$a=2$를 $x^2-3ax+8=0$에 대입하면 $x^2-6x+8=0$

$(x-2)(x-4)=0$, $x=2$ 또는 $x=4$

$x=4$가 $x^2+(b-3)x-2b=0$의 근이므로

$4^2+(b-3)\times4-2b=0$, $b=-2$ $\therefore a+b=2+(-2)=0$

36 ① $x(x-3)=0$ $\therefore x=0$ 또는 $x=3$

② $(x+3)(x+1)=0$ $\therefore x=-3$ 또는 $x=-1$

③ $(2x+1)^2=0$ $\therefore x=-\dfrac{1}{2}$(중근)

④ $(x+1)(2x-7)=0$ $\therefore x=-1$ 또는 $x=\dfrac{7}{2}$

⑤ $(x-1)(3x-7)=0$ $\therefore x=1$ 또는 $x=\dfrac{7}{3}$

37 $x^2+64=16x$, $x^2-16x+64=0$, $(x-8)^2=0$ $\therefore a=8$

$4x^2-4x=-1$, $4x^2-4x+1=0$, $(2x-1)^2=0$ $\therefore b=\dfrac{1}{2}$

$\therefore ab=8\times\dfrac{1}{2}=4$

38 $(x+3)^2=0$, $x^2+6x+9=0$

따라서 $a=6$, $b=9$이므로 $a+b=6+9=15$

39 $3p=\left(\dfrac{-5}{2}\right)^2=\dfrac{25}{4}$이므로 $p=\dfrac{25}{12}$

40 $49=\left(\dfrac{a}{2}\right)^2$, $a^2=196$ $\therefore a=\pm14$

41 $x^2+2x+a+2=0$이므로 $a+2=\left(\dfrac{2}{2}\right)^2$, $a+2=1$

$\therefore a=-1$

42 $25=\left\{\dfrac{2(3a-1)}{2}\right\}^2$, $(3a-1)^2=25$, $9a^2-6a-24=0$

$3a^2-2a-8=0$, $(3a+4)(a-2)=0$ $\therefore a=-\dfrac{4}{3}$ 또는 $a=2$

따라서 양수 a의 값은 2이다.

43 $x^2+2ax+a+2=0$이므로 $a+2=\left(\dfrac{2a}{2}\right)^2$, $a^2-a-2=0$

$(a+1)(a-2)=0$ $\therefore a=-1$ 또는 $a=2$

44 $x^2-6x+2a+15=0$이므로 $2a+15=\left(\dfrac{-6}{2}\right)^2$ $\therefore a=-3$

$a=-3$을 $x^2-6x+2a+15=0$에 대입하면

$x^2-6x+9=0$, $(x-3)^2=0$ $\therefore b=3$

$\therefore a+b=-3+3=0$

45 $x^2+3x+2=0$, $(x+2)(x+1)=0$, $x=-2$ 또는 $x=-1$

$x^2-4x-5=0$, $(x+1)(x-5)=0$, $x=-1$ 또는 $x=5$

따라서 두 이차방정식의 공통인 해는 $x=-1$

46 $(x-1)(x+2)=0$, $x=1$ 또는 $x=-2$

$(x-2)^2=x$, $x^2-5x+4=0$, $(x-1)(x-4)=0$,

$x=1$ 또는 $x=4$

따라서 두 이차방정식을 동시에 만족하는 x의 값은 1이다.

47 $(2x-1)(x+a)=0$에 $x=-2$를 대입하면

$-5(-2+a)=0$, $a=2$

$x^2-bx-20=0$에 $x=-2$를 대입하면

$(-2)^2-b\times(-2)-20=0$, $b=8$

$\therefore a+b=2+8=10$

48 $x=-1$을 두 이차방정식에 각각 대입하면

$(-1)^2+3\times(-1)+a=0$, $a=2$

$(-1)^2+(-4)\times(-1)+b=0$, $b=-5$

$\therefore a+b=2+(-5)=-3$

49 $x=1$을 두 이차방정식에 각각 대입하면

$1^2+a\times1-4=0$, $a=3$

$1^2-3\times1+b=0$, $b=2$

$\therefore a-b=3-2=1$

50 ① $x=\pm\sqrt{8}=\pm2\sqrt{2}$

② $2x^2=9$, $x^2=\dfrac{9}{2}$ $\therefore x=\pm\sqrt{\dfrac{9}{2}}=\pm\dfrac{3}{\sqrt{2}}=\pm\dfrac{3\sqrt{2}}{2}$

③ $x-1=\pm\sqrt{2}$ $\therefore x=1\pm\sqrt{2}$

④ $x+3=\pm\sqrt{15}$ $\therefore x=-3\pm\sqrt{15}$

⑤ $(x-1)^2=9$, $x-1=\pm3$ $\therefore x=4$ 또는 $x=-2$

51 $(x-1)^2=\dfrac{5}{4}$, $x-1=\pm\sqrt{\dfrac{5}{4}}$ $\therefore x=1\pm\dfrac{\sqrt{5}}{2}=\dfrac{2\pm\sqrt{5}}{2}$

52 $(x-1)^2=12$, $x-1=\pm\sqrt{12}$, $x=1\pm2\sqrt{3}$

$\therefore ab=(1+2\sqrt{3})(1-2\sqrt{3})=1-12=-11$

53 $\left(x+\dfrac{1}{2}\right)^2=k-3$이므로 해를 가질 조건은 $k-3\geq0$

$\therefore k\geq3$

54 $(x-a)^2=3$, $x-a=\pm\sqrt{3}$, $x=a\pm\sqrt{3}=-2\pm\sqrt{b}$

$\therefore a=-2$, $b=3$

$\therefore a+b=-2+3=1$

55 $(x-a)^2=\dfrac{b}{3}$, $x-a=\pm\sqrt{\dfrac{b}{3}}$, $x=a\pm\sqrt{\dfrac{b}{3}}=4\pm\sqrt{2}$

$a=4$, $\dfrac{b}{3}=2$에서 $b=6$ $\therefore a-b=4-6=-2$

56 $x^2-4x=-1$, $x^2-4x+4=-1+4$, $(x-2)^2=3$

$\therefore q=3$

57 $x^2+\dfrac{7}{2}x+3=0$, $x^2+\dfrac{7}{2}x=-3$

$x^2+\dfrac{7}{2}x+\dfrac{49}{16}=-3+\dfrac{49}{16}$, $\left(x+\dfrac{7}{4}\right)^2=\dfrac{1}{16}$ $\therefore p=\dfrac{7}{4}$, $q=\dfrac{1}{16}$

$\therefore p+q=\dfrac{7}{4}+\dfrac{1}{16}=\dfrac{29}{16}$

58 $x^2-8x+15=7$, $x^2-8x=-8$, $x^2-8x+16=-8+16$,

$(x-4)^2=8$

$\therefore p=-4, q=8$

$\therefore pq=(-4)\times 8=-32$

59 $x^2+6x-3=0$에서 $x^2+6x=3$, $x^2+6x+9=3+9$

$(x+3)^2=12$, $x+3=\pm\sqrt{12}$ $\quad\therefore x=-3\pm2\sqrt{3}$

60 $2x^2+4x-2=0$의 양변을 2로 나누면

$x^2+2x-1=0$, $x^2+2x=1$, $x^2+2x+1=1+1$, $(x+1)^2=2$

$\therefore x=-1\pm\sqrt{2}$

따라서 $A=1$, $B=1$, $C=2$이므로 $A+B+C=1+1+2=4$

61 $x^2-2x+\dfrac{1}{3}=0$, $x^2-2x=-\dfrac{1}{3}$, $x^2-2x+1=-\dfrac{1}{3}+1$

$(x-1)^2=\dfrac{2}{3}$, $x=\dfrac{3\pm\sqrt{6}}{3}$ $\quad\therefore a=3$, $b=6$

$\therefore a-b=3-6=-3$

62 $x^2-10x+25=2a+25$, $(x-5)^2=2a+25$

$\therefore x=5\pm\sqrt{2a+25}$

따라서 $2a+25=3$이므로 $a=-11$

63 $x^2+ax=1$, $x^2+ax+\dfrac{a^2}{4}=1+\dfrac{a^2}{4}$

$\left(x+\dfrac{a}{2}\right)^2=1+\dfrac{a^2}{4}$, $x+\dfrac{a}{2}=\pm\sqrt{\dfrac{a^2+4}{4}}$

$\therefore x=\dfrac{-a\pm\sqrt{a^2+4}}{2}$

따라서 $-a=1$에서 $a=-1$, $b=a^2+4=(-1)^2+4=5$이므로

$a+b=-1+5=4$

64 $x^2+6x=p+8$, $x^2+6x+9=p+8+9$

$(x+3)^2=p+17$ $\quad\therefore x=-3\pm\sqrt{p+17}$

따라서 $a=-3$, $p+17=27$에서 $p=10$이므로

$a+p=-3+10=7$

65 $x=a$를 대입하면 $a^2-3a+1=0$

양변을 a로 나누면 $a-3+\dfrac{1}{a}=0$ $\quad\therefore a+\dfrac{1}{a}=3$

$\therefore a^2+\dfrac{1}{a^2}=\left(a+\dfrac{1}{a}\right)^2-2=3^2-2=7$

66 $x=a$를 대입하면 $a^2-7a+1=0$

$a^2-7a+1=0$이므로 $1-7a=-a^2$, $1+a^2=7a$

$\therefore \dfrac{1-7a}{a^2}-\dfrac{1+a^2}{a}=\dfrac{-a^2}{a^2}-\dfrac{7a}{a}=-1-7=-8$

67 $x=a$를 대입하면 $a^2+8a+2=0$, $a^2+8a=-2$

$\therefore (a+11)(a+6)(a+2)(a-3)$

$=(a+11)(a-3)(a+6)(a+2)$

$=(a^2+8a-33)(a^2+8a+12)$

$=(-2-33)(-2+12)$

$=-350$

68 $x^2-x=3x-a$에서 $x^2-4x+a=0$이므로 $a=\left(\dfrac{-4}{2}\right)^2=4$

$2(a-3)x^2+(a+3)x-4=0$에 $a=4$를 대입하면

$2x^2+7x-4=0$, $(x+4)(2x-1)=0$ $\quad\therefore x=-4$ 또는 $x=\dfrac{1}{2}$

따라서 두 근의 곱은 $(-4)\times\dfrac{1}{2}=-2$

69 중근을 가지므로 $9b=\left(\dfrac{a}{2}\right)^2$이 성립한다.

이때 $a^2=36b=6^2\times b$이므로 b는 한 자리의 자연수 중 가장 큰 제곱수이어야 한다.

따라서 $b=9$이므로 $a^2=6^2\times 9=(6\times 3)^2=18^2$에서 $a=18$

70 $x^2-(3k-2)x+16=0$이므로 $16=\left\{\dfrac{-(3k-2)}{2}\right\}^2$

$9k^2-12k+4=64$, $9k^2-12k-60=0$, $3k^2-4k-20=0$

$(k+2)(3k-10)=0$ $\quad\therefore k=-2$ 또는 $k=\dfrac{10}{3}$

따라서 k의 값들의 합은 $\dfrac{4}{3}$, 곱은 $-\dfrac{20}{3}$이므로

$9x^2+ax+b=0$에 각각 대입하면

$16+\dfrac{4}{3}a+b=0$, $400-\dfrac{20}{3}a+b=0$

두 식을 연립하여 풀면 $a=48$, $b=-80$

$\therefore a+b=48+(-80)=-32$

학교 시험 100점맞기 18쪽~21쪽

01 ②	02 ③	03 ③	04 ①	05 ④	06 ⑤
07 ③	08 ⑤	09 ①	10 ③	11 ⑤	12 ⑤
13 ①	14 ①	15 $a=4$, $b=2$, $c=3$		16 ⑤	
17 $a\neq-2$	18 ①	19 ④	20 ①		
21 $x=-6$ 또는 $x=2$			22 ④		
23 $x=-3$ 또는 $x=-2$			24 -2	25 1	
26 6, 10, 12					

01 ㄱ. 이차방정식 ㄴ. $2x+1=0$(일차방정식)

ㄷ. $x^2-4x+1=0$(이차방정식) ㄹ. $3x=0$(일차방정식)

ㅁ. $-x-3=0$(일차방정식)

02 $2x^2-2x=x^2-x-2$, $x^2-x+2=0$

따라서 $b=-1$, $c=2$이므로 $b+c=-1+2=1$

03 $x=-2$일 때, $(-2)^2+(-2)-2=0$(참)

$x=-1$일 때, $(-1)^2+(-1)-2=-2\neq0$(거짓)

$x=0$일 때, $0^2+0-2=-2\neq0$(거짓)

$x=1$일 때, $1^2+1-2=0$(참)

04 ① $(-1)^2-1=0$(참)

② $2\times 2^2-4=4\neq0$(거짓)

③ $(7-2)^2=25\neq5$(거짓)

④ $(-3)^2-2\times(-3)-3=12\neq0$(거짓)

⑤ $3\times\left(\dfrac{2}{3}\right)^2-4\times\dfrac{2}{3}-4=-\dfrac{16}{3}\neq0$(거짓)

05 $x=1$을 대입하면 $1^2+a-3=0$ $\quad\therefore a=2$

06 $(3x+1)(x-2)=0$에서 $3x+1=0$ 또는 $x-2=0$

$\therefore x=-\dfrac{1}{3}$ 또는 $x=2$

07 $2x^2-x-6=0$, $(2x+3)(x-2)=0$ $\therefore x=-\dfrac{3}{2}$ 또는 $x=2$

08 $x=-2$를 대입하면
$(-2)^2-4\times(-2)+a=0$ $\therefore a=-12$
$x^2-4x-12=0$, $(x+2)(x-6)=0$
$\therefore x=-2$ 또는 $x=6$
따라서 다른 한 근은 6이다.

09 $x=2$를 대입하면 $a\times 2^2+2-6a=0$ $\therefore a=1$
$a=1$을 대입하면 $x^2+x-6=0$, $(x+3)(x-2)=0$
$\therefore x=-3$ 또는 $x=2$

10 $x^2+5x-14=0$, $(x+7)(x-2)=0$
근이 $x=-7$ 또는 $x=2$이므로 두 근의 합은 -5이다.
$x=-5$를 $x^2+3x+k=0$에 대입하면
$(-5)^2+3\times(-5)+k=0$ $\therefore k=-10$

11 ① $x(x-2)=0$ $\therefore x=0$ 또는 $x=2$
② $(x+5)(x+1)=0$ $\therefore x=-5$ 또는 $x=-1$
③ $(x+7)(x-4)=0$ $\therefore x=-7$ 또는 $x=4$
④ $(2x+1)(x-2)=0$ $\therefore x=-\dfrac{1}{2}$ 또는 $x=2$
⑤ $(x-6)^2=0$ $\therefore x=6$(중근)

12 주어진 이차방정식을 정리하면 $x^2+4x+a-3=0$이므로
중근을 가지려면 $a-3=\left(\dfrac{4}{2}\right)^2$이어야 한다.
$\therefore a=7$

13 $x^2-x-6=0$, $(x+2)(x-3)=0$, $x=-2$ 또는 $x=3$
$x^2-3x-10=0$, $(x+2)(x-5)=0$, $x=-2$ 또는 $x=5$
따라서 두 이차방정식의 공통인 해는 $x=-2$

14 $(x-1)^2=3$, $x-1=\pm\sqrt{3}$, $x=1\pm\sqrt{3}$ $\therefore a=1, b=3$
$\therefore a+b=1+3=4$

15 $x^2-4x+1=0$에서 $x^2-4x=-1$, $x^2-4x+4=-1+4$
$(x-2)^2=3$, $x-2=\pm\sqrt{3}$ $\therefore x=2\pm\sqrt{3}$
$\therefore a=4, b=2, c=3$

16 $x^2-\dfrac{1}{2}x-\dfrac{1}{2}=0$, $x^2-\dfrac{1}{2}x=\dfrac{1}{2}$
$x^2-\dfrac{1}{2}x+\dfrac{1}{16}=\dfrac{1}{2}+\dfrac{1}{16}$, $\left(x-\dfrac{1}{4}\right)^2=\dfrac{9}{16}$ $\therefore p=-\dfrac{1}{4}, q=\dfrac{9}{16}$
$\therefore p+q=-\dfrac{1}{4}+\dfrac{9}{16}=\dfrac{5}{16}$

17 $(a-1)x^2+3(x^2+2x+1)=0$, $(a+2)x^2+6x+3=0$
$\therefore a\neq-2$

18 $x^2-3x-1=0$의 두 근이 a, b이므로
$a^2-3a-1=0$, $b^2-3b-1=0$
$\therefore a^2-3a=1$, $b^2-3b=1$
$\therefore (a^2-3a+1)(2b^2-6b-3)=\{(a^2-3a)+1\}\{2(b^2-3b)-3\}$
$\qquad =(1+1)(2\times 1-3)=-2$

19 $x^2-2x-3=0$에서 $a=-2, b=-3$이므로

20 $x^2-2x-3=0$, $(x+1)(x-3)=0$, $x=-1$ 또는 $x=3$
$x^2-5x+6=0$, $(x-2)(x-3)=0$, $x=2$ 또는 $x=3$
따라서 공통인 근은 $x=3$
$x=3$을 $x^2+ax+3=0$에 대입하면
$3^2+a\times 3+3=0$ $\therefore a=-4$

21 예원이는 해가 $-4, 3$이 나왔으므로
$(x+4)(x-3)=0$, $x^2+x-12=0$
현수는 해가 $3, -7$이 나왔으므로
$(x-3)(x+7)=0$, $x^2+4x-21=0$
따라서 올바른 이차방정식은 $x^2+4x-12=0$
$(x+6)(x-2)=0$ $\therefore x=-6$ 또는 $x=2$

22 $x^2+3x=9x-a$에서 $x^2-6x+a=0$이므로 $a=\left(\dfrac{-6}{2}\right)^2=9$
$3(a-7)x^2-(2a-1)x+12=0$에 $a=9$를 대입하면
$6x^2-17x+12=0$, $(3x-4)(2x-3)=0$
$\therefore x=\dfrac{4}{3}$ 또는 $x=\dfrac{3}{2}$
따라서 두 근의 곱은 $\dfrac{4}{3}\times\dfrac{3}{2}=2$

23 [1단계] 일차항의 계수와 상수항을 바꾸어 놓은 이차방정식은
$x^2+2ax+(a+2)=0$이므로
$x=-1$을 $x^2+2ax+(a+2)=0$에 대입하면
$(-1)^2+2a\times(-1)+(a+2)=0$
$\therefore a=3$
[2단계] $a=3$을 $x^2+(a+2)x+2a=0$에 대입하면
$x^2+5x+6=0$
[3단계] $x^2+5x+6=0$, $(x+3)(x+2)=0$
$\therefore x=-3$ 또는 $x=-2$

24 [1단계] $x^2-8x-2-3a=0$이므로
$-2-3a=\left(\dfrac{-8}{2}\right)^2$, $-2-3a=16$
$-3a=18$ $\therefore a=-6$
[2단계] $a=-6$을 $x^2-8x-2-3a=0$에 대입하면
$x^2-8x-2-3\times(-6)=0$, $x^2-8x+16=0$,
$(x-4)^2=0$ $\therefore b=4$
[3단계] $a+b=-6+4=-2$

25 $x^2+4x+4-3x-4=0$, $x^2+x=0$ ...... ❶
$x(x+1)=0$ $\therefore x=0$ 또는 $x=-1$ ...... ❷
따라서 $a=0, b=-1$이므로 $a-b=0-(-1)=1$ ...... ❸

채점 기준	배점
❶ 주어진 이차방정식을 일반형으로 정리하기	2점
❷ 주어진 이차방정식의 해 구하기	2점
❸ $a-b$의 값 구하기	2점

26 $x^2-7x=-a$, $x^2-7x+\dfrac{49}{4}=-a+\dfrac{49}{4}$

$$\left(x-\frac{7}{2}\right)^2=\frac{49-4a}{4},\ x-\frac{7}{2}=\pm\sqrt{\frac{49-4a}{4}}$$

$$\therefore x=\frac{7\pm\sqrt{49-4a}}{2} \qquad\qquad \cdots\cdots ❶$$

유리수인 해를 가지기 위해서는 $49-4a$가 0 또는 제곱수이어야 하므로

$49-4a=0,\ 1,\ 4,\ 9,\ 16,\ 25,\ 36,\ 49 \qquad \cdots\cdots ❷$

그런데 a는 자연수이므로 $49-4a=1,\ 9,\ 25$

따라서 $-4a=-48,\ -4a=-40,\ -4a=-24$이므로

$a=6,\ 10,\ 12 \qquad\qquad\qquad\qquad \cdots\cdots ❸$

채점 기준	배점
❶ 주어진 이차방정식의 해 구하기	3점
❷ $49-4a$의 값 구하기	2점
❸ a의 값 구하기	2점

7. 근의 공식과 이차방정식의 활용

시험에 나오는 핵심개념
22쪽~23쪽

예제 1　답 (1) $x=\dfrac{-3\pm\sqrt{17}}{4}$　(2) $x=2\pm\sqrt{2}$

(1) $x=\dfrac{-3\pm\sqrt{3^2-4\times2\times(-1)}}{2\times2}=\dfrac{-3\pm\sqrt{17}}{4}$

(2) $x=\dfrac{-(-2)\pm\sqrt{(-2)^2-1\times2}}{1}=2\pm\sqrt{2}$

예제 2　답 (1) $x=-3\pm\sqrt{7}$　(2) $=\dfrac{5\pm\sqrt{13}}{6}$

　　　　　　(3) $x=-2$ 또는 $x=5$　(4) $x=2$ 또는 $x=3$

(1) $3x^2+2=2x^2-6x,\ x^2+6x+2=0$

$\therefore x=\dfrac{-3\pm\sqrt{3^2-1\times2}}{1}=-3\pm\sqrt{7}$

(2) 양변에 3을 곱하면 $3x^2-5x+1=0$

$\therefore x=\dfrac{-(-5)\pm\sqrt{(-5)^2-4\times3\times1}}{2\times3}=\dfrac{5\pm\sqrt{13}}{6}$

(3) 양변에 10을 곱하면 $x^2-3x-10=0$

$(x+2)(x-5)=0 \quad \therefore x=-2$ 또는 $x=5$

(4) $x-1=A$라 하면 $A^2-3A+2=0$

$(A-1)(A-2)=0 \quad \therefore A=1$ 또는 $A=2$

$A=x-1$이므로 $x-1=1$ 또는 $x-1=2$

$\therefore x=2$ 또는 $x=3$

예제 3　답 (1) 2개　(2) 1개　(3) 0개　(4) 2개

(1) $b^2-4ac=(-1)^2-4\times2\times(-2)=17>0 \quad \therefore$ 2개

(2) $b^2-4ac=8^2-4\times1\times16=0 \quad \therefore$ 1개

(3) $b^2-4ac=(-5)^2-4\times4\times2=-7<0 \quad \therefore$ 0개

(4) $b^2-4ac=2^2-4\times1\times(-5)=24>0 \quad \therefore$ 2개

예제 4　답 -1 또는 -2

어떤 수를 x라 하면

$(x+3)^2=3x+7,\ x^2+3x+2=0$

$(x+1)(x+2)=0 \quad \therefore x=-1$ 또는 $x=-2$

따라서 어떤 수는 -1 또는 -2이다.

예제 5　답 4초 후

$20t-5t^2=0,\ -5t(t-4)=0,\ t=0$ 또는 $t=4$

따라서 4초 후에 지면에 떨어진다.

예제 6　답 9 cm

높이를 x cm라고 하면, 밑변의 길이는 $(x-3)$ cm

$\dfrac{1}{2}x(x-3)=27,\ x(x-3)=54,\ x^2-3x-54=0$

$(x-9)(x+6)=0 \quad \therefore x=9\ (\because x>0)$

유형 격파 ＋ 기출 문제
24쪽~37쪽

01 ②	02 ①	03 ⑤	04 $x=\dfrac{-1\pm\sqrt{13}}{6}$	05 ①
06 ②	07 7	08 ⑤	09 ⑤	10 ②	11 ④
12 ④	13 ③	14 $x=-\dfrac{3}{2}$ 또는 $x=5$	15 ②
16 $x=1$	17 ①	18 ②	19 ③	20 ①	21 ③
22 ④	23 ①	24 ④	25 ①	26 ③	27 ④
28 ④	29 ①	30 ④	31 ⑤	32 ③	33 ③
34 ③	35 ③	36 ④	37 ②	38 ④	39 ⑤
40 ⑤	41 ①	42 ②			

43 소민 : k의 값에 따라 근의 개수는 다르다.

　　도연 : $k=-1$이면 서로 다른 두 근을 가진다.

44 ⑤	45 ④	46 0	47 ②	48 ③	49 ②
50 ③	51 ③	52 6	53 ④	54 ③	55 ②
56 -1 또는 -3	57 11	58 42	59 ①	60 ⑤
61 ①	62 19살	63 20명	64 10자루	65 18일	66 ①
67 ②	68 2초 후 또는 6초 후		69 ②	70 ④
71 3초 후	72 2초 동안		73 ⑤	74 7 cm	75 ④
76 2 cm	77 8 cm	78 ⑤	79 ④	80 ②
81 ③	82 ⑤	83 ③	84 ④	85 ③	86 ①
87 ④	88 ④	89 ②	90 2초 후	91 8	

01 $x=\dfrac{-(-5)\pm\sqrt{(-5)^2-4\times2\times(-4)}}{2\times2}=\dfrac{5\pm\sqrt{57}}{4}$이므로

$A=5,\ B=57$

$\therefore A+B=5+57=62$

02 근의 공식을 이용하면 $b'=-2$이므로

$x=-(-2)\pm\sqrt{(-2)^2-(-7)}=2\pm\sqrt{11}$

03 근의 공식을 이용하면 $x=\dfrac{-5\pm\sqrt{17}}{4}$

두 근 중 작은 것은 $\dfrac{-5-\sqrt{17}}{4}$

04 $x=\dfrac{-1\pm\sqrt{1^2-4\times3\times(-1)}}{2\times3}=\dfrac{-1\pm\sqrt{13}}{6}$

따라서 양수인 해는 $x=\dfrac{-1+\sqrt{13}}{6}$

05 $x=\dfrac{-1\pm\sqrt{1^2-3\times A}}{3}=\dfrac{-1\pm\sqrt{13}}{3}$

$1-3A=13$ ∴ $A=-4$

06 $x=\dfrac{-(-2)\pm\sqrt{(-2)^2-m\times(-2)}}{m}=\dfrac{2\pm\sqrt{4+2m}}{m}$

$=\dfrac{2\pm\sqrt{k}}{3}$ 이므로

$m=3, k=10$ ∴ $m+k=3+10=13$

07 근의 공식을 이용하면 $b'=-5$이므로

$x=-(-5)\pm\sqrt{(-5)^2-(3k+1)}=5\pm\sqrt{24-3k}=5\pm\sqrt{3}$

$24-3k=3, -3k=-21$ ∴ $k=7$

08 양변에 6을 곱하면 $2x^2-3x-1=0$

∴ $x=\dfrac{-(-3)\pm\sqrt{(-3)^2-4\times2\times(-1)}}{2\times2}=\dfrac{3\pm\sqrt{17}}{4}$

09 $3(x^2+4x+4)=x^2+10, 2x^2+12x+2=0$

∴ $x=\dfrac{-6\pm\sqrt{6^2-2\times2}}{2}=\dfrac{-6\pm4\sqrt{2}}{2}=-3\pm2\sqrt{2}$

10 양변에 10을 곱하면 $x^2-4x-10=0$

∴ $x=-(-2)\pm\sqrt{(-2)^2-1\times(-10)}=2\pm\sqrt{14}$

11 양변에 6을 곱하면 $6x^2-10x+3=0$

∴ $x=\dfrac{-(-5)\pm\sqrt{(-5)^2-6\times3}}{6}=\dfrac{5\pm\sqrt{7}}{6}$

12 양변에 10을 곱하면 $5x^2+8x-1=0$

$x=\dfrac{-4\pm\sqrt{4^2-5\times(-1)}}{5}=\dfrac{-4\pm\sqrt{21}}{5}$ 이므로 $a=-4, b=21$

∴ $a+b=-4+21=17$

13 양변에 5를 곱하면 $3x^2-10x+8=0, (3x-4)(x-2)=0$

∴ $x=\dfrac{4}{3}$ 또는 $x=2$

∴ $\alpha\beta=\dfrac{4}{3}\times2=\dfrac{8}{3}$

14 양변에 15를 곱하면 $5(x+1)(x-3)=3x(x-1)$

$2x^2-7x-15=0, (2x+3)(x-5)=0$ ∴ $x=-\dfrac{3}{2}$ 또는 $x=5$

15 $3(x-1)^2=2x, 3(x^2-2x+1)=2x, 3x^2-6x+3=2x$

$3x^2-8x+3=0$에서 근의 공식을 이용하면 $x=\dfrac{4\pm\sqrt{7}}{3}$

a는 두 근 중 작은 근이므로 $a=\dfrac{4-\sqrt{7}}{3}$

∴ $3a-4=4-\sqrt{7}-4=-\sqrt{7}$

16 $0.1x^2-\dfrac{1}{2}x+\dfrac{2}{5}=0$의 양변에 10을 곱하면

$x^2-5x+4=0, (x-1)(x-4)=0$ ∴ $x=1$ 또는 $x=4$

$4(x^2-1)=(x-1)(3x+5), 4x^2-4=3x^2+2x-5$

$x^2-2x+1=0, (x-1)^2=0$ ∴ $x=1$(중근)

따라서 두 이차방정식의 공통근은 $x=1$이다.

17 $x+2=A$라 하면 $A^2+2A-3=0, (A-1)(A+3)=0$

∴ $A=-3$ 또는 $A=1$

$A=x+2$이므로 $x+2=-3$ 또는 $x+2=1$

∴ $x=-5$ 또는 $x=-1$

18 $x+1=A$라 하면 $2A^2+3A-2=0, (A+2)(2A-1)=0$

∴ $A=-2$ 또는 $A=\dfrac{1}{2}$

$A=x+1$이므로 $x+1=-2$ 또는 $x+1=\dfrac{1}{2}$

∴ $x=-3$ 또는 $x=-\dfrac{1}{2}$

따라서 두 근의 곱은 $(-3)\times\left(-\dfrac{1}{2}\right)=\dfrac{3}{2}$

19 $x-1=A$라 하면 $\dfrac{1}{2}A^2-\dfrac{1}{3}A-\dfrac{1}{6}=0$

양변에 6을 곱하면 $3A^2-2A-1=0, (3A+1)(A-1)=0$

∴ $A=-\dfrac{1}{3}$ 또는 $A=1$

$A=x-1$이므로 $x-1=-\dfrac{1}{3}$ 또는 $x-1=1$ ∴ $x=\dfrac{2}{3}$ 또는 $x=2$

20 $(2x+1)^2-2(2x+1)-3=0$에서 $2x+1=A$로 치환하면

$A^2-2A-3=0, (A+1)(A-3)=0, A=-1$ 또는 $A=3$

$2x+1=-1$ 또는 $2x+1=3$

∴ $x=-1$ 또는 $x=1$

∴ $p+q=-1+1=0$

21 $4\left(x-\dfrac{1}{2}\right)^2-6=5\left(x-\dfrac{1}{2}\right)$에서 $x-\dfrac{1}{2}=A$로 치환하면

$4A^2-5A-6=0, (4A+3)(A-2)=0, A=-\dfrac{3}{4}$ 또는 $A=2$

$x-\dfrac{1}{2}=-\dfrac{3}{4}$ 또는 $x-\dfrac{1}{2}=2$ ∴ $x=-\dfrac{1}{4}$ 또는 $x=\dfrac{5}{2}$

∴ $\alpha\beta=\left(-\dfrac{1}{4}\right)\times\dfrac{5}{2}=-\dfrac{5}{8}$

22 $x-y=A$라 하면

$A(A+4)-12=0, A^2+4A-12=0, (A+6)(A-2)=0$

∴ $A=-6$ 또는 $A=2$

$A=x-y$이므로 $x-y=-6$ 또는 $x-y=2$

이때 주어진 조건에서 $x>y$이므로 $x-y=2$

23 $(a-b)^2-4(a-b)-12=0$에서 $a-b=A$로 치환하면

$A^2-4A-12=0, (A-6)(A+2)=0, A=6$ 또는 $A=-2$

∴ $a-b=6$ 또는 $a-b=-2$

이때 $a<b$이므로 $a-b<0$ ∴ $a-b=-2$

24 ① $x^2=0$ ∴ $x=0$(중근)

② $b^2-4ac=0^2-4\times1\times4=-16<0$(근이 없다.)

③ $x^2-2x+1=0$이므로 $b^2-4ac=(-2)^2-4\times1\times1=0$(중근)

④ $b^2-4ac=1^2-4\times1\times1=-3<0$(근이 없다.)

⑤ $b^2-4ac=(-2)^2-4\times3\times(-1)=16>0$(서로 다른 두 근)

25 ① $x^2-2x=0$이므로

$b^2-4ac=(-2)^2-4\times1\times0=4>0$(서로 다른 두 근)

② $x^2-4x-1=0$이므로

$b^2-4ac=(-4)^2-4\times1\times(-1)=20>0$(서로 다른 두 근)

③ $x^2-3x-4=0$이므로

$b^2-4ac=(-3)^2-4\times1\times(-4)=25>0$(서로 다른 두 근)

④ $b^2-4ac=(-3)^2-4\times1\times5=-11<0$(근이 없다.)

⑤ $2x^2-2x-1=0$이므로

$b^2-4ac=(-2)^2-4\times2\times(-1)=12>0$(서로 다른 두 근)

26 b^2-4ac를 이용하면

ㄱ. $b^2-4ac=-32<0$ ∴ 0개

ㄴ. $x^2-2x-6=0$, $b^2-4ac=4+24=28>0$ ∴ 2개

ㄷ. $b^2-4ac=1+8=9>0$ ∴ 2개

ㄹ. $x^2+4x+4=0$, $b^2-4ac=16-16=0$ ∴ 1개

ㅁ. $3x^2-9=0$, $b^2-4ac=108>0$ ∴ 2개

ㅂ. $4x^2+12x+9=0$, $b^2-4ac=144-144=0$ ∴ 1개

따라서 해가 1개인 이차방정식은 ㄹ, ㅂ이다.

27 b^2-4ac를 이용하여 근의 개수를 구한다.

① $3^2-4\times2\times4=9-32<0$, 0개

② $6^2-4\times1\times9=36-36=0$, 1개

③ $4^2-4\times4\times1=16-16=0$, 1개

④ $2^2-4\times(-3)\times3=4+36>0$, 2개

⑤ $(-5)^2-4\times(-1)\times(-10)=25-40<0$, 0개

28 $-2x^2+5x+2=0$에서 $b^2-4ac=25+16=41>0$이므로

근의 개수는 2개이다.

∴ $m=2$

$x^2-10x+25=0$에서 $b^2-4ac=100-100=0$이므로 근의 개수는

1개이다.

∴ $n=1$

∴ $m+n=3$

29 $b^2-4ac=A^2-4B$

ㄱ. $A^2>4B$이면 $A^2-4B>0$이므로 서로 다른 두 근을 가진다.

ㄴ. $A=3$, $B=1$이면 $A>0$이지만 $3^2-4\times1=5>0$이므로 서로 다른 두 근을 가진다.

ㄷ. $B=0$이면 $A^2-4B\geq0$이므로 중근 또는 서로 다른 두 근을 가진다.

30 $b^2-4ac=(-6)^2-4\times1\times p=36-4p=0$ ∴ $p=9$

다른 풀이 $p=\left(\dfrac{-6}{2}\right)^2=9$

31 $b^2-4ac=(-4)^2-4\times1\times(m-1)=16-4m+4=20-4m=0$

∴ $m=5$

32 $b^2-4ac=(-4)^2-4\times3\times m=16-12m=0$ ∴ $m=\dfrac{4}{3}$

33 $b^2-4ac=2^2-4\times3\times(k+1)=4-12k-12=-12k-8=0$

∴ $k=-\dfrac{2}{3}$

34 $(x+7)^2-8x+4k=0$, $x^2+14x+49-8x+4k=0$,

$x^2+6x+49+4k=0$

$b^2-4ac=6^2-4(49+4k)=0$ ∴ $k=-10$

다른 풀이 $49+4k=\left(\dfrac{6}{2}\right)^2$, $4k=-40$ ∴ $k=-10$

35 $x^2-6x+2m-1=0$에서 $b^2-4ac=36-4(2m-1)=0$,

36-8m+4=0,

8m=40 ∴ $m=5$

$m=5$를 $x^2+4mx+4n=0$에 대입하면 $x^2+20x+4n=0$

$b^2-4ac=20^2-16n=0$, $16n=400$ ∴ $n=25$

∴ $n-m=20$

36 $b^2-4ac=(k-2)^2-4\times4\times1=k^2-4k-12=0$

$(k+2)(k-6)=0$, $k=-2$ 또는 $k=6$

따라서 중근을 가지도록 하는 모든 상수 k의 값들의 합은 $-2+6=4$

37 $b^2-4ac=(-4)^2-4k(k+3)=0$, $4k^2+12k-16=0$,

$k^2+3k-4=0$,

$(k-1)(k+4)=0$ ∴ $k=1$ 또는 $k=-4$

따라서 모든 상수 k의 값들의 합은 $1+(-4)=-3$

38 $b^2-4ac=\{-(m+1)\}^2-4\times(m-1)\times2=m^2-6m+9=0$

$(m-3)^2=0$ ∴ $m=3$

39 $b^2-4ac=(-6)^2-4\times1\times(m-1)=40-4m>0$, $-4m>-40$

∴ $m<10$

따라서 상수 m의 값 중 가장 큰 정수는 9이다.

40 $b^2-4ac=(-3)^2-4\times2\times k=9-8k<0$, $-8k<-9$ ∴ $k>\dfrac{9}{8}$

41 $b^2-4ac=(-10)^2-4\times1\times m=100-4m$이므로

$m<25$이면 서로 다른 두 근을 가진다.

$m=25$이면 중근을 가진다.

$m>25$이면 근을 가지지 않는다.

42 $(1-m)x^2-4x-2=0$이므로

$b^2-4ac=(-4)^2-4\times(1-m)\times(-2)=24-8m>0$,

$-8m>-24$

∴ $m<3$, $m\neq1$ ($\because 1-m\neq0$)

43 소민 : k의 값에 따라 근의 개수는 다르다.

도연 : $k=-1$이면 서로 다른 두 근을 가진다.

44 $(x-7)(-x+5)=k$, $x^2-12x+35+k=0$에서

주어진 이차방정식이 해를 가지려면

$b^2-4ac=12^2-4(35+k)\geq0$, $144-140-4k\geq0$, $4k\leq4$, $k\leq1$

조건을 만족하는 정수 k의 값 중 가장 큰 값은 1이다.

45 $b^2-4ac=(-5)^2-4(m-3)<0$, $25-4m+12<0$,

$4m>37$ ∴ $m>\dfrac{37}{4}$

따라서 가장 작은 정수 m의 값은 10이다.

46 $3x^2-2x-k=0$이 해를 가질 조건은

$b^2-4ac=(-2)^2-4\times3\times(-k)=4+12k\geq0$, $12k\geq-4$

∴ $k\geq-\dfrac{1}{3}$

$(k-1)x^2+4x-5=0$이 해가 없을 조건은

$b^2-4ac=4^2-4\times(k-1)\times(-5)=-4+20k<0$, $20k<4$

∴ $k<\dfrac{1}{5}$

따라서 조건을 만족하는 정수 k는 0이다.

47 $\dfrac{n(n+1)}{2}=171$, $n^2+n-342=0$

$(n+19)(n-18)=0$ ∴ $n=-19$ 또는 $n=18$

따라서 n은 자연수이므로 $n=18$

48 $\dfrac{n(n-3)}{2}=54$, $n^2-3n-108=0$

$(n+9)(n-12)=0$ ∴ $n=-9$ 또는 $n=12$

그런데 n은 3보다 큰 자연수이므로 $n=12$

따라서 구하는 다각형은 십이각형이다.

49 n각형의 (대각선의 개수)+(변의 개수)$=\dfrac{n(n-3)}{2}+n$이므로

$\dfrac{n(n-3)}{2}+n=45$, $n(n-3)+2n=90$, $n^2-n-90=0$

$(n-10)(n+9)=0$ ∴ $n=10(∵ n$은 자연수$)$

따라서 구하는 다각형은 십각형이다.

50 □$=n$이라 하면 규칙에 의하여

$n(n+2)-3n=240$, $n^2-n-240=0$

$(n+15)(n-16)=0$ ∴ $n=-15$ 또는 $n=16$

따라서 $n>0$이므로 $n=16$

51 바둑돌의 개수가 $1\times2=2$(개), $2\times3=6$(개), $3\times4=12$(개)씩 늘어나므로 4단계의 직사각형 모양에서 사용되는 바둑돌의 개수는

$4\times5=20$(개)이다.

따라서 바둑돌 132개로 이루어진 직사각형을 n단계라고 하면

$n(n+1)=132$, $n^2+n-132=0$, $(n+12)(n-11)=0$

∴ $n=11(∵ n$은 자연수$)$

52 연속하는 두 자연수를 x, $x+1$이라 하면

$x^2+(x+1)^2=85$, $2x^2+2x-84=0$

$x^2+x-42=0$, $(x+7)(x-6)=0$ ∴ $x=-7$ 또는 $x=6$

그런데 x는 자연수이므로 $x=6$이다. 즉, 연속하는 두 자연수는 6, 7이다.

따라서 작은 수는 6이다.

53 $(x+3)^2=2x+5$, $x^2+6x+9=2x+5$, $x^2+4x+4=0$

$(x+2)^2=0$, $x=-2$(중근)

54 연속하는 세 자연수를 $x-1$, x, $x+1$이라 하면

$(x-1)^2+x^2+(x+1)^2=365$, $3x^2=363$ ∴ $x=\pm11$

그런데 x는 1보다 큰 자연수이므로 $x=11$이다.

즉, 연속하는 세 자연수는 10, 11, 12이다.

따라서 가장 큰 수는 12이다.

55 연속하는 두 홀수를 x, $x+2$라 하면

$x^2+(x+2)^2=130$, $x^2+2x-63=0$

$(x+9)(x-7)=0$ ∴ $x=-9$ 또는 $x=7$

그런데 x는 자연수이므로 $x=7$이다. 즉, 연속하는 두 홀수는 7, 9이다.

따라서 작은 수는 7이다.

56 어떤 수를 x라 하면

$(x+3)^2=2(x+3)$, $x^2+4x+3=0$

$(x+1)(x+3)=0$ ∴ $x=-1$ 또는 $x=-3$

따라서 어떤 수는 -1 또는 -3이다.

57 어떤 자연수를 x라 하면

$9x=x^2-22$, $x^2-9x-22=0$, $(x-11)(x+2)=0$

∴ $x=11(∵ x>0)$

따라서 어떤 자연수는 11이다.

58 일의 자리의 숫자를 x라 하면 십의 자리의 숫자는 $2x$이다.

$x\times2x=2x\times10+x-34$, $2x^2-21x+34=0$

$(x-2)(2x-17)=0$ ∴ $x=2$ 또는 $x=\dfrac{17}{2}$

그런데 x는 자연수이므로 $x=2$

따라서 구하는 자연수는 42이다.

59 십의 자리의 숫자를 x라 하면 일의 자리의 숫자는 $(x+4)$이다.

$10x+(x+4)=3x(x+4)$, $11x+4=3x^2+12x$, $3x^2+x-4=0$

$(3x+4)(x-1)=0$ ∴ $x=1(∵ x$는 6보다 작은 자연수$)$

따라서 두 자리 수는 15이다.

60 두 면의 쪽수는 연속하는 두 자연수이므로 x쪽, $(x+1)$쪽이라 하면

$x(x+1)=600$, $x^2+x-600=0$

$(x+25)(x-24)=0$ ∴ $x=-25$ 또는 $x=24$

그런데 x는 자연수이므로 $x=24$

따라서 두 면의 쪽수의 합은 $24+25=49$

61 언니의 나이를 x살이라 하면 동생의 나이는 $(x-3)$살이므로

$8x=(x-3)^2+4$, $x^2-14x+13=0$

$(x-1)(x-13)=0$ ∴ $x=1$ 또는 $x=13$

그런데 x는 3보다 큰 자연수이므로 $x=13$

따라서 언니의 나이는 13살이다.

62 동생의 나이를 x살, 오빠의 나이를 $(x+5)$살이라 하면

$x^2+(x+5)^2=193$, $2x^2+10x-168=0$, $x^2+5x-84=0$,

$(x-7)(x+12)=0$ ∴ $x=7(∵ x>0)$

따라서 동생의 나이는 7살, 오빠의 나이는 12살이므로

$7+12=19$(살)

63 학생 수를 x명이라 하면 한 학생에게 돌아가는 사탕의 개수는 $(x+2)$개이므로

$x(x+2)=440$, $x^2+2x-440=0$

$(x+22)(x-20)=0$ ∴ $x=-22$ 또는 $x=20$

그런데 x는 자연수이므로 $x=20$

따라서 학생 수는 20명이다.

64 한 사람이 받은 연필의 개수를 x라 하면 학생 수는 $(x+2)$이므로

$x(x+2)=12\times10$, $x^2+2x-120=0$, $(x+12)(x-10)=0$

$x=-12$ 또는 $x=10$ ∴ $x=10(∵ x>0)$

따라서 한 사람이 받은 연필의 개수는 10자루이다.

65 이 달의 셋째 주 토요일의 날짜를 x일이라 하면 둘째 주 토요일의 날짜는 $(x-7)$일이므로

$x(x-7)=198$, $x^2-7x-198=0$, $(x+11)(x-18)=0$

∴ $x=18(∵ x>0)$

따라서 이 달의 셋째 주 토요일은 18일이다.

66 $20t-5t^2=20$, $t^2-4t+4=0$, $(t-2)^2=0$ $\therefore t=2$(중근)

따라서 이 물체의 높이가 20 m가 되는 것은 쏘아 올린 지 2초 후이다.

67 $50t-5t^2=120$, $t^2-10t+24=0$

$(t-4)(t-6)=0$ $\therefore t=4$ 또는 $t=6$

따라서 지면으로부터의 높이가 120 m인 지점을 처음으로 지나는 것은 쏘아 올린 지 4초 후이다.

68 $40t-5t^2=60$, $t^2-8t+12=0$, $(t-2)(t-6)=0$

$\therefore t=2$ 또는 $t=6$

따라서 공의 높이가 60 m가 되는 것은 던져 올린 지 2초 후 또는 6초 후이다.

69 땅에 떨어질 때의 높이는 0 m이므로

$30+25t-5t^2=0$, $t^2-5t-6=0$

$(t+1)(t-6)=0$ $\therefore t=-1$ 또는 $t=6$

그런데 $t>0$이므로 $t=6$

따라서 공이 땅에 떨어지는 것은 던져 올린 지 6초 후이다.

70 $-5t^2+10t+120=45$, $t^2-2t-15=0$

$(t+3)(t-5)=0$ $\therefore t=-3$ 또는 $t=5$

그런데 $t>0$이므로 $t=5$

따라서 물체의 높이가 45 m가 되는 것은 쏘아 올린 지 5초 후이다.

71 $35+30t-5t^2=80$, $5t^2-30t+45=0$, $t^2-6t+9=0$

$(t-3)^2=0$ $\therefore t=3$

따라서 공의 높이가 80 m가 되는 것은 던져 올린 지 3초 후이다.

72 $-5t^2+30t+60=100$, $5t^2-30t+40=0$, $t^2-6t+8=0$

$(t-2)(t-4)=0$ $\therefore t=2$ 또는 $t=4$

따라서 물체의 높이가 100 m 이상 되는 것은 위로 던져 올리니 2초 후부터 4초 후까지 2초 동안이다.

73 삼각형의 밑변의 길이를 x cm라 하면 높이는 $(x-3)$ cm이므로

$\frac{1}{2}\times x\times(x-3)=20$, $x^2-3x-40=0$

$(x+5)(x-8)=0$ $\therefore x=-5$ 또는 $x=8$

그런데 $x>3$이므로 $x=8$

따라서 삼각형의 밑변의 길이는 8 cm이다.

74 가로의 길이를 x cm라 하면 세로의 길이는 $(12-x)$ cm이므로

$x(12-x)=35$, $x^2-12x+35=0$

$(x-5)(x-7)=0$ $\therefore x=5$ 또는 $x=7$

그런데 $6<x<12$이므로 $x=7$

따라서 가로의 길이는 7 cm이다.

75 똑같이 늘린 길이를 x cm라 하면

$(18+x)(12+x)=2\times18\times12$, $x^2+30x-216=0$

$(x+36)(x-6)=0$ $\therefore x=-36$ 또는 $x=6$

그런데 $x>0$이므로 $x=6$

따라서 6 cm씩 늘려야 한다.

76 $\overline{DC}=x$(cm)라 하면 $\overline{BD}=(9-x)$(cm)

$\triangle FBD$는 $\angle B=45°$, $\angle BDF=90°$이므로 직각이등변삼각형이다.

$\therefore \overline{DF}=\overline{BD}=(9-x)$(cm)

$x(9-x)=14$, $x^2-9x+14=0$

$(x-2)(x-7)=0$ $\therefore x=2$ 또는 $x=7$

그런데 $0<x<\frac{9}{2}$이므로 $x=2$

따라서 $\overline{DC}$의 길이는 2 cm이다.

77 큰 정사각형의 한 변의 길이를 x cm라 하면 작은 정사각형의 한 변의 길이는 $(12-x)$ cm이므로

$x^2+(12-x)^2=80$, $2x^2-24x+64=0$

$x^2-12x+32=0$, $(x-4)(x-8)=0$ $\therefore x=4$ 또는 $x=8$

그런데 $6<x<12$이므로 $x=8$

따라서 큰 정사각형의 한 변의 길이는 8 cm이다.

78 넓이가 처음과 같아지는 데 걸리는 시간을 x초라 하면

$(20-x)(16+2x)=20\times16$, $x^2-12x=0$

$x(x-12)=0$ $\therefore x=0$ 또는 $x=12$

그런데 $x>0$이므로 $x=12$

따라서 넓이가 처음과 같아지는 데 걸리는 시간은 12초이다.

79 처음 직사각형의 세로의 길이를 x cm라 하면 가로의 길이는 $(x+5)$ cm이다.

$2(x+1)(x-4)=48$, $x^2-3x-28=0$

$(x+4)(x-7)=0$ $\therefore x=-4$ 또는 $x=7$

그런데 $x>4$이므로 $x=7$

따라서 처음 직사각형의 세로의 길이는 7 cm이다.

80 처음 원의 반지름의 길이를 r cm라 하면

$4\pi r^2=\pi(r+3)^2$, $4r^2=r^2+6r+9$, $r^2-2r-3=0$

$(r+1)(r-3)=0$ $\therefore r=-1$ 또는 $r=3$

그런데 $r>0$이므로 $r=3$

따라서 처음 원의 반지름의 길이는 3 cm이다.

81 처음 원의 반지름의 길이를 x cm라 하면 늘인 원의 반지름의 길이는 $(x+4)$ cm이므로

$\pi(x+4)^2=3\pi x^2$, $x^2-4x-8=0$, $x=2\pm2\sqrt{3}$

$\therefore x=2+2\sqrt{3}$ $(\because x>0)$

따라서 처음 원의 지름의 길이는 $(4+4\sqrt{3})$ cm이다.

82 직각삼각형의 밑변의 길이와 높이를 각각 $3x$ cm, $4x$ cm라 하면

$\frac{1}{2}\times3x\times4x=48$, $6x^2=48$, $x=\pm2\sqrt{2}$

$\therefore x=2\sqrt{2}$ $(\because x>0)$

따라서 밑변의 길이는 $3x=3\times2\sqrt{2}=6\sqrt{2}$ (cm)이다.

83 $\overline{AD}=x$라고 하면 $\square ABCD \backsim \square DEFC$이므로

$\overline{AD}:\overline{DC}=\overline{AB}:\overline{DE}$, $x:1=1:(x-1)$

$x(x-1)=1$, $x^2-x-1=0$, $x=\frac{1\pm\sqrt{5}}{2}$

$\therefore x=\frac{1+\sqrt{5}}{2}$ $(\because x>0)$

따라서 $\overline{AD}$의 길이는 $\frac{1+\sqrt{5}}{2}$이다.

84 도로의 폭을 x m라 하면

$(30-x)(24-x)=520$, $720-54x+x^2=520$

$x^2-54x+200=0$, $(x-4)(x-50)=0$ ∴ $x=4$ 또는 $x=50$

그런데 $0<x<24$이므로 $x=4$

따라서 도로의 폭은 4 m이다.

[다른 풀이] (전체 넓이)-(가로의 길의 넓이)-(세로의 길의 넓이)

+(겹쳐진 부분의 넓이)=520

이므로 $30\times24-30x-24x+x^2=520$, $x^2-54x+200=0$

$(x-4)(x-50)=0$ ∴ $x=4$ 또는 $x=50$

그런데 $0<x<24$이므로 $x=4$

따라서 도로의 폭은 4 m이다.

85 밭의 가로의 길이를 x m라 하면 세로의 길이는 $(x-5)$ m이다.

$(x-3)(x-7)=621$, $x^2-10x-600=0$

$(x+20)(x-30)=0$ ∴ $x=-20$ 또는 $x=30$

그런데 $x>7$이므로 $x=30$

따라서 밭의 가로의 길이는 30 m이다.

86 길의 폭을 x m라 하면

$(8+2x)(5+2x)-8\times5=30$, $2x^2+13x-15=0$

$(2x+15)(x-1)=0$ ∴ $x=-\dfrac{15}{2}$ 또는 $x=1$

그런데 $x>0$이므로 $x=1$

따라서 폭은 1 m로 해야 한다.

87 $\overline{AC}$를 지름으로 하는 반원의 반지름의 길이를 x cm라 하면 $\overline{CB}$를 지름으로 하는 반원의 반지름의 길이는 $(5-x)$ cm이므로

$\dfrac{1}{2}\pi\times5^2-\dfrac{1}{2}\pi x^2-\dfrac{1}{2}\pi(5-x)^2=6\pi$, $x^2-5x+6=0$

$(x-2)(x-3)=0$ ∴ $x=2$ 또는 $x=3$

그런데 $2.5<x<5$이므로 $x=3$

∴ $\overline{AC}=2x=2\times3=6$(cm)

88 민수의 생일을 x일이라 하면 예원이의 생일은 $(x-7)$일이므로

$x(x-7)=330$, $x^2-7x-330=0$

$(x+15)(x-22)=0$ ∴ $x=-15$ 또는 $x=22$

그런데 x는 $8\leq x\leq30$을 만족하는 자연수이므로 $x=22$

따라서 민수의 생일은 22일이다.

89 가장 작은 정사각형의 한 변의 길이를 x cm라 하면 가운데 정사각형과 가장 큰 정사각형의 한 변의 길이는 각각 $(x+2)$ cm, $(x+4)$ cm이므로 $(x+4)^2=x^2+(x+2)^2$, $x^2+8x+16=x^2+x^2+4x+4$,

$x^2-4x-12=0$

$(x+2)(x-6)=0$ ∴ $x=-2$ 또는 $x=6$

그런데 $x>0$이므로 $x=6$

따라서 가장 작은 정사각형의 한 변의 길이는 6 cm이다.

∴ (색칠한 부분의 넓이)

$=$(가운데 정사각형의 넓이)-(가장 작은 정사각형의 넓이)

$=8^2-6^2=64-36=28$(cm^2)

90 x초 후의 $\overline{PB}$의 길이는 $(15-3x)$ cm, $\overline{BQ}$의 길이는 $4x$ cm이므로

$\dfrac{1}{2}\times4x\times(15-3x)=36$, $x^2-5x+6=0$

$(x-2)(x-3)=0$ ∴ $x=2$ 또는 $x=3$

따라서 △PBQ의 넓이가 처음으로 36 cm^{2}가 되는 것은 2초 후이다.

91 연속하는 네 자연수를 $x-1$, x, $x+1$, $x+2$라 하면

$(x+2)^2+(x-1)^2=x(x+1)+47$, $x^2+x-42=0$

$(x+7)(x-6)=0$ ∴ $x=-7$ 또는 $x=6$

그런데 x는 1보다 큰 자연수이므로 $x=6$이다.

즉, 연속하는 네 자연수는 5, 6, 7, 8이다.

따라서 가장 큰 수는 8이다.

학교 시험 100점맞기 38쪽~41쪽

01 ①	02 ⑤	03 ③	04 ③	05 ③	06 ②
07 ③	08 ②	09 ②	10 ②	11 ③	12 ②
13 ④	14 12, 13	15 ①	16 2 m	17 $x=-5$	18 ①
19 ②	20 ⑤	21 14일	22 ③	23 -1	24 8초 후
25 14	26 3 cm				

01 $x=\dfrac{-5\pm\sqrt{5^2-4\times2\times(-1)}}{2\times2}=\dfrac{-5\pm\sqrt{33}}{4}$이므로

$A=-5$, $B=33$

∴ $A+B=-5+33=28$

02 이차방정식 $5x^2+6x-3=0$에서 근의 공식을 이용하면

$x=\dfrac{-3\pm\sqrt{3^2-5\times(-3)}}{5}=\dfrac{-3\pm\sqrt{24}}{5}=\dfrac{-3\pm2\sqrt{6}}{5}$

a는 두 근 중 작은 근이므로 $a=\dfrac{-3-2\sqrt{6}}{5}$

∴ $-5a-2=3+2\sqrt{6}-2=2\sqrt{6}+1$

03 $x^2+6x-1=0$

∴ $x=-3\pm\sqrt{3^2-1\times(-1)}=-3\pm\sqrt{10}$

04 양변에 6을 곱하면 $2x^2+3x-4=0$

∴ $x=\dfrac{-3\pm\sqrt{3^2-4\times2\times(-4)}}{2\times2}=\dfrac{-3\pm\sqrt{41}}{4}$

05 양변에 10을 곱하면 $2x^2-3x+1=0$, $(2x-1)(x-1)=0$

$x=\dfrac{1}{2}$ 또는 $x=1$ ∴ $a^2+b^2=\left(\dfrac{1}{2}\right)^2+1^2=\dfrac{5}{4}$

06 $x-3=A$라 하면 $2A^2-7A+6=0$, $(2A-3)(A-2)=0$

∴ $A=\dfrac{3}{2}$ 또는 $A=2$

$A=x-3$이므로 $x-3=\dfrac{3}{2}$ 또는 $x-3=2$ ∴ $x=\dfrac{9}{2}$ 또는 $x=5$

따라서 두 근의 곱은 $\dfrac{9}{2}\times5=\dfrac{45}{2}$

07 $3x+1=A$로 치환하면 $\dfrac{A^2}{10}+\dfrac{2}{5}=\dfrac{A}{2}$

양변에 10을 곱하면

$A^2+4=5A$, $A^2-5A+4=0$, $(A-1)(A-4)=0$

$A=1$ 또는 $A=4$이므로 $3x+1=1$ 또는 $3x+1=4$

∴ $x=0$ 또는 $x=1$

따라서 두 근의 합은 1이다.

08
① $b^2-4ac=(-4)^2-4\times1\times5=-4<0$(근이 없다.)
② $b^2-4ac=(-6)^2-4\times1\times(-7)=64>0$(서로 다른 두 근)
③ $b^2-4ac=8^2-4\times1\times16=0$(중근)
④ $b^2-4ac=4^2-4\times2\times5=-24<0$(근이 없다.)
⑤ $b^2-4ac=(-6)^2-4\times3\times3=0$(중근)

09 $b^2-4ac=(-2)^2-4\times3\times k=4-12k=0$ $\therefore k=\dfrac{1}{3}$

10 $b^2-4ac=5^2-4\times2\times k=25-8k>0$, $-8k>-25$
$\therefore k<\dfrac{25}{8}$

11 $x^2-2x+3-2k=0$에서 근을 가지지 않으려면
$b^2-4ac=4-4(3-2k)<0$이어야 하므로
$4-12+8k<0$, $8k<8$ $\therefore k<1$

12 $2x^2-9x+m-2=0$에서 근이 2개이려면
$b^2-4ac=(-9)^2-4\times2\times(m-2)>0$이어야 하므로
$81-8(m-2)>0$, $81-8m+16>0$, $-8m>-97$
$\therefore m<\dfrac{97}{8}=12.125$
따라서 구하는 자연수 m은 1, 2, 3, $\cdots$, 11, 12로 모두 12개이다.

13 n각형의 대각선의 총 개수는 $\dfrac{n(n-3)}{2}$개이므로
$\dfrac{n(n-3)}{2}=27$, $n^2-3n-54=0$
$(n+6)(n-9)=0$ $\therefore n=-6$ 또는 $n=9$
그런데 n은 3보다 큰 자연수이므로 $n=9$
따라서 구하는 다각형은 구각형이다.

14 연속하는 두 자연수를 x, $x+1$이라 하면
$x(x+1)=156$, $x^2+x-156=0$
$(x+13)(x-12)=0$ $\therefore x=-13$ 또는 $x=12$
그런데 x는 자연수이므로 $x=12$
따라서 연속하는 두 자연수는 12, 13이다.

15 동생의 나이를 x살이라 하면 형의 나이는 $(x+3)$살이므로
$x^2+(x+3)^2=549$, $x^2+3x-270=0$
$(x+18)(x-15)=0$ $\therefore x=-18$ 또는 $x=15$
그런데 x는 자연수이므로 $x=15$
따라서 동생의 나이는 15살이다.

16 가로, 세로의 늘어난 길이를 x m라 하면
$(4+x)(3+x)=4\times3+18$, $x^2+7x-18=0$
$(x+9)(x-2)=0$ $\therefore x=-9$ 또는 $x=2$
그런데 $x>0$이므로 $x=2$
따라서 2 m씩 늘려야 한다.

17 $x^2-6x+m+2=0$이 중근을 가지므로
$b^2-4ac=(-6)^2-4\times1\times(m+2)=36-4m-8=28-4m=0$
$\therefore m=7$
(i) $2x^2+8x-10=0$, $2(x+5)(x-1)=0$
$\therefore x=-5$ 또는 $x=1$

(ii) $x^2+9x+20=0$, $(x+5)(x+4)=0$
$\therefore x=-5$ 또는 $x=-4$
따라서 두 이차방정식이 공통으로 가지는 근은 $x=-5$

18 $(2-m)x^2-6=4x$, $(2-m)x^2-4x-6=0$에서 해가 2개가 되려면
$b^2-4ac=16+24(2-m)>0$이어야 하므로 $16+48-24m>0$
$-24m>-64$, $\therefore m<\dfrac{8}{3}$
이때 $2-m\neq0$, $m\neq2$이므로 조건을 만족하는 자연수 m의 값은 1뿐이다.

19 한 사람이 받는 사탕의 개수를 x개라 하면 학생 수는 $(x+7)$명이므로
$x(x+7)=120$, $x^2+7x-120=0$
$(x+15)(x-8)=0$ $\therefore x=-15$ 또는 $x=8$
그런데 x는 자연수이므로 $x=8$
따라서 한 사람이 받는 사탕의 개수는 8개이다.

20 가로의 길이를 x cm라 하면 세로의 길이는 $(19-x)$ cm이므로
$x(19-x)=84$, $x^2-19x+84=0$
$(x-7)(x-12)=0$ $\therefore x=7$ 또는 $x=12$
그런데 (가로의 길이)>(세로의 길이)이므로 $x=12$
즉, 가로의 길이는 12 cm, 세로의 길이는 7 cm이다.
따라서 가로와 세로의 길이의 차는 $12-7=5$(cm)

21 유리의 생일을 x일이라 하면 혜진이의 생일은 $(x-7)$일이므로
$x(x-7)=98$, $x^2-7x-98=0$
$(x+7)(x-14)=0$ $\therefore x=-7$ 또는 $x=14$
그런데 x는 $8\leq x\leq31$을 만족하는 자연수이므로 $x=14$
따라서 유리의 생일은 14일이다.

22 x초 후의 $\overline{PB}$의 길이는 $(12-2x)$ cm, $\overline{BQ}$의 길이는 $3x$ cm이므로
$\dfrac{1}{2}\times3x\times(12-2x)=27$, $x^2-6x+9=0$
$(x-3)^2=0$ $\therefore x=3$(중근)
따라서 △PBQ의 넓이가 처음으로 27 cm²가 되는 것은 3초 후이다.

23
[1단계] 양변에 2를 곱하면 $3x^2-12x-6k=0$, $x^2-4x-2k=0$
$b^2-4ac=(-4)^2-4\times1\times(-2k)>0$이어야 하므로
$16+8k>0$ $\therefore k>-2$
[2단계] 양변에 4를 곱하면 $2x^2+3x=x+k$, $2x^2+2x-k=0$
$b^2-4ac=2^2-4\times2\times(-k)<0$이어야 하므로 $4+8k<0$
$\therefore k<-\dfrac{1}{2}$
[3단계] $-2<k<-\dfrac{1}{2}$이므로 정수 k는 -1이다.

24
[1단계] 땅에 떨어질 때의 높이는 0 m이므로 $40t-5t^2=0$
[2단계] $40t-5t^2=0$, $t^2-8t=0$, $t(t-8)=0$
$\therefore t=0$ 또는 $t=8$
[3단계] $t>0$이므로 $t=8$
따라서 물체가 땅에 떨어지는 것은 쏘아 올린 지 8초 후이다.

25 $x=\dfrac{-a\pm\sqrt{a^2-4\times1\times(-2)}}{2}=\dfrac{-a\pm\sqrt{a^2+8}}{2}$이므로 ……❶
$-a=3$에서 $a=-3$, $b=a^2+8=(-3)^2+8=17$ ……❷

$\therefore a+b=-3+17=14$ ...... ❸

채점 기준	배점
❶ 근의 공식을 이용하여 주어진 이차방정식의 해 구하기	2점
❷ a, b의 값을 각각 구하기	2점
❸ $a+b$의 값 구하기	1점

26 잘라낸 정사각형의 한 변의 길이를 x cm라 하면 뚜껑이 없는 종이 상자의 밑면의 한 변의 길이는 $(15-2x)$ cm이므로 ...... ❶

$(15-2x)^2=15^2-144$ ...... ❷

$4x^2-60x+225=225-144$, $x^2-15x+36=0$

$(x-3)(x-12)=0$ $\therefore x=3$ 또는 $x=12$ ...... ❸

그런데 $0<x<\dfrac{15}{2}$이므로 $x=3$

따라서 잘라낸 정사각형의 한 변의 길이는 3 cm이다. ...... ❹

채점 기준	배점
❶ 뚜껑이 없는 종이 상자의 밑면의 한 변의 길이를 식으로 나타내기	2점
❷ 이차방정식 세우기	2점
❸ 이차방정식 풀기	2점
❹ 잘라낸 정사각형의 한 변의 길이 구하기	2점

8. 이차함수와 그래프(1)

시험에 나오는 핵심개념
42쪽~43쪽

예제 1 답 ①, ③

① 이차함수

② 일차함수

③ $y=x(x-2)-2=x^2-2x-2$(이차함수)

④ 분모에 미지수가 있으므로 이차함수가 아니다.

⑤ $y=(x^2-1)(3-x)=-x^3+3x^2+x-3$이므로 이차함수가 아니다.

예제 2 답 ②

② y축에 대하여 대칭이다.

예제 3 답 ⑤

⑤ $x>0$인 구간에서 x의 값이 증가하면 y의 값은 감소한다.

예제 4 답 (1) $y=-3x^2+2$, $(0,2)$, $x=0$

　　　　　(2) $y=\dfrac{1}{2}x^2-1$, $(0,-1)$, $x=0$

예제 5 답 (1) $y=-\dfrac{2}{3}(x+3)^2$, $(-3,0)$, $x=-3$

　　　　　(2) $y=2(x-6)^2$, $(6,0)$, $x=6$

예제 6 답 (1) $y=-2(x-1)^2-1$, $(1,-1)$, $x=1$

　　　　　(2) $y=7(x+2)^2+3$, $(-2,3)$, $x=-2$

유형 격파 ➕ 기출 문제
44쪽~55쪽

01 ④	02 ②	03 ①	04 ④	05 ①, ④	06 ⑤
07 ①	08 ⑤	09 ⑤	10 ③	11 ③	12 ④

13 ①	14 ④	15 8	16 ①	17 ④	18 ⑤
19 ④	20 ③	21 ④	22 ③	23 ④	24 3
25 ④	26 ③	27 -6	28 ④	29 ③	30 ④
31 ①	32 ⑤	33 ①	34 ⑤	35 $y=\dfrac{1}{3}(x+4)^2+2$	
36 ③	37 -7	38 ⑤	39 $y=3(x-2)^2+2$		40 ④
41 ①	42 6	43 ①	44 ②	45 ⑤	46 ①
47 ②	48 $(1,-1)$, $x=1$		49 $\dfrac{11}{3}$	50 ②	51 ①
52 ①	53 ⑤	54 ②	55 ①	56 ②	57 ⑤
58 ⑤	59 ④	60 ③	61 ③	62 ⑤	63 ⑤
64 ⑤	65 ③	66 ②	67 ⑤	68 ②	69 ㄱ, ㄹ
70 ③	71 8	72 9	73 $P(1-\sqrt{5}, -10)$		
74 -4, -3, -2, -1, 0, 1			75 ④	76 제4사분면	

01 ③ $y=(x+1)^2-2x^2=x^2+2x+1-2x^2=-x^2+2x+1$(이차함수)

④ $y=x(x-1)(x+1)=x^3-x$이므로 이차함수가 아니다.

02 ㄴ. 분모에 미지수가 있으므로 이차함수가 아니다.

ㄹ. $y=x^2-(2-x)^2=x^2-(4-4x+x^2)=4x-4$(일차함수)

ㅁ. $y=(x-2)(x+3)-x^2=x^2+x-6-x^2=x-6$(일차함수)

따라서 이차함수인 것은 ㄱ, ㄷ으로 모두 2개이다.

03 ① $y=\pi x^2$ 　　② $y=3x$ 　　③ $y=x+(x+1)=2x+1$

④ $y=24-x$ 　　⑤ $y=\dfrac{1}{2}\times x\times 10=5x$

04 $y=(a-2)x^2+x(x-1)=ax^2-2x^2+x^2-x=(a-1)x^2-x$

이므로 $a-1\neq 0$ $\therefore a\neq 1$

05 $y=a^2x^2-3ax^2+6x+5$, $y=(a^2-3a)x^2+6x+5$

이때 주어진 함수가 이차함수이므로 $a^2-3a\neq 0$, $a(a-3)\neq 0$

$\therefore a\neq 0$ 그리고 $a\neq 3$

06 $f(-2)=3\times(-2)^2-(-2)+2=16$

07 $f(2)=2\times 2^2-3\times 2+6=8$,

$f(-3)=2\times(-3)^2-3\times(-3)+6=33$

$\therefore f(2)-\dfrac{1}{3}f(-3)=8-\dfrac{1}{3}\times 33=-3$

08 $f(-2)=3\times(-2)^2+a\times(-2)-2=10-2a=2$ $\therefore a=4$

09 $f(a)=2a^2-a+1=7$, $2a^2-a-6=0$

$(2a+3)(a-2)=0$ $\therefore a=-\dfrac{3}{2}$ 또는 $a=2$

따라서 정수 a의 값은 2이다.

10 $f(1)=1^2+a+b=2$, $a+b=1$ ⋯㉠

$f(-1)=(-1)^2-a+b=4$, $-a+b=3$ ⋯㉡

㉠, ㉡을 연립하여 풀면 $a=-1$, $b=2$

$\therefore 2a+b=2\times(-1)+2=0$

11 $f(1)=4$이므로 $(1-a)(1-2)=4$, $-1+a=4$ $\therefore a=5$

$f(x)=(x-5)(x-2)$ $\therefore f(-2)=(-7)\times(-4)=28$

12 ④ $x=2$를 $y=x^2-3$에 대입하면 $y=2^2-3=1$이므로 점 $(2,1)$이 그래프 위의 점이다.

13 $a \times 2^2 = -12$ ∴ $a = -3$

14 $a \times 3^2 = 6$ ∴ $a = \dfrac{2}{3}$

$\dfrac{2}{3} \times 2^2 = b$ ∴ $b = \dfrac{8}{3}$

∴ $a + b = \dfrac{2}{3} + \dfrac{8}{3} = \dfrac{10}{3}$

15 $y = -2x^2 + a$에 $(3, -15)$를 대입하면

$-15 = -18 + a$ ∴ $a = 3$

$y = -2x^2 + 3$에 $(-2, b)$를 대입하면

$b = -8 + 3 = -5$

∴ $a - b = 3 - (-5) = 8$

16 $-\dfrac{1}{3}(a+1)^2 = -3$, $a^2 + 2a - 8 = 0$

$(a+4)(a-2) = 0$ ∴ $a = 2 (\because a > 0)$

$-\dfrac{1}{3}(-3+1)^2 = b$ ∴ $b = -\dfrac{4}{3}$

∴ $ab = 2 \times \left(-\dfrac{4}{3}\right) = -\dfrac{8}{3}$

17 ① 위로 볼록한 포물선이다.

② 축의 방정식은 $x = 0$이다.

③ 꼭짓점의 좌표는 $(0, 0)$이다.

⑤ $x > 0$인 구간에서 x의 값이 증가하면 y의 값은 감소한다.

18 ⑤ $y = -\dfrac{2}{3}x^2$의 그래프와 x축에 대하여 대칭이다.

19 ④ $x < 0$일 때, x의 값이 증가하면 y의 값은 증가한다.

$x > 0$일 때, x의 값이 증가하면 y의 값은 감소한다.

20 ㄷ. y축을 대칭축으로 한다.

ㄹ. a의 절댓값이 클수록 폭이 좁아진다.

ㅂ. $a > 0$이면 아래로 볼록하고, $a < 0$이면 위로 볼록하다.

21 $y = ax^2$에 $x = 3$, $y = 4$를 대입하면 $4 = a \times 3^2$

따라서 $a = \dfrac{4}{9}$이므로 $y = \dfrac{4}{9}x^2$

22 $y = ax^2$에 $x = -3$, $y = 6$을 대입하면 $6 = a \times (-3)^2$

따라서 $a = \dfrac{2}{3}$이므로 $y = \dfrac{2}{3}x^2$

23 $y = ax^2$에 $x = 2$, $y = 2$를 대입하면 $2 = a \times 2^2$

따라서 $a = \dfrac{1}{2}$이므로 $y = \dfrac{1}{2}x^2$

∴ $f(-3) = \dfrac{1}{2} \times (-3)^2 = \dfrac{9}{2}$

24 $y = ax^2$에 $x = -2$, $y = -12$를 대입하면 $-12 = a \times (-2)^2$

따라서 $a = -3$이므로 $y = -3x^2$

$y = -3x^2$에 $x = k$, $y = -27$을 대입하면

$-27 = -3 \times k^2$, $k^2 = 9$ ∴ $k = 3 (\because k > 0)$

25 $y = x^2$에 $y = 9$를 대입하면 $x = \pm 3$이고, $\overline{AB}$가 사등분되므로

$y = ax^2$에서 $x = \pm 6$일 때, $y = 9$이다.

따라서 $y = ax^2$에 $x = 6$, $y = 9$를 대입하면 $9 = a \times 6^2$

∴ $a = \dfrac{1}{4}$

26 $y = \dfrac{2}{3}x^2$의 그래프와 x축에 대하여 대칭인 이차함수의 그래프의 식은

$y = -\dfrac{2}{3}x^2$

27 $y = ax^2$의 그래프는 점 $(2, -12)$를 지나므로

$-12 = 4a$, $a = -3$

$y = -3x^2$의 그래프와 x축에 대하여 대칭인 그래프의 식은

$y = 3x^2$이므로 $b = 3$

∴ $a - b = -3 - 3 = -6$

28 $y = -\dfrac{1}{2}x^2$의 그래프와 x축에 대하여 대칭인 이차함수의 그래프의 식은 $y = \dfrac{1}{2}x^2$

따라서 $y = \dfrac{1}{2}x^2$에 $x = 3$, $y = k$를 대입하면 $k = \dfrac{1}{2} \times 3^2 = \dfrac{9}{2}$

29 $y = ax^2$에 $x = 3$, $y = -3$을 대입하면 $-3 = a \times 3^2$ ∴ $a = -\dfrac{1}{3}$

따라서 이차함수 $y = -\dfrac{1}{3}x^2$의 그래프와 x축에 대하여 대칭인 이차함수의 그래프의 식은 $y = \dfrac{1}{3}x^2$

30 $y = ax^2$에서 a의 절댓값이 큰 것부터 차례로 나열하면

ㄹ - ㄷ - ㅁ - ㄱ - ㄴ

31 이차항의 계수가 음수이고, 절댓값이 가장 큰 것은 $y = -3x^2$이다.

32 이차함수의 그래프가 원점을 꼭짓점으로 하고, 위로 볼록하므로

$y = ax^2$에서 $a < 0$

또, $y = -x^2$보다 그래프의 폭이 넓으므로 a의 절댓값이 1보다 작다.

33 $y = ax^2$의 그래프는 위로 볼록하므로 $a < 0$이고,

그래프의 폭이 $y = -x^2$의 그래프의 폭보다 좁으므로 a의 절댓값은 1보다 크다.

34 ① y축의 방향으로 -2만큼 평행이동한 것

② y축의 방향으로 $\dfrac{1}{2}$만큼 평행이동한 것

③ x축의 방향으로 -1만큼 평행이동한 것

④ x축의 방향으로 2만큼, y축의 방향으로 1만큼 평행이동한 것

35 $y = \dfrac{1}{3}x^2$의 그래프를 x축의 방향으로 -4만큼, y축의 방향으로 2만큼 평행이동한 그래프의 식은 $y = \dfrac{1}{3}(x+4)^2 + 2$

36 $y = \dfrac{1}{2}x^2$의 그래프를 x축의 방향으로 2만큼, y축의 방향으로 -1만큼 평행이동한 그래프이므로 $y = \dfrac{1}{2}(x-2)^2 - 1$

37 이차함수 $y = -\dfrac{2}{3}x^2$의 그래프를 y축의 방향으로 -1만큼 평행이동한 그래프의 식은 $y = -\dfrac{2}{3}x^2 - 1$

따라서 $y = -\dfrac{2}{3}x^2 - 1$에 $x = 3$, $y = k$를 대입하면

$k=-\dfrac{2}{3}\times 3^2-1=-7$

38 ① $y=3x^2$의 그래프를 평행이동한 것이다.
   ② $y=3x^2-1$의 그래프의 대칭축은 y축$(x=0)$이고,
     $y=3(x-1)^2$의 그래프의 대칭축은 $x=1$이다.
   ③ $y=3x^2-1$의 그래프의 꼭짓점의 좌표는 $(0,-1)$이고,
     $y=3(x-1)^2$의 그래프의 꼭짓점의 좌표는 $(1,0)$이다.
   ④ $1\neq 3\times 0^2-1=-1$, $1\neq 3(0-1)^2=3$

39 $y=3(x-3+1)^2-1+3=3(x-2)^2+2$

40 $y=-\dfrac{1}{2}(x+1)^2-3$의 그래프를 x축의 방향으로 m만큼, y축의 방향
   으로 n만큼 평행이동한 그래프의 식은 $y=-\dfrac{1}{2}(x-m+1)^2-3+n$
   이므로 $-m+1=0$, $-3+n=0$ ∴ $m=1$, $n=3$
   ∴ $m+n=1+3=4$

41 $y=2(x+3-4)^2+3-5=2(x-1)^2-2$
   따라서 $y=2(x-1)^2-2$에 $x=1$, $y=a$를 대입하면
   $a=2(1-1)^2-2=-2$

42 $y=\dfrac{1}{2}(x-3)^2$의 그래프를 y축의 방향으로 q만큼 평행이동한 그래프
   의 식은 $y=\dfrac{1}{2}(x-3)^2+q$
   $y=\dfrac{1}{2}(x-3)^2+q$에 $x=1$, $y=4$를 대입하면 $4=\dfrac{1}{2}(1-3)^2+q$
   ∴ $q=2$
   $y=\dfrac{1}{2}(x-3)^2+2$에 $x=5$, $y=k$를 대입하면 $k=\dfrac{1}{2}(5-3)^2+2=4$
   ∴ $q+k=2+4=6$

43 $y=3(x-2+2)^2+5+1$, $y=3x^2+6$의 그래프가 $(a,9)$를 지나므로
   $9=3a^2+6$, $3a^2=3$, $a^2=1$ ∴ $a=1(\because a>0)$

44 $y=-(x+3)^2+1$의 그래프의 꼭짓점의 좌표는 $(-3,1)$이므로
   $p=-3$, $q=1$ ∴ $p+q=-3+1=-2$

45 ① $(0,1)$ ② $(0,-1)$ ③ $(1,5)$
   ④ $(2,5)$ ⑤ $(-2,-1)$

46 축의 방정식이 $x=p$이므로 $p=-3$
   $y=a(x+3)^2+1$에 $x=-2$, $y=-1$을 대입하면
   $-1=a(-2+3)^2+1$ ∴ $a=-2$
   ∴ $a+p=-2+(-3)=-5$

47 $y=\dfrac{1}{2}(x-1)^2+3$의 그래프를 x축의 방향으로 -3만큼 평행이동한
   그래프의 식은 $y=\dfrac{1}{2}(x+3-1)^2+3=\dfrac{1}{2}(x+2)^2+3$이므로
   축의 방정식은 $x=-2$

48 $y=-3(x+1)^2+2$의 그래프를 x축의 방향으로 2만큼, y축의 방향
   으로 -3만큼 평행이동한 그래프의 식은
   $y=-3(x-2+1)^2+2-3=-3(x-1)^2-1$이므로
   이 이차함수의 그래프의 꼭짓점의 좌표는 $(1,-1)$, 축의 방정식은
   $x=1$이다.

49 평행이동한 그래프의 식이 $y=\dfrac{2}{3}(x+1)^2+4$이므로
   $a=\dfrac{2}{3}$, $p=-1$, $q=4$ ∴ $a+p+q=\dfrac{2}{3}+(-1)+4=\dfrac{11}{3}$

50 꼭짓점의 좌표가 $(2,-1)$이므로 $p=2$, $q=-1$
   $y=a(x-2)^2-1$에 $x=0$, $y=2$를 대입하면 $2=a(0-2)^2-1$
   ∴ $a=\dfrac{3}{4}$
   ∴ $apq=\dfrac{3}{4}\times 2\times(-1)=-\dfrac{3}{2}$

51 평행이동한 그래프의 식이 $y=-2(x-1)^2-3$이므로
   이 식에 $x=2$, $y=k$를 대입하면 $k=-2(2-1)^2-3=-5$

52 $y=-\dfrac{1}{3}(x-p)^2+q$의 그래프를 y축의 방향으로 -3만큼 평행이동한
   그래프의 식은 $y=-\dfrac{1}{3}(x-p)^2+q-3$이므로
   $p=-2$, $q-3=-1$에서 $q=2$
   $y=-\dfrac{1}{3}(x+2)^2-1$에 $x=1$, $y=a$를 대입하면
   $a=-\dfrac{1}{3}(1+2)^2-1=-4$
   ∴ $a+p+q=-4+(-2)+2=-4$

53 $y=5(x+p)^2+2p^2$의 그래프의 꼭짓점의 좌표는 $(-p,2p^2)$
   이 점이 $y=7x+4$의 그래프 위에 있으므로 $2p^2=-7p+4$
   $2p^2+7p-4=0$, $(2p-1)(p+4)=0$ ∴ $p=\dfrac{1}{2}(\because p>0)$

54 $y=-\dfrac{1}{2}(x+3)^2-4$의 그래프는 위로 볼록하고, 축의 방정식이
   $x=-3$이므로 $x<-3$인 구간에서 x의 값이 증가하면 y의 값도 증가
   한다.

55 $y=(x-2+1)^2-3+4=(x-1)^2+1$에서 x의 값이 증가할 때, y의
   값도 증가하는 x의 값의 범위는 $x>1$

56 $y=ax^2$에 $x=-1$, $y=-3$을 대입하면 $-3=a\times(-1)^2$
   ∴ $a=-3$
   따라서 $y=-3x^2$의 그래프를 x축의 방향으로 1만큼 평행이동한 그래
   프의 식은 $y=-3(x-1)^2$이므로 x의 값이 증가할 때, y의 값은 감소
   하는 x의 값의 범위는 $x>1$

57 $-y=-3(x+1)^2-2$ ∴ $y=3(x+1)^2+2$

58 $y=\dfrac{1}{2}(-x-1)^2+3$, $y=\dfrac{1}{2}(x+1)^2+3$이므로
   $y=\dfrac{1}{2}(x+1)^2+3$에 $x=1$, $y=k$를 대입하면
   $k=\dfrac{1}{2}(1+1)^2+3=5$

59 y축에 대하여 대칭이동한 그래프의 식은
   $y=(-x-1)^2-2=(x+1)^2-2$
   x축에 대하여 대칭이동한 그래프의 식은 $-y=(x+1)^2-2$
   ∴ $y=-(x+1)^2+2$

60 $y=-\dfrac{1}{3}(x+2)^2-1$의 그래프는 점 $(-2,\,-1)$을 꼭짓점으로 하고 위로 볼록한 포물선이다.

61 $y=3(x+1)^2+4$의 그래프는 점 $(-1,\,4)$를 꼭짓점으로 하고 아래로 볼록한 포물선이므로 제1, 2사분면만을 지난다.

62 ⑤ 위로 볼록하고 꼭짓점의 좌표가 $(2,\,5)$, y축과 만나는 점의 y좌표가 0보다 큰 그래프이므로 모든 사분면을 지난다.

63 ① $y=2x^2$의 그래프를 x축의 방향으로 3만큼, y축의 방향으로 1만큼 평행이동한 그래프이다.
② 이차함수 $y=2x^2$의 그래프와 포물선의 폭이 같다.
③ 꼭짓점의 좌표는 $(3,\,1)$이다.
④ 축의 방정식은 $x=3$이다.

64 ⑤ $y=\dfrac{1}{3}(x+1)^2+2$의 그래프와 x축에 대하여 대칭이다.

65 평행이동한 그래프의 식은 $y=3(x-2)^2+1$
① 아래로 볼록한 포물선이다.
② 꼭짓점의 좌표는 $(2,\,1)$이다.
③ $|-2|=2<|3|=3$이므로 $y=-2x^2$의 그래프보다 폭이 좁다.
④ $y=-3(x-2)^2-1$의 그래프와 x축에 대하여 대칭이다.
⑤ $x<2$인 구간에서 x의 값이 증가하면 y의 값은 감소한다.

66 그래프가 위로 볼록하므로 $a<0$이고, 꼭짓점이 제2사분면 위에 있으므로 $p<0,\,q>0$이다.

67 $a>0,\,p<0,\,q<0$이므로 $y=q(x-a)^2+q$의 그래프는 위로 볼록하고, 꼭짓점이 제4사분면 위에 있다.

68 그래프가 아래로 볼록하므로 $a>0$이고, 꼭짓점이 x축의 아래쪽에 있으므로 $q<0$이다.

69 이차함수 $y=a(x-p)^2$의 그래프가 제3, 4사분면을 지나므로 $a<0$이고, 꼭짓점이 y축의 오른쪽에 있으므로 $p>0$이다.
$\therefore ap<0,\,a-p<0$
따라서 보기 중 옳지 않은 것은 ㄱ, ㄹ이다.

70 $a<0,\,b<0$이므로 이차함수 $y=(x-a)^2+b$의 그래프는 아래로 볼록하고, 꼭짓점이 제3사분면 위에 있다.

71 꼭짓점의 좌표가 $(2,\,4)$이므로 $A(2,\,4)$
$0=-(x-2)^2+4$에서 $(x-2)^2=4,\,x-2=\pm 2$
$\therefore x=0$ 또는 $x=4$　$\therefore C(4,\,0)$
$\therefore \triangle AOC=\dfrac{1}{2}\times 4\times 4=8$

72 $y=\dfrac{2}{3}x^2-6$에서 $A(0,\,-6)$, $y=\dfrac{1}{3}x^2-3$에서 $B(0,\,-3)$
$0=\dfrac{2}{3}x^2-6$에서 $\dfrac{2}{3}x^2=6,\,x^2=9$　$\therefore x=\pm 3$
$\therefore C(-3,\,0),\,D(3,\,0)$
따라서 색칠한 부분의 넓이는
$\dfrac{1}{2}\times 6\times 6-\dfrac{1}{2}\times 6\times 3=18-9=9$

73 꼭짓점의 좌표가 $(1,\,0)$이므로 $A(1,\,0)$

$P(a,\,-2(a-1)^2)$이라 하면 $\dfrac{1}{2}\times 1\times 2(a-1)^2=5$이므로
$(a-1)^2=5,\,a-1=\pm\sqrt{5}$　$\therefore a=1\pm\sqrt{5}$
그런데 점 P가 제3사분면 위의 점이므로 $a=1-\sqrt{5}$
$\therefore P(1-\sqrt{5},\,-10)$

74 꼭짓점의 좌표는 $(a-2,\,-3a-15)$이고 꼭짓점이 제3사분면 위에 있으므로 $a-2<0,\,-3a-15<0$
따라서 $a<2,\,a>-5$이므로 정수 a의 값은 $-4,\,-3,\,-2,\,-1,\,0,\,1$이다.

75 이차함수 $y=a(x+p)^2-q$의 그래프가 오른쪽 그림과 같으므로
$a>0,\,-p>0,\,-q<0$
$\therefore a>0,\,p<0,\,q>0$

76 축의 방정식이 $x=-a+1$이므로 $-a+1>0$　$\therefore a<1$
꼭짓점의 좌표는 $(-a+1,\,2a-2)$
따라서 $-a+1>0,\,2a-2<0$이므로 꼭짓점은 제4사분면 위에 있다.

학교 시험 100점 맞기 　56쪽~59쪽

01 ④	02 ③	03 ⑤	04 ①	05 $0<a<2$
06 ④	07 ④, ⑤	08 ⑤	09 ③	10 $(0,\,5)$	11 ⑤
12 ①	13 ④	14 ①	15 ④	16 ②	17 ②
18 ③	19 ⑤	20 ②	21 $\dfrac{27}{4}$	22 ①	23 1
24 $\dfrac{9}{2}$	25 0	26 -3			

01 ④ $y=x^2-(3+x^2)=x^2-3-x^2=-3$이므로 이차함수가 아니다.

02 ① $y=\dfrac{1}{2}\times 6\times x=3x$　　② $y=4x$　③ $y=\pi\times(2x)^2=4\pi x^2$
④ $y=2(x+2+x)=4x+4$　⑤ $y=\dfrac{1}{2}\times(x+2x)\times 4=6x$

03 ⑤ a의 절댓값이 클수록 폭이 좁아진다.

04 $y=ax^2$에서 $a<0$이고, a의 절댓값이 가장 큰 것을 찾는다.

05 $y=ax^2$의 그래프는 아래로 볼록하므로 $a>0$이고, 그래프의 폭이 $y=2x^2$의 그래프의 폭보다 넓으므로 a의 절댓값은 2보다 작다.
$\therefore 0<a<2$

06 이차함수 $y=-\dfrac{1}{2}x^2$의 그래프를 x축의 방향으로 1만큼, y축의 방향으로 -3만큼 평행이동한 그래프의 식은 $y=-\dfrac{1}{2}(x-1)^2-3$

07 $y=3(x-p)^2$에 $x=3,\,y=3$을 대입하면
$3=3(3-p)^2,\,(3-p)^2=1,\,3-p=\pm 1$
$\therefore p=2$ 또는 $p=4$

08 $y=-\dfrac{1}{3}(x+2-1)^2+2-3=-\dfrac{1}{3}(x+1)^2-1$

09 ① $x=2$, $(2, 1)$ ② $x=-2$, $(-2, 3)$
④ $x=-1$, $(-1, 1)$ ⑤ $x=3$, $(3, 1)$

10 $y=-\dfrac{3}{2}x^2+q$에 $x=-2$, $y=-1$을 대입하면

$-1=-\dfrac{3}{2}\times(-2)^2+q$ $\therefore q=5$

따라서 $y=-\dfrac{3}{2}x^2+5$이므로 꼭짓점의 좌표는 $(0, 5)$이다.

11 꼭짓점의 좌표가 $(3, 0)$이므로 $p=3$

$y=a(x-3)^2$에 $x=5$, $y=2$를 대입하면 $2=a(5-3)^2$ $\therefore a=\dfrac{1}{2}$

$\therefore a+p=\dfrac{1}{2}+3=\dfrac{7}{2}$

12 $y=\dfrac{1}{2}(x-1)^2+3$의 그래프는 아래로 볼록하고, 축의 방정식이 $x=1$

이므로 $x<1$인 구간에서 x의 값이 증가하면 y의 값은 감소한다.

13 $-y=-\dfrac{1}{2}(x-3)^2+1$ $\therefore y=\dfrac{1}{2}(x-3)^2-1$

14 $y=-2(x-3)^2-1$의 그래프는 점 $(3, -1)$을 꼭짓점으로 하고 위로 볼록한 포물선이므로 제3, 4사분면만을 지난다.

15 ④ $y=a(x-p)^2+q$에서 a의 절댓값이 클수록 그래프의 폭이 좁아진다.
따라서 $y=-2x^2$의 그래프보다 폭이 좁다.

16 그래프가 아래로 볼록하므로 $a>0$이고, 꼭짓점이 제4사분면 위에 있으므로 $p>0$, $q<0$이다.

17 $y=-x^2$에 $y=-4$를 대입하면 $x=\pm2$이고, $\overline{\mathrm{AB}}$가 사등분되므로 $y=ax^2$에서 $x=\pm4$일 때, $y=-4$이다.
따라서 $y=ax^2$에 $x=4$, $y=-4$를 대입하면

$-4=a\times4^2$ $\therefore a=-\dfrac{1}{4}$

18 $y=-\dfrac{1}{4}(x-2)^2+1$에 $x=3$, $y=k$를 대입하면

$k=-\dfrac{1}{4}(3-2)^2+1=\dfrac{3}{4}$

19 꼭짓점의 좌표가 $(3, 0)$이므로 $p=3$
$y=a(x-3)^2$에 $x=0$, $y=3$을 대입하면

$3=a(0-3)^2$ $\therefore a=\dfrac{1}{3}$

$\therefore a+p=\dfrac{1}{3}+3=\dfrac{10}{3}$

20 ② 아래로 볼록하고 꼭짓점의 좌표가 $(1, 1)$, y축과 만나는 점의 y좌표가 0보다 큰 그래프이므로 제1, 2사분면만을 지난다.

21 꼭짓점의 좌표가 $\left(-\dfrac{1}{2}, -\dfrac{9}{2}\right)$이므로

$\mathrm{A}\left(-\dfrac{1}{2}, -\dfrac{9}{2}\right)$

$0=2\left(x+\dfrac{1}{2}\right)^2-\dfrac{9}{2}$에서

$2\left(x+\dfrac{1}{2}\right)^2=\dfrac{9}{2}$, $\left(x+\dfrac{1}{2}\right)^2=\dfrac{9}{4}$, $x+\dfrac{1}{2}=\pm\dfrac{3}{2}$

$\therefore x=-2$ 또는 $x=1$ $\therefore \mathrm{B}(-2, 0)$, $\mathrm{C}(1, 0)$

$\therefore \triangle\mathrm{ABC}=\dfrac{1}{2}\times3\times\dfrac{9}{2}=\dfrac{27}{4}$

22 이차함수 $y=a(x+p)^2-q$의 그래프가 오른쪽 그림과 같으므로

$a<0$, $-p>0$, $-q>0$

$\therefore a<0$, $p<0$, $q<0$

23 (1단계) $y=ax^2$에 $x=-2$, $y=-8$을 대입하면 $-8=a\times(-2)^2$

$\therefore a=-2$

(2단계) $y=-2x^2$에 $x=k$, $y=-18$을 대입하면

$-18=-2\times k^2$, $k^2=9$ $\therefore k=3(\because k>0)$

(3단계) $a+k=-2+3=1$

24 (1단계) 꼭짓점의 좌표가 $(2, 3)$이므로 $p=2$, $q=3$
(2단계) $y=a(x-2)^2+3$에 $x=0$, $y=1$을 대입하면

$1=a(0-2)^2+3$, $4a=-2$ $\therefore a=-\dfrac{1}{2}$

(3단계) $a+p+q=-\dfrac{1}{2}+2+3=\dfrac{9}{2}$

25 $f(1)=3\times1^2+2\times1-2=3+2-2=3$ ······ ❶
$f(-2)=3\times(-2)^2+2\times(-2)-2=12-4-2=6$ ······ ❷

$\therefore f(1)-\dfrac{1}{2}f(-2)=3-\dfrac{1}{2}\times6=3-3=0$ ······ ❸

채점 기준	배점
❶ $f(1)$의 값 구하기	2점
❷ $f(-2)$의 값 구하기	2점
❸ $f(1)-\dfrac{1}{2}f(-2)$의 값 구하기	2점

26 이차함수 $y=-\dfrac{1}{2}x^2+3$의 그래프를 x축의 방향으로 1만큼,

y축의 방향으로 q만큼 평행이동한 그래프의 식은

$y=-\dfrac{1}{2}(x-1)^2+3+q$ ······ ❶

$y=-\dfrac{1}{2}(x-1)^2+3+q$에 $x=5$, $y=-7$을 대입하면

$-7=-\dfrac{1}{2}(5-1)^2+3+q$, $-7=-8+3+q$

$\therefore q=-2$ ······ ❷

$y=-\dfrac{1}{2}(x-1)^2+1$에 $x=3$, $y=k$를 대입하면

$k=-\dfrac{1}{2}(3-1)^2+1=-2+1=-1$ ······ ❸

$\therefore q+k=-2+(-1)=-3$ ······ ❹

채점 기준	배점
❶ 평행이동한 그래프의 식 구하기	2점
❷ q의 값 구하기	2점
❸ k의 값 구하기	2점
❹ $q+k$의 값 구하기	1점

9. 이차함수와 그래프(2)

시험에 🐌 나오는 **핵심개념**   **60쪽~61쪽**

예제 1   답 $(1)\ (-1,\ 2),\ x=-1$ $(2)\ (1,\ -1),\ x=1$

$(1)\ y=x^2+2x+3=(x^2+2x+1-1)+3=(x+1)^2+2$

     따라서 꼭짓점의 좌표는 $(-1,\ 2)$, 축의 방정식은 $x=-1$이다.

$(2)\ y=-2x^2+4x-3=-2(x^2-2x+1-1)-3$

             $=-2(x-1)^2+2-3=-2(x-1)^2-1$

     따라서 꼭짓점의 좌표는 $(1,\ -1)$, 축의 방정식은 $x=1$이다.

예제 2   답 x축 : $(1,\ 0),\ (5,\ 0),\ y$축 : $(0,\ 5)$

$y=0$을 대입하면

$x^2-6x+5=0,\ (x-1)(x-5)=0$

$\therefore x=1$ 또는 $x=5$

$x=0$을 대입하면 $y=0^2-6\times0+5=5$

$\therefore x$축 : $(1,\ 0),\ (5,\ 0),\ y$축 : $(0,\ 5)$

예제 3   답 $a<0,\ b<0,\ c>0$

그래프가 위로 볼록하므로 $a<0$

축이 y축의 왼쪽에 있으므로 b는 a와 같은 부호이다.

즉, $b<0$

y축과의 교점이 x축의 위쪽에 있으므로 $c>0$

$\therefore a<0,\ b<0,\ c>0$

예제 4   답 $y=x^2-2x+1$

꼭짓점의 좌표가 $(1,\ 0)$이므로 $y=a(x-1)^2$

이 식에 $x=3,\ y=4$를 대입하면

$4=a(3-1)^2,\ a=1$

$\therefore y=(x-1)^2=x^2-2x+1$

예제 5   답 $y=-2x^2-8x-7$

축의 방정식이 $x=-2$이므로 $y=a(x+2)^2+q$

이 식에 $x=0,\ y=-7$을 대입하면

$-7=a(0+2)^2+q,\ 4a+q=-7$

이 식에 $x=-3,\ y=-1$을 대입하면

$-1=a(-3+2)^2+q,\ a+q=-1$

따라서 두 식을 연립하여 풀면 $a=-2,\ q=1$

이므로 $y=-2(x+2)^2+1=-2x^2-8x-7$

예제 6   답 $y=3x^2+2x-1$

$y=ax^2+bx+c$에 $x=0,\ y=-1$을 대입하면 $c=-1$

$y=ax^2+bx-1$에 $x=-2,\ y=7$을 대입하면

$7=4a-2b-1,\ 2a-b=4$ ……㉠

$y=ax^2+bx-1$에 $x=1,\ y=4$를 대입하면

$4=a+b-1,\ a+b=5$ ……㉡

㉠, ㉡을 연립하여 풀면 $a=3,\ b=2$

$\therefore y=3x^2+2x-1$

예제 7   답 $y=-2x^2-2x+12$

이차함수의 식을 $y=a(x+3)(x-2)$라 하고

$x=0,\ y=12$를 대입하면 $12=-6a,\ a=-2$

$\therefore y=-2(x+3)(x-2)=-2x^2-2x+12$

유형 격파 ✚ 기출 문제   **62쪽~73쪽**

01 ⑤	02 ⑤	03 ④	04 ④	05 ④	06 ⑤
07 ②	08 ②	09 ④	10 ④	11 -2	12 ①
13 ①	14 ③	15 $(1,\ 10)$	16 ⑤	17 ②	18 ⑤
19 ⑤	20 ③	21 ③	22 $x>-1$	23 $a=6,\ b=-3$	
24 ②	25 ②	26 ②	27 ⑤	28 ④	29 2
30 ⑤	31 ⑤	32 ②	33 ④	34 ②	35 ⑤
36 ⑤	37 27	38 ①	39 ②	40 ⑤	41 13
42 ④	43 ⑤	44 ①	45 ④	46 ②	47 ②
48 ②	49 ②	50 ①	51 ⑤	52 ②	53 ①
54 ③	55 $y=5x^2-10x+4$	56 2	57 ⑤		
58 $y=-2x^2+12x-14$		59 ②	60 ⑤	61 -2	
62 ①	63 3	64 $x=-1$	65 ③	66 ②	67 ④
68 ④	69 ⑤	70 ③	71 ⑤	72 $(-2,\ -3)$	
73 ①	74 ⑤	75 ②			

01 $y=-\dfrac{1}{3}x^2+2x-1=-\dfrac{1}{3}(x^2-6x+9-9)-1$

            $=-\dfrac{1}{3}(x-3)^2+3-1=-\dfrac{1}{3}(x-3)^2+2$

     따라서 $p=3,\ q=2$이므로 $p+q=3+2=5$

02 $y=-2x^2+4x+1=-2(x^2-2x+1-1)+1$

            $=-2(x-1)^2+2+1=-2(x-1)^2+3$

     따라서 $A=1,\ B=1,\ C=2,\ D=3$이므로

     $A+B+C+D=1+1+2+3=7$

03 ① $y=-2(x-1)^2+2$ ② $y=(x-3)^2-12$

     ③ $y=2\left(x+\dfrac{1}{6}\right)^2+\dfrac{5}{18}$ ⑤ $y=\left(x-\dfrac{1}{2}\right)^2-\dfrac{25}{4}$

04 $y=3x^2-6x+7=3(x^2-2x+1-1)+7=3(x-1)^2+4$

     $\therefore a=3,\ p=1,\ q=4$

     $\therefore a+p+q=8$

05 $y=2x^2-4x+1=2(x-1)^2-1$

     따라서 꼭짓점의 좌표는 $(1,\ -1)$

06 $y=-\dfrac{1}{3}x^2+2x-4=-\dfrac{1}{3}(x-3)^2-1$

     따라서 축의 방정식은 $x=3$

07 $y=2x^2-8x+2=2(x-2)^2-6$이므로

     축의 방정식은 $x=2$, 꼭짓점의 좌표는 $(2,\ -6)$

     $\therefore a=2,\ b=2,\ c=-6$

     $\therefore a+b+c=2+2+(-6)=-2$

08 $y=-x^2+2x+2a-1=-(x-1)^2+2a$이므로

     꼭짓점의 좌표는 $(1,\ 2a)$이다.

     따라서 $2a=-4$이므로 $a=-2$

09 $y=-3x^2+kx-2$에 $x=1$, $y=1$을 대입하면

$1=-3\times1^2+k\times1-2$ $\therefore k=6$

$y=-3x^2+6x-2=-3(x-1)^2+1$

따라서 꼭짓점의 좌표는 $(1, 1)$

10 $y=2x^2-ax+7$에 $x=2$, $y=-1$을 대입하면

$-1=2\times2^2-a\times2+7$ $\therefore a=8$

$y=2x^2-8x+7=2(x-2)^2-1$

따라서 축의 방정식은 $x=2$

11 $y=3x^2-18x+26=3(x-3)^2-1$에서 꼭짓점의 좌표는 $(3, -1)$

$y=-\frac{1}{3}x^2+ax+b$의 꼭짓점의 좌표도 $(3, -1)$이므로

$y=-\frac{1}{3}(x-3)^2-1=-\frac{1}{3}x^2+2x-4$

따라서 $a=2$, $b=-4$이므로 $a+b=-2$

12 $y=2x^2-8x+1=2(x-2)^2-7$이므로 $y=2x^2$의 그래프를 x축의 방향으로 2만큼, y축의 방향으로 -7만큼 평행이동한 것이다.

따라서 $m=2$, $n=-7$이므로 $m+n=2+(-7)=-5$

13 $y=-\frac{1}{2}x^2+x-3=-\frac{1}{2}(x-1)^2-\frac{5}{2}$

$y=-\frac{1}{2}(x+3-1)^2-\frac{5}{2}+2=-\frac{1}{2}(x+2)^2-\frac{1}{2}$

$=-\frac{1}{2}x^2-2x-\frac{5}{2}$

따라서 $a=-\frac{1}{2}$, $b=-2$, $c=-\frac{5}{2}$이므로

$a+b+c=-\frac{1}{2}+(-2)+\left(-\frac{5}{2}\right)=-5$

14 $y=-x^2+4x-3=-(x-2)^2+1$

$y=-x^2-2x+4=-(x+1)^2+5$

x축의 방향으로 -3만큼, y축의 방향으로 4만큼 평행이동한 것이다.

따라서 $m=-3$, $n=4$이므로 $m+n=-3+4=1$

15 $y=-2x^2+12x-3=-2(x-3)^2+15$

x축의 방향으로 -2만큼, y축의 방향으로 -5만큼 평행이동한 그래프의 식은

$y=-2(x+2-3)^2+15-5=-2(x-1)^2+10$

따라서 꼭짓점의 좌표는 $(1, 10)$

16 $y=x^2-6x+5=(x-3)^2-4$의 그래프를 x축의 방향으로 -5만큼 평행이동한 그래프의 식은 $y=(x+5-3)^2-4=(x+2)^2-4$

$\therefore k=(3+2)^2-4=21$

17 $y=ax^2+bx+c$에서 a의 절댓값이 가장 작은 것을 찾는다.

18 $y=ax^2+bx+c$에서 $a<0$이고, a의 절댓값이 가장 큰 것을 찾는다.

19 ①, ②, ③, ④는 모두 $y=ax^2+bx+c$의 꼴로 나타낼 때, $a=-\frac{1}{2}$이다.

20 ㄹ. $y=-2x^2+4x+1=-2(x-1)^2+3$에서 x축의 방향으로 2만큼, y축의 방향으로 -4만큼 평행이동하면

ㅁ. $y=-2(x-3)^2-1$로 포개어진다.

21 $y=-\frac{1}{2}x^2-x-\frac{7}{2}=-\frac{1}{2}(x+1)^2-3$이므로 x의 값이 증가할 때, y의 값도 증가하는 x의 값의 범위는 $x<-1$

22 $y=3x^2+kx-1$에 $x=-2$, $y=-1$을 대입하면

$-1=3\times(-2)^2+k\times(-2)-1$ $\therefore k=6$

따라서 $y=3x^2+6x-1=3(x+1)^2-4$이므로

x의 값이 증가할 때, y의 값도 증가하는 x의 값의 범위는 $x>-1$

23 $4=4+2a-12$, $2a=12$ $\therefore a=6$

$y=x^2+6x-12=(x+3)^2-21$

$x<-3$에서 x의 값이 증가할 때, y의 값이 감소한다. $\therefore b=-3$

24 $a>0$이면서 대칭축이 $x=2$인 것을 찾는다.

① $y=2(x+3)^2-1$　　　② $y=3(x-2)^2+3$

③ $y=4(x+2)^2-15$　　④ $y=-2(x-2)^2-2$

⑤ $y=-3(x+3)^2+7$

25 $y=0$을 대입하면 $x^2-2x-3=0$, $(x+1)(x-3)=0$

$\therefore x=-1$ 또는 $x=3$

따라서 x축과 만나는 점의 좌표는 $(-1, 0)$, $(3, 0)$

26 $y=0$을 대입하면 $2x^2-5x+3=0$, $(x-1)(2x-3)=0$

$\therefore x=1$ 또는 $x=\frac{3}{2}$

$x=0$을 대입하면 $y=2\times0^2-5\times0+3=3$

$\therefore m+n+k=1+\frac{3}{2}+3=\frac{11}{2}$

27 ⑤ $y=3$을 대입하면

$3=x^2+4x+3$, $x(x+4)=0$, $x=-4$ 또는 $x=0$

$\therefore E(-4, 3)$

28 $y=0$을 대입하면

$x^2+4x-12=0$, $(x-2)(x+6)=0$, $x=2$ 또는 $x=-6$

$\therefore \overline{AB}=8$

29 $y=2x^2-4x+2=2(x^2-2x+1)=2(x-1)^2$

x의 방향으로 1만큼, y축의 방향으로 -2만큼 평행이동하면

$y=2(x-1-1)^2-2$ $\therefore y=2(x-2)^2-2$

$y=2(x-2)^2-2$에서 $y=0$을 대입하면

$0=2(x-2)^2-2$, $2x^2-8x+6=0$,

$x^2-4x+3=0$ $(x-1)(x-3)=0$

x축과 만나는 두 점의 좌표는 $(1, 0)$, $(3, 0)$이다.

따라서 두 점 사이의 거리는 2이다.

30 $y=2x^2-4x+k=2(x-1)^2+k-2$

축의 방정식이 $x=1$이고, x축과 만나는 두 점 사이의 거리가 6이므로

x축과 만나는 두 점의 좌표는 $(-2, 0)$, $(4, 0)$이다.

$y=2x^2-4x+k$에 $x=-2$, $y=0$을 대입하면

$0=2\times(-2)^2-4\times(-2)+k$ $\therefore k=-16$

31 $y=x^2-4x=(x-2)^2-4$이므로 점 $(2, -4)$를 꼭짓점으로 하고, 원점을 지나는 아래로 볼록한 포물선이다.

32 $y=-\frac{1}{2}x^2+2x-3=-\frac{1}{2}(x-2)^2-1$이므로 점 $(2, -1)$을 꼭짓

점으로 하고, 점 $(0, -3)$을 지나는 위로 볼록한 포물선이다.

33 $y=-2x^2+8x-3=-2(x-2)^2+5$이므로 점 $(2, 5)$를 꼭짓점으로 하고, 점 $(0, -3)$을 지나는 위로 볼록한 포물선이다. 따라서 제1, 3, 4사분면을 지난다.

34 $y=x^2-4x+5$에서 $y=(x-2)^2+1$의 그래프는 제1, 2사분면을 지난다.
$y=-\dfrac{1}{2}x^2-2x-1$에서 $y=-\dfrac{1}{2}(x+2)^2+1$의 그래프는 제2, 3, 4사분면을 지난다.
따라서 주어진 두 이차함수의 그래프는 제2사분면을 공통으로 지난다.

35 ① $y=\dfrac{1}{2}(x-3)^2-\dfrac{9}{2}$이므로 제1, 2, 4사분면을 지난다.
② $y=-2(x-2)^2+3$이므로 제1, 3, 4사분면을 지난다.
③ $y=(x+3)^2-13$이므로 모든 사분면을 지난다.
④ $y=\left(x-\dfrac{3}{2}\right)^2+\dfrac{3}{4}$이므로 제1, 2사분면을 지난다.
⑤ $y=-\dfrac{1}{3}(x+3)^2+2$이므로 제2, 3, 4사분면을 지난다.

36 $-x^2+2x+15=0$, $(x+3)(x-5)=0$, $x=-3$ 또는 $x=5$
$\therefore A(-3, 0)$, $B(5, 0)$
$y=-x^2+2x+15=-(x-1)^2+16$이므로 $C(1, 16)$
$\therefore \triangle ABC=\dfrac{1}{2}\times 8\times 16=64$

37 $y=x^2-2x-8=(x-1)^2-9$이므로 $A(1, -9)$
$x^2-2x-8=0$, $(x+2)(x-4)=0$, $x=-2$ 또는 $x=4$
$\therefore B(-2, 0)$, $C(4, 0)$
$\therefore \triangle ABC=\dfrac{1}{2}\times 6\times 9=27$

38 $-x^2+2x+3=0$, $(x+1)(x-3)=0$, $x=-1$ 또는 $x=3$
$\therefore A(-1, 0)$, $B(3, 0)$
$y=-0^2+2\times 0+3=3$이므로 $C(0, 3)$
$\therefore \triangle ABC=\dfrac{1}{2}\times 4\times 3=6$

39 $-2x^2+4x+16=0$, $x^2-2x-8=0$, $(x+2)(x-4)=0$,
$x=-2$ 또는 $x=4$
$\therefore A(-2, 0)$, $B(4, 0)$
$y=-2\times 0^2+4\times 0+16=16$이므로 $C(0, 16)$
$y=-2x^2+4x+16=-2(x-1)^2+18$이므로 $D(1, 0)$
$\therefore \triangle BCD=\dfrac{1}{2}\times 3\times 16=24$

40 두 점 $(0, 0)$, $(6, 0)$을 지나므로 $b=-6$, $c=0$
$y=x^2-6x=(x-3)^2-9$이므로 $A(3, -9)$
$\therefore \triangle OAB=\dfrac{1}{2}\times 6\times 9=27$

41 $y=-\dfrac{3}{4}(x+2)^2+8$에서 $A(-2, 8)$, $H(-2, 0)$
$\therefore \overline{AH}=8$, $\overline{HO}=2$
$x=0$을 대입하면 $y=5$이므로 $B(0, 5)$ $\therefore \overline{OB}=5$
$\therefore \square AHOB=\dfrac{1}{2}\times(8+5)\times 2=13$

42 $y=-x^2-8x-12=-(x+4)^2+4$
① 위로 볼록하다.
② 축의 방정식은 $x=-4$이다.
③ 꼭짓점의 좌표는 $(-4, 4)$이다.
④ $x=0$을 대입하면 $y=-12$
⑤ $x>-4$인 구간에서 x의 값이 증가하면 y의 값은 감소한다.

43 $y=-\dfrac{1}{2}x^2-2x+2=-\dfrac{1}{2}(x+2)^2+4$
⑤ x의 값이 증가할 때, y의 값이 감소하는 x의 값의 범위는 $x>-2$이다.

44 $y=ax^2+bx+c=a\left(x+\dfrac{b}{2a}\right)^2-\dfrac{b^2-4ac}{4a}$
① 꼭짓점의 좌표는 $\left(-\dfrac{b}{2a}, -\dfrac{b^2-4ac}{4a}\right)$이다.

45 ④ $y=0$을 대입하면 $0=2x^2+12x+2$, $x^2+6x+1=0$,
$x=-3\pm\sqrt{8}=-3\pm 2\sqrt{2}$이므로
x축과의 교점은 $(-3-2\sqrt{2}, 0)$, $(-3+2\sqrt{2}, 0)$이다.

46 그래프가 아래로 볼록하므로 $a>0$
축이 y축의 오른쪽에 있으므로 b는 a와 다른 부호이다. 즉, $b<0$
y축과의 교점이 x축의 아래쪽에 있으므로 $c<0$
$\therefore a>0$, $b<0$, $c<0$

47 $a>0$, $b<0$이므로 함수 $y=ax+b$의 그래프는 오른쪽 그림과 같다. 따라서 제2사분면을 지나지 않는다.

48 일차함수 $y=ax+b$의 그래프에서
$a>0$, $b>0$
따라서 이차함수 $y=x^2+ax-b$의 그래프는 x^2의 계수가 1이므로 아래로 볼록하고, a는 x^2의 계수와 같은 부호이므로 축은 y축의 왼쪽에 있으며 $-b<0$이므로 y축과의 교점은 x축의 아래쪽에 있다.

49 이차함수 $y=ax^2+bx+c$에서 $a>0$, $b>0$, $c<0$
따라서 이차함수 $y=cx^2+bx+a$의 그래프는 위로 볼록하고, 축이 y축의 오른쪽에 있으며 y축과의 교점이 x축의 위쪽에 있다.

50 꼭짓점의 좌표가 $(0, -4)$이므로 $y=ax^2-4$
이 식에 $x=-2$, $y=4$를 대입하면 $4=a\times(-2)^2-4$, $a=2$
$\therefore y=2x^2-4$

51 꼭짓점의 좌표가 $(2, -2)$이므로 $y=a(x-2)^2-2$
이 식에 $x=0$, $y=0$을 대입하면 $0=a(0-2)^2-2$, $a=\dfrac{1}{2}$
$\therefore y=\dfrac{1}{2}(x-2)^2-2=\dfrac{1}{2}x^2-2x$

52 꼭짓점의 좌표가 $(2, 3)$이므로 $y=a(x-2)^2+3$
이 식에 $x=0$, $y=-1$을 대입하면 $-1=a(0-2)^2+3$, $a=-1$
$\therefore y=-(x-2)^2+3=-x^2+4x-1$

53 꼭짓점의 좌표가 $(-1, 4)$이므로 $y=a(x+1)^2+4$
이 식에 $x=-2$, $y=1$을 대입하면 $1=a(-2+1)^2+4$, $a=-3$
$y=-3(x+1)^2+4=-3x^2-6x+1$ $\therefore b=-6$, $c=1$

$\therefore a+b+c=-3+(-6)+1=-8$

54 꼭짓점의 좌표가 $(3, -1)$이므로 $y=a(x-3)^2-1$

이 식에 $x=0$, $y=8$을 대입하면 $8=a(0-3)^2-1$, $a=1$

$\therefore y=(x-3)^2-1$

따라서 $y=(x-3)^2-1$에 $x=2$, $y=m$을 대입하면

$m=(2-3)^2-1=0$

55 꼭짓점의 좌표가 $(1, -1)$이므로 $y=a(x-1)^2-1$

$y=x^2-x+4$의 그래프와 y축에서 만나므로 점 $(0, 4)$를 지난다.

$y=a(x-1)^2-1$에 $x=0$, $y=4$를 대입하면

$4=a(0-1)^2-1$, $a=5$

$\therefore y=5(x-1)^2-1=5x^2-10x+4$

56 $y=-2x^2-4kx+6=-2(x+k)^2+2k^2+6$이므로

꼭짓점의 좌표는 $(-k, 2k^2+6)$

꼭짓점의 y좌표가 14이므로 $2k^2+6=14$, $k^2=4$

$\therefore k=2(\because k>0)$

57 축의 방정식이 $x=-1$이므로 $y=a(x+1)^2+q$

이 식에 $x=0$, $y=3$을 대입하면 $3=a(0+1)^2+q$, $a+q=3$

이 식에 $x=1$, $y=0$을 대입하면 $0=a(1+1)^2+q$, $4a+q=0$

두 식을 연립하여 풀면 $a=-1$, $q=4$이므로

$y=-(x+1)^2+4=-x^2-2x+3$ $\therefore b=-2$, $c=3$

$\therefore abc=(-1)\times(-2)\times3=6$

58 축의 방정식이 $x=3$이므로 $y=a(x-3)^2+q$

이 식에 $x=2$, $y=2$를 대입하면 $2=a(2-3)^2+q$, $a+q=2$

이 식에 $x=5$, $y=-4$를 대입하면 $-4=a(5-3)^2+q$, $4a+q=-4$

따라서 두 식을 연립하여 풀면 $a=-2$, $q=4$이므로

$y=-2(x-3)^2+4=-2x^2+12x-14$

59 축의 방정식이 $x=-2$이므로 $y=a(x+2)^2+q$

이 식에 $x=0$, $y=1$을 대입하면 $1=a(0+2)^2+q$, $4a+q=1$

이 식에 $x=2$, $y=-5$를 대입하면

$-5=a(2+2)^2+q$, $16a+q=-5$

두 식을 연립하여 풀면 $a=-\dfrac{1}{2}$, $q=3$이므로 $y=-\dfrac{1}{2}(x+2)^2+3$

따라서 꼭짓점의 좌표는 $(-2, 3)$

60 $y=x^2+bx+c$의 그래프는 축의 방정식이 $x=-2$이므로

$y=(x+2)^2+q$

이 식에 $x=-1$, $y=-2$를 대입하면 $-2=(-1+2)^2+q$, $q=-3$

따라서 $y=(x+2)^2-3=x^2+4x+1$이므로 $b=4$, $c=1$

$\therefore b+c=4+1=5$

61 조건 Ⅰ에서 꼭짓점의 x좌표는 2이다.

조건 Ⅱ에서 꼭짓점의 y좌표는 $y=4\times2-1=7$

따라서 꼭짓점의 좌표는 $(2, 7)$이고 조건 Ⅲ에서 이차항의 계수는 -1

이므로 $y=-(x-2)^2+7=-x^2+4x+3$

즉, $a=-1$, $b=4$, $c=3$이므로 $a-b+c=-1-4+3=-2$

62 $y=ax^2+bx+c$에 $x=0$, $y=0$을 대입하면 $c=0$

$y=ax^2+bx$에 $x=2$, $y=-4$를 대입하면

$-4=4a+2b$, $2a+b=-2$

$y=ax^2+bx$에 $x=1$, $y=-3$을 대입하면 $a+b=-3$

두 식을 연립하여 풀면 $a=1$, $b=-4$ $\therefore y=x^2-4x$

63 $y=ax^2+bx+c$에 $(-1, -6)$, $(0, -1)$, $(1, 2)$를 각각 대입하면

$-6=a-b+c$, $-1=c$, $2=a+b+c$

세 식을 연립하여 풀면 $a=-1$, $b=4$, $c=-1$

따라서 $y=-x^2+4x-1=-(x-2)^2+3$

꼭짓점의 좌표는 $(2, 3)$이므로 꼭짓점의 y좌표는 3이다.

64 $y=ax^2+bx+c$에 $x=0$, $y=3$을 대입하면 $c=3$

$y=ax^2+bx+3$에 $x=1$, $y=0$을 대입하면

$0=a+b+3$, $a+b=-3$

$y=ax^2+bx+3$에 $x=-2$, $y=3$을 대입하면

$3=4a-2b+3$, $2a-b=0$

두 식을 연립하여 풀면 $a=-1$, $b=-2$

$\therefore y=-x^2-2x+3=-(x+1)^2+4$

따라서 축의 방정식은 $x=-1$

65 $y=x^2+bx+c$에 $x=-1$, $y=7$을 대입하면

$7=1-b+c$, $-b+c=6$

$y=x^2+bx+c$에 $x=2$, $y=4$를 대입하면 $4=4+2b+c$, $2b+c=0$

두 식을 연립하여 풀면 $b=-2$, $c=4$이므로 $y=x^2-2x+4$

따라서 이 식에 $x=5$, $y=k$를 대입하면 $k=5^2-2\times5+4=19$

66 $y=a(x+3)(x-2)$에 $x=-2$, $y=4$를 대입하면

$4=a(-2+3)(-2-2)$, $a=-1$

$\therefore y=-(x+3)(x-2)=-x^2-x+6$

67 x축과 두 점 $(-1, 0)$, $(3, 0)$에서 만나므로 $y=a(x+1)(x-3)$

$y=-2x^2+3x-1$의 그래프와 모양이 같으므로 $a=-2$

$\therefore y=-2(x+1)(x-3)=-2x^2+4x+6$

68 $y=a(x+2)(x-6)$에 $x=0$, $y=-3$을 대입하면

$-3=a(0+2)(0-6)$ $\therefore a=\dfrac{1}{4}$

$y=\dfrac{1}{4}(x+2)(x-6)=\dfrac{1}{4}x^2-x-3$ $\therefore b=-1$, $c=-3$

$\therefore abc=\dfrac{1}{4}\times(-1)\times(-3)=\dfrac{3}{4}$

69 $y=a(x+1)(x-4)$에 $x=0$, $y=4$를 대입하면

$4=a(0+1)(0-4)$, $a=-1$

$y=-(x+1)(x-4)=-x^2+3x+4=-\left(x-\dfrac{3}{2}\right)^2+\dfrac{25}{4}$

따라서 꼭짓점의 좌표는 $\left(\dfrac{3}{2}, \dfrac{25}{4}\right)$

70 $y=a(x+2)(x-1)$에 $x=0$, $y=-10$을 대입하면

$-10=-2a$, $a=5$

$\therefore y=5(x+2)(x-1)=5x^2+5x-10$

$y=5x^2+5x-10$에 $(2, k)$를 대입하면

$k=20+10-10=20$

71 $y=x^2-6x+3m+5=(x-3)^2+3m-4$이므로

꼭짓점의 좌표는 $(3, 3m-4)$

$y=2x-1$에 $x=3$, $y=3m-4$를 대입하면

$3m-4=2\times3-1$ $\therefore m=3$

72 $y=\dfrac{1}{2}x^2+2kx-3k+2=\dfrac{1}{2}(x^2+4kx+4k^2-4k^2)-3k+2$

$\qquad\quad =\dfrac{1}{2}(x+2k)^2-2k^2-3k+2$

이므로 $-2k=-2$ $\therefore k=1$

$k=1$을 $-2k^2-3k+2$에 대입하면

$-2k^2-3k+2=-2\times1^2-3\times1+2=-3$

따라서 구하는 꼭짓점의 좌표는 $(-2,\ -3)$

73 $y=-x^2-2x+k=-(x^2+2x+1-1)+k=-(x+1)^2+k+1$

평행이동한 그래프의 식은 $y=-(x+1)^2+k-2$

이 그래프가 x축과 만나지 않으므로 $k-2<0$

$\therefore k<2$

74 이차함수 $y=ax^2+bx+c$의 그래프에서 $a<0,\ b>0,\ c>0$

④ $x=2$일 때, $4a+2b+c>0$

⑤ $x=-\dfrac{1}{2}$일 때, $\dfrac{1}{4}a-\dfrac{1}{2}b+c<0$

$\quad$ 양변에 4를 곱하면 $a-2b+4c<0$

75 일차함수 $y=ax+b$의 그래프에서 $a<0,\ b<0$

$a+b<0$이므로 $-(a+b)>0$, $ab>0$

따라서 이차함수 $y=x^2-(a+b)x+ab$의 그래프는 x^2의 계수가 1이
므로 아래로 볼록하고, $-(a+b)$는 x^2의 계수와 같은 부호이므로 축
은 y축의 왼쪽에 있으며 $ab>0$이므로 y축과의 교점은 x축의 위쪽에
있다.

학교 시험 100점맞기

74쪽~77쪽

01 ③	02 0	03 ⑤	04 ④	05 ③	06 ③
07 ③	08 ④	09 ④	10 27	11 ④	
12 $a<0,\ b<0,\ c>0$		13 ①	14 ②	15 6	
16 $y=x^2-3x+5$		17 ④	18 ①	19 ⑤	20 ②
21 -1	22 ⑤	23 23	24 5	25 $(1,\ 4)$	26 14

01 $y=\dfrac{1}{3}x^2-\dfrac{4}{3}x-1=\dfrac{1}{3}(x-2)^2-\dfrac{7}{3}$

따라서 $a=\dfrac{1}{3}$, $p=2$, $q=-\dfrac{7}{3}$이므로

$a+p+q=\dfrac{1}{3}+2+\left(-\dfrac{7}{3}\right)=0$

02 꼭짓점의 좌표가 $(1,\ 2)$이므로

$y=-\dfrac{2}{3}(x-1)^2+2=-\dfrac{2}{3}x^2+\dfrac{4}{3}x+\dfrac{4}{3}$

따라서 $a=\dfrac{4}{3}$, $b=\dfrac{4}{3}$이므로 $a-b=\dfrac{4}{3}-\dfrac{4}{3}=0$

03 $y=2x^2+8x-5=2(x+2)^2-13$이므로 이 그래프를 x축의 방향으
로 -3만큼, y축의 방향으로 3만큼 평행이동한 그래프의 식은

$y=2(x+3+2)^2-13+3=2x^2+20x+40$

04 $y=ax^2+bx+c$에서 $a>0$이고, a의 절댓값이 가장 작은 것을 찾는다.

05 $y=ax^2+bx+c$의 꼴로 나타낼 때, ①, ②, ④, ⑤는 이차항의 계수가
3이고 ③은 -3이다.

06 $y=-2x^2+6x-5=-2\left(x-\dfrac{3}{2}\right)^2-\dfrac{1}{2}$이므로 x의 값이 증가할 때,

y의 값은 감소하는 x의 값의 범위는 $x>\dfrac{3}{2}$

07 $y=0$을 대입하면

$-2x^2-2x+4=0$, $x^2+x-2=0$

$(x-1)(x+2)=0$, $x=1$ 또는 $x=-2$

$\therefore \overline{AB}=3$

08 $y=-\dfrac{1}{2}x^2+2x+1=-\dfrac{1}{2}(x-2)^2+3$이므로 점 $(2,\ 3)$을 꼭짓점
으로 하고, 점 $(0,\ 1)$을 지나는 위로 볼록한 포물선이다.

09 $y=\dfrac{1}{3}x^2+2x+2=\dfrac{1}{3}(x+3)^2-1$이므로 점 $(-3,\ -1)$을 꼭짓점
으로 하고, 점 $(0,\ 2)$를 지나는 아래로 볼록한 포물선이다.

따라서 제1, 2, 3사분면을 지난다.

10 $-x^2+4x+5=0$, $x^2-4x-5=0$

$(x+1)(x-5)=0$, $x=-1$ 또는 $x=5$

$\therefore A(-1,\ 0)$, $B(5,\ 0)$

$y=-x^2+4x+5=-(x-2)^2+9$이므로 $C(2,\ 9)$

$\therefore \triangle ABC=\dfrac{1}{2}\times6\times9=27$

11 $y=3x^2-6x+5=3(x-1)^2+2$

④ $x<1$인 구간에서 x의 값이 증가하면 y의 값은 감소한다.

12 그래프가 위로 볼록하므로 $a<0$

축이 y축의 왼쪽에 있으므로 b는 a와 같은 부호이다. 즉, $b<0$

y축과의 교점이 x축의 위쪽에 있으므로 $c>0$

$\therefore a<0,\ b<0,\ c>0$

13 꼭짓점의 좌표가 $(-1,\ 2)$이므로 $y=a(x+1)^2+2$

이 식에 $x=1$, $y=-10$을 대입하면 $-10=a(1+1)^2+2$, $a=-3$

$y=-3(x+1)^2+2=-3x^2-6x-1$ $\therefore b=-6$, $c=-1$

$\therefore abc=(-3)\times(-6)\times(-1)=-18$

14 꼭짓점의 좌표가 $(2,\ 3)$이므로 $y=a(x-2)^2+3$

이 식에 $x=4$, $y=1$을 대입하면 $1=a(4-2)^2+3$, $a=-\dfrac{1}{2}$

따라서 $y=-\dfrac{1}{2}(x-2)^2+3$에 $x=-2$, $y=k$를 대입하면

$k=-\dfrac{1}{2}(-2-2)^2+3=-5$

15 축의 방정식이 $x=1$이므로 $y=a(x-1)^2+q$

이 식에 $x=3$, $y=0$을 대입하면 $0=a(3-1)^2+q$, $4a+q=0$

이 식에 $x=0$, $y=-3$을 대입하면 $-3=a(0-1)^2+q$, $a+q=-3$

두 식을 연립하여 풀면 $a=1$, $q=-4$이므로

$y=(x-1)^2-4=x^2-2x-3$ $\therefore b=-2$, $c=-3$

$\therefore a-b-c=1-(-2)-(-3)=1+2+3=6$

16 $y=ax^2+bx+c$에 $x=0, y=5$를 대입하면 $c=5$
$y=ax^2+bx+5$에 $x=-1, y=9$를 대입하면
$9=a-b+5, a-b=4$
$y=ax^2+bx+5$에 $x=2, y=3$을 대입하면
$3=4a+2b+5, 2a+b=-1$
두 식을 연립하여 풀면 $a=1, b=-3$ $\therefore y=x^2-3x+5$

17 $y=-x^2-2x+k=-(x+1)^2+k+1$
축의 방정식이 $x=-1$이고, x축과 만나는 두 점 사이의 거리가 4이므로 x축과 만나는 두 점의 좌표는 $(-3, 0), (1, 0)$이다.
$y=-x^2-2x+k$에 $x=1, y=0$을 대입하면
$0=-1^2-2\times1+k$ $\therefore k=3$

18 $y=\frac{1}{2}x^2+4x+k=\frac{1}{2}(x+4)^2+k-8$에서
꼭짓점의 좌표는 $(-4, k-8)$이므로 그래프가 제3사분면을 지나지 않으려면
$k-8\geq0$ $\therefore k\geq8$

19 두 점 $(-3, 0), (1, 0)$은 x축과의 두 교점이므로
$y=a(x+3)(x-1)$에 $x=0, y=-3$을 대입하면
$-3=-3a, a=1$
$\therefore y=(x+3)(x-1)=x^2+2x-3=(x+1)^2-4$
① 축의 방정식은 $x=-1$이다.
② 꼭짓점의 좌표는 $(-1, -4)$이다.
③ 이차함수 $y=x^2$의 그래프를 평행이동한 그래프이다.
④ 제1, 2, 3, 4사분면을 모두 지난다.

20 일차함수 $y=ax+b$의 그래프에서 $a<0, b<0$
따라서 이차함수 $y=x^2+ax+b$의 그래프는 아래로 볼록하고, a는 x^2의 계수와 다른 부호이므로 축은 y축의 오른쪽에 있으며 $b<0$이므로 y축과의 교점은 x축의 아래쪽에 있다.

21 $y=-2x^2+4x+2m-1=-2(x^2-2x+1-1)+2m-1$
$=-2(x-1)^2+2m+1$
이므로 꼭짓점의 좌표는 $(1, 2m+1)$
$y=-3x+2$에 $x=1, y=2m+1$을 대입하면
$2m+1=-3\times1+2$ $\therefore m=-1$

22 이차함수 $y=ax^2+bx+c$의 그래프에서 $a>0, b>0, c<0$
③ $x=1$일 때, $a+b+c=0$
④ $x=-3$일 때, $9a-3b+c<0$
⑤ $x=\frac{1}{2}$일 때, $\frac{1}{4}a+\frac{1}{2}b+c<0$
양변에 4를 곱하면 $a+2b+4c<0$

23 1단계 $y=3x^2-6x+1=3(x^2-2x+1-1)+1=3(x-1)^2-2$
2단계 평행이동한 그래프의 식은
$y=3(x-1-1)^2-2-2=3(x-2)^2-4$
3단계 $y=3(x-2)^2-4$에 $x=-1, y=k$를 대입하면
$k=3(-1-2)^2-4=23$

24 1단계 $y=a(x-2)^2-3$에 $x=4, y=-5$를 대입하면
$-5=a(4-2)^2-3, 4a=-2$ $\therefore a=-\frac{1}{2}$

2단계 $y=-\frac{1}{2}(x-2)^2-3=-\frac{1}{2}(x^2-4x+4)-3$
$=-\frac{1}{2}x^2+2x-5$
이므로 $b=2, c=-5$
3단계 $abc=\left(-\frac{1}{2}\right)\times2\times(-5)=5$

25 y축과의 교점의 좌표가 $(0, 3)$이므로 $c=3$ ······❶
$y=ax^2+bx+3$에 $x=-1, y=0$을 대입하면
$0=a-b+3, a-b=-3$
$y=ax^2+bx+3$에 $x=2, y=3$을 대입하면
$3=4a+2b+3, 2a+b=0$
두 식을 연립하여 풀면 $a=-1, b=2$ ······❷
따라서 $y=-x^2+2x+3=-(x-1)^2+4$이므로 꼭짓점의 좌표는
$(1, 4)$ ······❸

채점 기준	배점
❶ $(0, 3)$을 대입하여 c의 값 구하기	1점
❷ 두 점 $(-1, 0), (2, 3)$을 각각 대입한 후 연립하여 a, b의 값 각각 구하기	3점
❸ 꼭짓점의 좌표 구하기	2점

26 그래프가 아래로 볼록하므로 $a>0$이고, 그래프의 폭이
$y=-2(x+3)^2-1$의 그래프와 같으므로 $a=2$ ······❶
$y=\frac{1}{3}(x+2)^2-4$의 그래프의 꼭짓점의 좌표는 $(-2, -4)$이므로
$y=ax^2+bx+c$의 그래프의 꼭짓점의 좌표는 $(-2, -4)$ ······❷
따라서 $y=2(x+2)^2-4=2(x^2+4x+4)-4=2x^2+8x+4$이므로
$b=8, c=4$ ······❸
$\therefore a+b+c=2+8+4=14$ ······❹

채점 기준	배점
❶ a의 값 구하기	2점
❷ 꼭짓점의 좌표 구하기	1점
❸ b, c의 값을 각각 구하기	3점
❹ $a+b+c$의 값 구하기	1점

싹쓸이 핵심 기출 문제   80쪽~83쪽

01 ⑤	02 ③	03 ①	04 ②	05 ③	06 ④
07 ②	08 ②, ⑤	09 ①	10 14	11 ②	12 ③
13 ④	14 ④	15 ①	16 ①	17 $(3, 0)$	

18 $y=\frac{1}{2}(x-2)^2-1$ 19 ③   20 ④
21 $y=\frac{1}{3}x^2-\frac{4}{3}x+\frac{7}{3}$ 22 ③
23 $y=-3x^2-12x-3$ 24 $y=-2x^2-8x-5$ 25 10

01 ① $x^2-1=0$(이차방정식)
② 이차방정식
③ $-x^2-x=0$(이차방정식)
④ $2x^2-2x+1=0$(이차방정식)
⑤ $x^2+3x=x^2-2x, 5x=0$(일차방정식)

02 ① $x=-1$일 때, $(-1)^2-2\times(-1)=3$(참)

　② $x=0$일 때, $0(0+1)=0$(참)

　③ $x=1$일 때, $1^2+2\times1-1=2\neq0$(거짓)

　④ $x=3$일 때, $3(3+3)=3\times3+9=18$(참)

　⑤ $x=2$일 때, $(2-3)(2+1)=-3$(참)

03 $3x^2-2x+a=0$에 $x=-1$을 대입하면

　$3\times(-1)^2-2\times(-1)+a=0$　$\therefore a=-5$

04 $(x+5)(x-3)=0$　$\therefore x=-5$ 또는 $x=3$

05 ③ (다) 10

06 $x=\dfrac{-(-5)\pm\sqrt{(-5)^2-4\times2\times1}}{2\times2}=\dfrac{5\pm\sqrt{17}}{4}$

07 양변에 10을 곱하면 $3x^2+5x-2=0$

　$(x+2)(3x-1)=0$　$\therefore x=-2$ 또는 $x=\dfrac{1}{3}$

08 ① $b^2-4ac=(-2)^2-4\times1\times7=-24<0$(근이 없다.)

　② $b^2-4ac=3^2-4\times1\times(-2)=17>0$(서로 다른 두 근)

　③ $b^2-4ac=(-4)^2-4\times1\times4=0$(중근)

　④ $b^2-4ac=(-3)^2-4\times2\times4=-23<0$(근이 없다.)

　⑤ $b^2-4ac=(-4)^2-4\times3\times1=4>0$(서로 다른 두 근)

09 $b^2-4ac=(-8)^2-4\times1\times(5m+1)=64-20m-4$

　$\qquad\qquad\qquad =60-20m=0$

　$\therefore m=3$

　[다른 풀이] $5m+1=\left(\dfrac{-8}{2}\right)^2$이므로 $5m=15$　$\therefore m=3$

10 $\dfrac{n(n+1)}{2}=105$, $n^2+n-210=0$

　$(n-14)(n+15)=0$　$\therefore n=-15$ 또는 $n=14$

　따라서 n은 자연수이므로 $n=14$이다.

11 $-5t^2+40t=75$, $t^2-8t+15=0$, $(t-3)(t-5)=0$

　$\therefore t=3$ 또는 $t=5$

　따라서 물체의 높이가 처음으로 75 m 가 되는 것은 쏘아 올린 지 3초

　후이다.

12 $(8+x)(6+x)=8\times6+51$, $x^2+14x-51=0$

　$(x+17)(x-3)=0$　$\therefore x=-17$ 또는 $x=3$

　그런데 $x>0$이므로 $x=3$

　따라서 늘린 길이는 3 cm이다.

13 ② 일차함수

　③ $y=x^2-(x+1)^2=-2x-1$(일차함수)

　④ $y=x(5-3x)=-3x^2+5x$(이차함수)

　⑤ $y=x^2(x-1)=x^3-x^2$이므로 이차함수가 아니다.

14 ④ a의 절댓값이 클수록 그래프의 폭이 좁아진다.

15 a의 절댓값이 가장 큰 것을 찾는다.

16 이차함수 $y=3x^2$의 그래프를 y축의 방향으로 -2만큼 평행이동한 그

　래프의 식은 $y=3x^2-2$

17 이차함수 $y=-2x^2$의 그래프를 x축의 방향으로 3만큼 평행이동한 그

　래프의 식은 $y=-2(x-3)^2$이므로 꼭짓점의 좌표는 $(3,\ 0)$

18 이차함수 $y=\dfrac{1}{2}x^2$의 그래프를 x축의 방향으로 2만큼, y축의 방향으로

　-1만큼 평행이동한 그래프의 식은 $y=\dfrac{1}{2}(x-2)^2-1$

19 그래프가 위로 볼록하므로 $a<0$이고, 꼭짓점이 제1사분면 위에 있으

　므로 $p>0$, $q>0$이다.

20 $y=2x^2-4x-3=2(x-1)^2-5$이므로

　꼭짓점의 좌표는 $(1,\ -5)$이고, 축의 방정식은 $x=1$이다.

21 $y=\dfrac{1}{3}x^2-2x+1=\dfrac{1}{3}(x-3)^2-2$이므로 x축의 방향으로 -1만큼,

　y축의 방향으로 3만큼 평행이동한 그래프의 식은

　$y=\dfrac{1}{3}(x+1-3)^2-2+3=\dfrac{1}{3}(x-2)^2+1=\dfrac{1}{3}x^2-\dfrac{4}{3}x+\dfrac{7}{3}$

22 그래프가 위로 볼록하므로 $a<0$

　축이 y축의 오른쪽에 있으므로 b는 a와 다른 부호이다. 즉, $b>0$

　y축과의 교점이 x축의 위쪽에 있으므로 $c>0$

　$\therefore a<0,\ b>0,\ c>0$

23 꼭짓점의 좌표가 $(-2,\ 9)$이므로

　$y=a(x+2)^2+9$에 $x=-1$, $y=6$을 대입하면

　$6=a(-1+2)^2+9$　$\therefore a=-3$

　$y=-3(x+2)^2+9$를 $y=ax^2+bx+c$의 꼴로 나타내면

　$y=-3x^2-12x-3$

24 축의 방정식이 $x=-2$이므로 $y=a(x+2)^2+q$

　이 식에 $x=-3$, $y=1$을 대입하면 $1=a(-3+2)^2+q$, $a+q=1$

　이 식에 $x=0$, $y=-5$를 대입하면

　$-5=a(0+2)^2+q$, $4a+q=-5$

　따라서 두 식을 연립하여 풀면 $a=-2$, $q=3$이므로

　$y=-2(x+2)^2+3=-2x^2-8x-5$

25 $y=a(x+4)(x+1)$에 $x=0$, $y=4$를 대입하면

　$4=a(0+4)(0+1)$　$\therefore a=1$

　$y=(x+4)(x+1)=x^2+5x+4$　$\therefore b=5$, $c=4$

　$\therefore a+b+c=1+5+4=10$

싹쓸이 핵심 예상 문제　84쪽~87쪽

01 ④	02 ②	03 ④	04 ③	05 ②	06 ②
07 ⑤	08 ②	09 ③	10 ②	11 ③	12 ②
13 ③	14 ④	15 ④	16 ④	17 ②	18 ⑤
19 ②	20 ①	21 ①	22 ②		
23 $y=-2x^2+8x-3$			24 ⑤		25 $y=3x^2-2x+1$

01 ① 이차식

　② $x^2+4x+4=x^2-1$, $4x+5=0$(일차방정식)

　③ $x^2-2x=x^2$, $-2x=0$(일차방정식)

④ $4x^2-4x+1=2x^2+2x$, $2x^2-6x+1=0$(이차방정식)

⑤ $x^3-x=2x^2$에서 $x^3-2x^2-x=0$이므로 이차방정식이 아니다.

02 ① $1^2-4\times1=-3\neq0$(거짓)

② $1^2+2\times1=3$(참)

③ $(1+1)(1+2)=6\neq0$(거짓)

④ $1^2+3\times1+2=6\neq0$(거짓)

⑤ $2\times1^2-3\times1-5=-6\neq0$(거짓)

03 $x^2-ax+4=0$에 $x=2$를 대입하면

$2^2-a\times2+4=0$ ∴ $a=4$

04 $(x+4)(x-3)=0$에서 $x+4=0$ 또는 $x-3=0$

∴ $x=-4$ 또는 $x=3$

05 $x^2-8x=-5$, $x^2-8x+16=-5+16$, $(x-4)^2=11$

따라서 $p=-4$, $q=11$이므로 $p+q=-4+11=7$

06 $x=\dfrac{-3\pm\sqrt{3^2-4\times1\times(-1)}}{2\times1}=\dfrac{-3\pm\sqrt{13}}{2}$

∴ $A=-3$, $B=13$

07 양변에 10을 곱하면 $x^2+5x-3=0$

∴ $x=\dfrac{-5\pm\sqrt{5^2-4\times1\times(-3)}}{2\times1}=\dfrac{-5\pm\sqrt{37}}{2}$

08 ① $b^2-4ac=0^2-4\times1\times(-1)=4>0$(2개)

② $b^2-4ac=(-1)^2-4\times1\times1=-3<0$(0개)

③ $b^2-4ac=3^2-4\times1\times1=5>0$(2개)

④ $b^2-4ac=(-4)^2-4\times1\times(-4)=32>0$(2개)

⑤ $b^2-4ac=(-5)^2-4\times2\times1=17>0$(2개)

09 $b^2-4ac=(-k)^2-4\times2\times8=k^2-64=0$

$k^2=64$ ∴ $k=\pm8$

10 연속하는 세 짝수를 $x-2$, x, $x+2$라고 하면

$(x-2)^2+x^2+(x+2)^2=200$, $3x^2+8=200$,

$3x^2=192$, $x^2=64$, $x=8$($\because x>2$)

연속하는 세 짝수는 6, 8, 10이고 그 중 가장 큰 수는 10이다.

11 $-5t^2+10t+40=0$, $t^2-2t-8=0$, $(t+2)(t-4)=0$

∴ $t=-2$ 또는 $t=4$

그런데 $t>0$이므로 $t=4$

따라서 물체가 지면에 떨어지는 것은 4초 후이다.

12 처음 정사각형의 한 변의 길이를 x cm라 하면

$(x+4)(x+2)=3x^2$, $x^2-3x-4=0$

$(x+1)(x-4)=0$, $x=-1$ 또는 $x=4$

그런데 $x>0$이므로 $x=4$

따라서 처음 정사각형의 한 변의 길이는 4 cm이다.

13 ㄴ. $y=x(x-2)=x^2-2x$(이차함수)

ㄷ. 분모에 미지수가 있으므로 이차함수가 아니다.

ㅁ. $y=(1-x)x^2=-x^3+x^2$이므로 이차함수가 아니다.

따라서 이차함수는 ㄱ, ㄴ, ㄹ로 모두 3개이다.

14 ① 위로 볼록한 포물선이다.

② 점 $(-1, -2)$를 지난다.

③ $y=2x^2$의 그래프와 x축에 대하여 대칭이다.

⑤ $x<0$인 구간에서 x의 값이 증가하면 y의 값도 증가한다.

15 그래프가 아래로 볼록하므로 $a>0$이고, 폭이 가장 넓은 것이므로 a의 절댓값이 가장 작은 것을 찾는다.

16 $y=-\dfrac{1}{3}x^2+q$에 $x=-3$, $y=1$을 대입하면

$1=-\dfrac{1}{3}\times(-3)^2+q$ ∴ $q=4$

17 $-\dfrac{3}{2}<0$이므로 위로 볼록하고 축의 방정식이 $x=-1$이므로

$x<-1$인 범위에서 x의 값이 증가하면 y의 값도 증가한다.

18 ⑤ $x<1$인 구간에서 x의 값이 증가하면 y의 값은 감소한다.

19 그래프가 아래로 볼록하므로 $a>0$이고, 꼭짓점이 제4사분면 위에 있으므로 $p>0$, $q<0$이다.

20 $y=-\dfrac{1}{2}x^2+x-3=-\dfrac{1}{2}(x-1)^2-\dfrac{5}{2}$이므로

꼭짓점의 좌표는 $\left(1, -\dfrac{5}{2}\right)$

21 $y=-3x^2+12x-5=-3(x-2)^2+7$

$y=-3x^2-6x+1=-3(x+1)^2+4$

즉, $y=-3x^2+12x-5$의 그래프를 x축의 방향으로 -3만큼, y축의 방향으로 -3만큼 평행이동하면 $y=-3x^2-6x+1$의 그래프와 일치한다.

따라서 $m=-3$, $n=-3$이므로 $m+n=-3+(-3)=-6$

22 그래프가 아래로 볼록하므로 $a>0$

축이 y축의 왼쪽에 있으므로 b는 a와 같은 부호이다. 즉, $b>0$

y축과의 교점이 x축의 아래쪽에 있으므로 $c<0$

∴ $a>0$, $b>0$, $c<0$

23 꼭짓점의 좌표가 $(2, 5)$이므로 $y=a(x-2)^2+5$

$y=x^2-6x-3$의 그래프와 y축에서 만나므로 점 $(0, -3)$을 지난다.

$y=a(x-2)^2+5$에 $x=0$, $y=-3$을 대입하면

$-3=4a+5$, $4a=-8$, $a=-2$

∴ $y=-2(x-2)^2+5=-2x^2+8x-3$

24 축의 방정식이 $x=4$이므로 $y=a(x-4)^2+q$

이 식에 $x=0$, $y=17$을 대입하면 $17=16a+q$

이 식에 $x=3$, $y=2$를 대입하면 $2=a+q$

두 식을 연립하여 풀면 $a=1$, $q=1$이므로 $y=(x-4)^2+1$

따라서 꼭짓점의 좌표는 $(4, 1)$이다.

25 $y=ax^2+bx+c$에 $x=0$, $y=1$을 대입하면 $c=1$

$y=ax^2+bx+1$에 $x=-1$, $y=6$을 대입하면

$6=a-b+1$, $a-b=5$

$y=ax^2+bx+1$에 $x=1$, $y=2$를 대입하면 $2=a+b+1$, $a+b=1$

두 식을 연립하여 풀면 $a=3$, $b=-2$

∴ $y=3x^2-2x+1$

기말고사 대비 실전 모의고사

1 회

88쪽~91쪽

01 ⑤	02 ⑤	03 ③	04 ①	05 ③	06 ②
07 ④	08 ②	09 ②	10 -9 또는 11		11 17명
12 ②	13 ⑤	14 ③	15 ③	16 ①	17 ③
18 ①	19 ①	20 ②	21 ③	22 ②	23 11
24 7 cm	25 -16				

01 ② $x^2+3x=0$(이차방정식)   ③ $3x^2+2x-5=0$(이차방정식)

④ $x^2-2x=0$(이차방정식)   ⑤ $-4x-4=0$(일차방정식)

02 ① $x=2$일 때, $2^2-2=2\neq0$(거짓)

② $x=3$일 때, $2\times3^2+6\times3=36\neq0$(거짓)

③ $x=-2$일 때, $(-2)^2-3\times(-2)+2=12\neq0$(거짓)

④ $x=\dfrac{1}{3}$일 때, $3\times\left(\dfrac{1}{3}\right)^2-5\times\dfrac{1}{3}+2=\dfrac{2}{3}\neq0$(거짓)

⑤ $x=-\dfrac{1}{2}$일 때, $2\times\left(-\dfrac{1}{2}\right)^2+2\times\left(-\dfrac{1}{2}\right)+\dfrac{1}{2}=0$(참)

03 $x=2$를 대입하면 $4(a-1)-2(a^2+1)+2(a+1)=0$

$a^2-3a+2=0$, $(a-1)(a-2)=0$, $a=2(\because a\neq1)$

$a=2$를 대입하면 $x^2-5x+6=0$, $(x-2)(x-3)=0$

$\therefore x=2$ 또는 $x=3$

따라서 다른 한 근은 3이다.

04 $x^2+2x+a+10=0$이므로 $a+10=\left(\dfrac{2}{2}\right)^2$, $a+10=1$

$\therefore a=-9$

다른 풀이 $x^2+2x+a+10=0$이므로

$b^2-4ac=2^2-4\times1\times(a+10)=4-4a-40=-4a-36=0$

$\therefore a=-9$

05 $(x-2)^2=3$, $x-2=\pm\sqrt{3}$ $\therefore x=2\pm\sqrt{3}$

06 $x=\dfrac{-3\pm\sqrt{3^2-4\times2\times(-3)}}{2\times2}=\dfrac{-3\pm\sqrt{33}}{4}$이므로

$A=-3$, $B=33$

$\therefore A+B=-3+33=30$

07 양변에 6을 곱하면 $4x^2-6x-3=0$

$\therefore x=\dfrac{-(-3)\pm\sqrt{(-3)^2-4\times(-3)}}{4}=\dfrac{3\pm\sqrt{21}}{4}$

08 $x+2=A$라 하면 $3A^2-5A+2=0$, $(A-1)(3A-2)=0$

$\therefore A=1$ 또는 $A=\dfrac{2}{3}$

$A=x+2$이므로 $x+2=1$ 또는 $x+2=\dfrac{2}{3}$

$\therefore x=-1$ 또는 $x=-\dfrac{4}{3}$

09 예원이가 푼 이차방정식 : $(x+4)(x-3)=x^2+x-12=0$

민수가 푼 이차방정식 : $(x+5)(x-1)=x^2+4x-5=0$

예원이는 상수항을, 민수는 x의 계수를 바르게 보았으므로

옳은 이차방정식은 $x^2+4x-12=0$

$(x+6)(x-2)=0$ $\therefore x=-6$ 또는 $x=2$

10 어떤 수를 x라 하면

$x^2=2x+99$, $x^2-2x-99=0$, $(x+9)(x-11)=0$

$\therefore x=-9$ 또는 $x=11$

따라서 어떤 수는 -9 또는 11이다.

11 학생 수를 x명이라 하면 한 학생에게 돌아가는 사탕의 개수는 $(x+3)$

개이므로 $x(x+3)=340$, $x^2+3x-340=0$

$(x-17)(x+20)=0$ $\therefore x=17(\because x>0)$

따라서 학생 수는 17명이다.

12 ㄱ. $y=-\dfrac{2}{x}$이고, 분모에 미지수가 있으므로 이차함수가 아니다.

ㄴ. $y=x^2-x$(이차함수)

ㄹ. $y=-2x^2+2x+x=x$(일차함수)

ㅁ. $y=x^2+2x+1-(x^2-2x+1)=4x$(일차함수)

13 두 점 $(-1, 1)$, $(2, 10)$을 각각 지나므로

$1=a+b$, $10=4a+b$

두 식을 연립하여 풀면 $a=3$, $b=-2$

$\therefore a-b=3-(-2)=5$

14 ㄱ. 꼭짓점의 좌표는 $(p, 0)$이다.

ㅁ. $y=ax^2$의 그래프를 x축의 방향으로 p만큼 평행이동시킨 것이다.

15 그래프가 아래로 볼록하므로 $a>0$

꼭짓점이 제4사분면 위에 있으므로 $-p>0$, $-q<0$

$\therefore p<0$, $q>0$

16 $y=3(x+1)^2+2=3(x^2+2x+1)+2=3x^2+6x+5$

17 $y=-\dfrac{1}{2}x^2-3x+\dfrac{3}{2}=-\dfrac{1}{2}(x^2+6x+9-9)+\dfrac{3}{2}$

$=-\dfrac{1}{2}(x+3)^2+\dfrac{9}{2}+\dfrac{3}{2}=-\dfrac{1}{2}(x+3)^2+6$

따라서 $p=-3$, $q=6$이므로 $p+q=-3+6=3$

18 $y=-\dfrac{1}{3}x^2+2x-2=-\dfrac{1}{3}(x-3)^2+1$

따라서 꼭짓점의 좌표는 $(3, 1)$

19 $y=2x^2-5x-3=2\left(x-\dfrac{5}{4}\right)^2-\dfrac{49}{8}$이므로 점 $\left(\dfrac{5}{4}, -\dfrac{49}{8}\right)$를 꼭짓점

으로 하고 점 $(0, -3)$을 지나는 아래로 볼록한 포물선이다.

20 $y=\dfrac{1}{3}x^2-2x+1=\dfrac{1}{3}(x-3)^2-2$이므로 점 $(3, -2)$를 꼭짓점으

로 하고, 점 $(0, 1)$을 지나는 아래로 볼록한 포물선이다.

따라서 제1, 2, 4사분면을 지난다.

21 x축과 두 점 $(-4, 0)$, $(2, 0)$에서 만나므로 $y=a(x+4)(x-2)$

$y=\dfrac{1}{2}x^2$의 그래프와 모양이 같으므로 $a=\dfrac{1}{2}$

$\therefore y=\dfrac{1}{2}(x+4)(x-2)=\dfrac{1}{2}x^2+x-4$

22 $y=ax^2+bx+c$에 $x=0$, $y=5$를 대입하면 $c=5$

$y=ax^2+bx+5$에 $x=2$, $y=3$을 대입하면

$3=4a+2b+5$, $2a+b=-1$

정답 & 해설   **27**

$y=ax^2+bx+5$에 $x=4, y=5$를 대입하면

$5=16a+4b+5, 4a+b=0$

두 식을 연립하여 풀면 $a=\dfrac{1}{2}, b=-2$

$\therefore abc=\dfrac{1}{2}\times(-2)\times5=-5$

23 $x^2-3x-28=0, (x+4)(x-7)=0$

$\therefore x=-4$ 또는 $x=7$ ······ ❶

따라서 $m=7, n=-4$이므로 ······ ❷

$m-n=7-(-4)=11$ ······ ❸

채점 기준	배점
❶ 주어진 이차방정식의 해 구하기	3점
❷ m, n의 값 각각 구하기	2점
❸ $m-n$의 값 구하기	2점

24 $\overline{AP}$의 길이를 x cm라 하면 $\overline{BP}$의 길이는 $(10-x)$ cm이므로 ······ ❶

$x^2+(10-x)^2=58, 2x^2-20x+42=0$

$x^2-10x+21=0, (x-3)(x-7)=0$

$\therefore x=3$ 또는 $x=7$ ······ ❷

그런데 $\overline{AP}>\overline{BP}$이므로 $\overline{AP}$의 길이는 7 cm이다. ······ ❸

채점 기준	배점
❶ $\overline{AP}$와 $\overline{BP}$의 길이를 한 문자를 사용하여 나타내기	3점
❷ 이차방정식을 세워서 풀기	3점
❸ $\overline{AP}$의 길이 구하기	2점

25 꼭짓점의 좌표가 $(4, 1)$이므로 $y=a(x-4)^2+1$

이 식에 $x=2, y=-3$을 대입하면 $-3=a(2-4)^2+1, a=-1$

$\therefore y=-(x-4)^2+1$ ······ ❶

$y=-(x-4)^2+1$에 $x=-1, y=m$을 대입하면

$m=-(-1-4)^2+1$ $\therefore m=-24$

$y=-(x-4)^2+1$에 $x=n, y=-15$를 대입하면

$-15=-(n-4)^2+1, (n-4)^2=16,$

$n-4=\pm4, n=0$ 또는 $n=8$

$\therefore n=8(\because n>0)$ ······ ❷

$\therefore m+n=-16$ ······ ❸

채점 기준	배점
❶ 꼭짓점 좌표와 다른 한 점을 이용하여 이차함수의 식 구하기	3점
❷ m, n의 값 각각 구하기	3점
❸ $m+n$의 값 구하기	2점

기말고사 대비 실전 모의고사

❷ 회
92쪽~95쪽

01 ②	02 ⑤	03 ④	04 ⑤	05 ③	06 ③
07 ①	08 ④	09 ⑤	10 ②	11 ②	12 ③
13 ③	14 ④	15 ④	16 ①	17 ③	18 ⑤
19 ③	20 ②	21 ②	22 $x=2$		
23 $x=-4$ 또는 $x=5$			24 7	25 $(1, -3)$	

01 $3x^2-2x-4=0$이므로 $a=3, b=-2, c=-4$

$\therefore a+b+c=3+(-2)+(-4)=-3$

02 $x=3$을 대입하면 $3^2-5\times3+a=0$ $\therefore a=6$

03 $3x-1=0$ 또는 $x+1=0$이므로

$x=\dfrac{1}{3}$ 또는 $x=-1$

04 ① $x(x+2)=0$ $\therefore x=0$ 또는 $x=-2$

② $(x-1)(x-5)=0$ $\therefore x=1$ 또는 $x=5$

③ $(2x+3)(x-3)=0$ $\therefore x=-\dfrac{3}{2}$ 또는 $x=3$

④ $(x+2)(5x+2)=0$ $\therefore x=-2$ 또는 $x=-\dfrac{2}{5}$

⑤ $(3x-1)^2=0$ $\therefore x=\dfrac{1}{3}$(중근)

05 $x^2+x+m=0$에 $x=2$를 대입하면 $2^2+2+m=0, m=-6$

$2x^2-nx-4=0$에 $x=2$를 대입하면 $2\times2^2-n\times2-4=0, n=2$

$\therefore m+n=-6+2=-4$

06 양변에 15를 곱하면 $5(x+2)(x-2)=3x(x+1)$

$5x^2-20=3x^2+3x, 2x^2-3x-20=0, (2x+5)(x-4)=0$

$x=-\dfrac{5}{2}$ 또는 $x=4$

두 근의 합은 $\dfrac{3}{2}$이다.

07 $4x^2+8x+4-(x^2-4x+4)=0$

$3x^2+12x=0, x^2+4x=0, x(x+4)=0$

$\therefore x=0$ 또는 $x=-4$

다른 풀이 $2x+2=A, x-2=B$라 하면

$A^2-B^2=0, (A+B)(A-B)=0$

$(2x+2+x-2)(2x+2-x+2)=0, 3x(x+4)=0$

$\therefore x=0$ 또는 $x=-4$

08 ① $3x^2-3=-3, 3x^2=0, x=0$(중근, 1개)

② $2x^2-6x+8=0, x^2-3x+4=0, b^2-4ac=9-16<0$(근이 없다.)

③ $x^2+4x+4=0, b^2-4ac=16-16=0$(1개)

④ $3x^2-2x-1=0, b^2-4ac=4+12=16>0$(2개)

⑤ $x^2-3x+5=0, b^2-4ac=9-20=-11<0$(근이 없다.)

09 $b^2-4ac=(-8)^2-4\times(-1)\times(-k-3)<0, 64-4k-12<0,$

$4k>52, k>13$

따라서 가장 작은 정수 k의 값은 14이다.

10 언니의 나이를 x살이라 하면 동생의 나이는 $(x-3)$살이므로

$5x=(x-3)^2+1, x^2-11x+10=0$

$(x-1)(x-10)=0$ $\therefore x=1$ 또는 $x=10$

그런데 x는 3보다 큰 자연수이므로 $x=10$

따라서 언니의 나이는 10살이다.

11 처음 직사각형 모양의 종이의 세로의 길이를 x cm라 하면 가로의 길이는 $(x+3)$ cm이다.

$2(x-1)(x-4)=36, x^2-5x-14=0$

$(x+2)(x-7)=0$ $\therefore x=-2$ 또는 $x=7$

그런데 $x>4$이므로 $x=7$

따라서 처음 직사각형 모양의 종이의 세로의 길이는 $7\,$cm이다.

12 길의 폭을 $x\,$m라 하면

$30x+20x-x^2=141$, $x^2-50x+141=0$

$(x-3)(x-47)=0$ $\therefore x=3$ 또는 $x=47$

그런데 $0<x<20$이므로 $x=3$

따라서 길의 폭은 $3\,$m이다.

13 ① $y=\dfrac{1}{2}\times4\times x=2x$ ② $y=3\times2x=6x$

③ $y=\dfrac{1}{4}\times\pi\times(2x)^2=\pi x^2$ ④ $y=2(x+2+x)=4x+4$

⑤ $y=\dfrac{1}{2}\times(x+2x)\times4=6x$

14 $x=0$일 때, $4=(-p)^2$이므로 $p=2$ 또는 $p=-2$

$x=1$일 때, $1=(1-p)^2$이므로 $p=0$ 또는 $p=2$

$\therefore p=2$

다른 풀이 $x=2$일 때 $y=0$이므로 $(2-p)^2=0$ $\therefore p=2$

15 ㄱ. 축의 방정식은 $x=-2$이다.

ㄷ. 그래프는 제3, 4사분면을 지난다.

ㄹ. 그래프는 $x<-2$인 구간에서 x의 값이 증가하면 y의 값도 증가한다.

16 $y=ax^2+bx+c$에서 a의 절댓값이 가장 작은 것을 찾는다.

17 $y=\dfrac{1}{2}x^2-2x+5=\dfrac{1}{2}(x-2)^2+3$이므로 x의 값이 증가할 때, y의 값도 증가하는 x의 값의 범위는 $x>2$

18 $y=ax^2+bx+c$의 그래프에서 $a<0$, $b<0$, $c<0$

④ $x=-3$일 때, $9a-3b+c>0$

⑤ $x=\dfrac{1}{2}$일 때, $\dfrac{1}{4}a+\dfrac{1}{2}b+c<0$

양변에 4를 곱하면 $a+2b+4c<0$

19 꼭짓점의 좌표가 $(1, 5)$이므로 $y=a(x-1)^2+5$

이 식에 $x=0$, $y=3$을 대입하면 $3=a(0-1)^2+5$, $a=-2$

$\therefore y=-2(x-1)^2+5$

20 각 이차함수의 꼭짓점의 좌표를 구하면

① $(1, -4)$ ② $(1, 4)$

③ $(2, -2)$ ④ $(1, 2)$

⑤ $\left(-\dfrac{1}{4}, -\dfrac{15}{8}\right)$

21 $y=x^2+ax+b$의 그래프는 축의 방정식이 $x=2$이므로

$y=(x-2)^2+q$

이 식에 $x=1$, $y=3$을 대입하면 $3=(1-2)^2+q$, $q=2$

따라서 $y=(x-2)^2+2=x^2-4x+6$이므로 $a=-4$, $b=6$

$\therefore ab=-24$

22 $y=ax^2+bx+c$에 $(0, -1)$을 각각 대입하면 $c=-1$

$(-2, 5)$를 각각 대입하면 $5=4a-2b-1$, $2a-b=3$ ⋯ ㉠

$\left(1, -\dfrac{5}{2}\right)$를 각각 대입하면 $-\dfrac{5}{2}=a+b-1$, $a+b=-\dfrac{3}{2}$ ⋯ ㉡

㉠, ㉡을 연립하여 풀면 $a=\dfrac{1}{2}$, $b=-2$

따라서 $y=\dfrac{1}{2}x^2-2x-1=\dfrac{1}{2}(x-2)^2-3$이므로 축의 방정식은

$x=2$

23 민영이가 푼 이차방정식은 $(x-4)(x+5)=x^2+x-20=0$

상수항은 제대로 보았으므로 $-c=-20$ $\therefore c=20$ ❶

민주가 푼 이차방정식은 $(x+2)(x-3)=x^2-x-6=0$

x의 계수는 제대로 보았으므로 $b=-1$ ❷

따라서 옳은 이차방정식은 $x^2-x-20=0$이므로

$(x+4)(x-5)=0$

$\therefore x=-4$ 또는 $x=5$ ❸

채점 기준	배점
❶ c의 값 구하기	3점
❷ b의 값 구하기	3점
❸ 옳은 해 구하기	2점

24 꼭짓점의 좌표가 $(0, 3)$이므로 $q=3$ ❶

$y=ax^2+3$의 그래프가 점 $(1, 1)$을 지나므로

$1=a\times1^2+3$ $\therefore a=-2$ ❷

$y=-2x^2+3$에 $x=-2$, $y=c$를 대입하면

$c=-2\times(-2)^2+3=-5$ ❸

$\therefore ac-q=10-3=7$ ❹

채점 기준	배점
❶ q의 값 구하기	2점
❷ a의 값 구하기	2점
❸ c의 값 구하기	2점
❹ $ac-q$의 값 구하기	1점

25 $x=1$, $y=-3$을 대입하면

$-3=2+a+b$, $a+b=-5$ ⋯ ㉠

$x=-2$, $y=15$를 대입하면

$15=2\times(-2)^2-2a+b$, $2a-b=-7$ ⋯ ㉡   ❶

㉠+㉡을 하면 $3a=-12$ $\therefore a=-4$

$a=-4$를 ㉠에 대입하면 $-4+b=-5$ $\therefore b=-1$ ❷

따라서 $y=2x^2-4x-1=2(x^2-2x+1-1)-1=2(x-1)^2-3$이

므로 꼭짓점의 좌표는 $(1, -3)$ ❸

채점 기준	배점
❶ a, b에 관한 식 세우기	3점
❷ a, b의 값을 각각 구하기	2점
❸ 꼭짓점의 좌표 구하기	3점

기말고사 대비 실전 모의고사

③회   96쪽~99쪽

01 ④	02 ②	03 ①	04 ②	05 ④	06 ③
07 $x=\dfrac{1\pm\sqrt{33}}{2}$	08 ③	09 ③	10 ①	11 3	
12 ①	13 ⑤	14 ⑤	15 ④	16 ⑤	17 ②

18 $x=3$, $(3, 1)$　　19 ④　　20 ③　　21 ②　　22 -8

23 11　　24 $\left(\dfrac{5}{2}, \dfrac{13}{4}\right)$　　25 $y=-x^2+2x$

01 ① $-x^2-1=0$(이차방정식)

② $x^2-3x=0$(이차방정식)

③ $x^2-2x=0$(이차방정식)

④ $2x+1=0$(일차방정식)

⑤ $2x^2+5x-1=0$(이차방정식)

02 $x=-2$를 대입하면 $a\times(-2)^2+b\times(-2)-10=0$, $2a-b=5$

$x=5$를 대입하면 $a\times5^2+b\times5-10=0$, $5a+b=2$

두 식을 연립하여 풀면 $a=1$, $b=-3$

$\therefore a+b=1+(-3)=-2$

다른 풀이 $a(x+2)(x-5)=0$, $ax^2-3ax-10a=0$

$-10a=-10$에서 $a=1$, $b=-3a=-3$

$\therefore a+b=1+(-3)=-2$

03 $x=m$을 대입하면

$2m^2-7m+2=0$, $2m^2-7m=-2$

$\therefore 2m^2-7m-3=-2-3=-5$

04 $x^2+3x+a=0$에 $x=1$을 대입하면 $1^2+3\times1+a=0$, $a=-4$

$x^2-2x+b=0$에 $x=1$을 대입하면 $1^2-2\times1+b=0$, $b=1$

$\therefore a+b=-4+1=-3$

05 $x^2-8x=-7$, $x^2-8x+16=-7+16$, $(x-4)^2=9$

$\therefore a=-4$, $b=9$　$\therefore a+b=-4+9=5$

06 $x^2-2x-3=12$, $x^2-2x-15=0$, $(x+3)(x-5)=0$

$\therefore x=-3$ 또는 $x=5$

07 양변에 3을 곱하면 $x^2-x-2=6$, $x^2-x-8=0$

$\therefore x=\dfrac{-(-1)\pm\sqrt{(-1)^2-4\times1\times(-8)}}{2\times1}=\dfrac{1\pm\sqrt{33}}{2}$

08 양변에 6을 곱하면 $3x^2-4x-6=0$

$x=\dfrac{2\pm\sqrt{22}}{3}$

두 근 중 작은 근이 a이므로 $a=\dfrac{2-\sqrt{22}}{3}$

$3a-2=3\times\dfrac{2-\sqrt{22}}{3}-2=-\sqrt{22}$

$\therefore (3a-2)^2=(-\sqrt{22})^2=22$

09 ① $b^2-4ac=(-4)^2-4\times1\times4=0$(중근)

② $b^2-4ac=(-1)^2-4\times1\times1=-3<0$(근이 없다.)

③ $b^2-4ac=(-4)^2-4\times2\times1=8>0$(서로 다른 두 근)

④ $b^2-4ac=(-5)^2-4\times3\times4=-23<0$(근이 없다.)

⑤ $9x^2+6x+1=0$이므로 $b^2-4ac=6^2-4\times9\times1=0$(중근)

10 $b^2-4ac=(-8)^2-4k(k+6)=0$, $4k^2+24k-64=0$,

$k^2+6k-16=0$, $(k-2)(k+8)=0$

$\therefore k=2$ 또는 $k=-8$

따라서 모든 상수 k의 값들의 합은 $2+(-8)=-6$

11 처음의 수를 x라 하면

$2(x+3)^2=(2x)^2+3+33$, $2x^2+12x+18=4x^2+36$

$2x^2-12x+18=0$, $2(x-3)^2=0$　$\therefore x=3$(중근)

따라서 처음의 수는 3이다.

12 처음 정사각형의 한 변의 길이를 x cm라 하면

$(x+2)^2=9(x-2)^2$, $x^2-5x+4=0$, $(x-1)(x-4)=0$

$\therefore x=1$ 또는 $x=4$

그런데 $x>2$이므로 $x=4$

따라서 처음 정사각형의 한 변의 길이는 4 cm이다.

13 (대각선의 개수)+(변의 개수)$=\dfrac{n(n-3)}{2}+n$이므로

$\dfrac{n(n-3)}{2}+n=105$, $n(n-3)+2n=210$, $n^2-n-210=0$

$(n-15)(n+14)=0$　$\therefore n=15(\because n$은 자연수)

따라서 구하는 다각형은 십오각형이다.

14 ⑤ $x>0$인 구간에서 x의 값이 증가하면 y의 값은 감소한다.

15 $y=-3x^2$의 그래프와 x축에 대하여 대칭인 이차함수의 그래프의 식은 $y=3x^2$

따라서 $y=3x^2$에 $x=2$, $y=k$를 대입하면 $k=3\times2^2=12$

16 그래프가 위로 볼록하므로 x^2의 계수는 음수이고, 폭이 가장 넓은 것이므로 x^2의 계수의 절댓값이 가장 작은 것을 찾는다.

17 y축과의 교점의 좌표가 $(0, 5)$이므로 $b=5$

$y=-x^2+ax+5$의 그래프가 점 $(5, 0)$을 지나므로

$0=-5^2+a\times5+5$　$\therefore a=4$

$y=-x^2+4x+5=-(x^2-4x+4-4)+5=-(x-2)^2+9$

따라서 꼭짓점의 좌표는 $(2, 9)$

18 $y=-\dfrac{1}{3}x^2+2x-2=-\dfrac{1}{3}(x-3)^2+1$

따라서 축의 방정식은 $x=3$, 꼭짓점의 좌표는 $(3, 1)$이다.

19 $y=-x^2+6x-5=-(x-3)^2+4$

ㄱ. 꼭짓점의 좌표는 $(3, 4)$이다.

ㄴ. y축과의 교점의 좌표는 $(0, -5)$이다.

ㄷ. $x>3$인 구간에서 x의 값이 증가하면 y의 값은 감소한다.

20 $y=-(x+2)(x-4)=-x^2+2x+8$

$=-(x-1)^2+9$

따라서 꼭짓점의 좌표가 $(1, 9)$이므로 $\triangle ABC=\dfrac{1}{2}\times6\times9=27$

21 $y=-\dfrac{1}{3}x^2+2kx-k-7=-\dfrac{1}{3}(x-3k)^2+3k^2-k-7$이므로

꼭짓점의 좌표는 $(3k, 3k^2-k-7)$

$3k^2-k-7=17$, $3k^2-k-24=0$, $(k-3)(3k+8)=0$

$\therefore k=3(\because k>0)$

22 x축과의 교점이 -6, -2이므로 $y=a(x+6)(x+2)$

$y=a(x+6)(x+2)$에 $x=0$, $y=-3$을 대입하면 $a=-\dfrac{1}{4}$

$y=-\dfrac{1}{4}(x+6)(x+2)=-\dfrac{1}{4}x^2-2x-3$

$a=-\dfrac{1}{4}$, $b=-2$, $c=-3$이므로 $4a+2b+c=-1-4-3=-8$

다른 풀이 $4a+2b+c$의 값은 $x=2$일 때, y의 값이므로

$y=-\dfrac{1}{4}(2+6)(2+2)=-\dfrac{1}{4}\times 8\times 4=-8$

23 $x=-2$를 $x^2-2ax-16=0$에 대입하면

$(-2)^2-2a\times(-2)-16=0$, $4a=12$ ∴ $a=3$ ······ ❶

$a=3$을 $x^2-2ax-16=0$에 대입하면

$x^2-6x-16=0$, $(x+2)(x-8)=0$, $x=-2$ 또는 $x=8$

$x=8$이 $x^2-(b+3)x+3b=0$의 근이므로

$8^2-(b+3)\times 8+3b=0$, $64-8b-24+3b=0$, $-5b=-40$

∴ $b=8$ ······ ❷

∴ $a+b=3+8=11$ ······ ❸

채점 기준	배점
❶ a의 값 구하기	2점
❷ b의 값 구하기	4점
❸ $a+b$의 값 구하기	2점

24 주어진 그래프의 꼭짓점의 좌표가 $(-1, 5)$

이므로 $p=-1$, $q=5$ ······ ❶

$y=a(x+1)^2+5$의 그래프가 점 $(0, 2)$를 지나므로

$2=a(0+1)^2+5$

∴ $a=-3$ ······ ❷

$y=px^2+qx+a$는 $y=-x^2+5x-3=-\left(x-\dfrac{5}{2}\right)^2+\dfrac{13}{4}$

따라서 $y=px^2+qx+a$의 꼭짓점의 좌표는 $\left(\dfrac{5}{2},\dfrac{13}{4}\right)$이다. ······ ❸

채점 기준	배점
❶ p, q의 값을 각각 구하기	2점
❷ a의 값 구하기	2점
❸ $y=px^2+qx+a$의 꼭짓점의 좌표 구하기	3점

25 $y=ax^2+bx+c$에 $x=0$, $y=0$을 대입하면 $c=0$ ······ ❶

$y=ax^2+bx$에 $x=3$, $y=-3$을 대입하면

$-3=9a+3b$, $3a+b=-1$ ··· ㉠

$y=ax^2+bx$에 $x=1$, $y=1$을 대입하면 $a+b=1$ ··· ㉡

㉠$-$㉡을 하면 $2a=-2$ ∴ $a=-1$

$a=-1$을 ㉡에 대입하면 $-1+b=1$ ∴ $b=2$ ······ ❷

따라서 구하는 이차함수의 식은 $y=-x^2+2x$ ······ ❸

채점 기준	배점
❶ c의 값 구하기	2점
❷ a, b의 값을 각각 구하기	4점
❸ 이차함수의 식 구하기	2점

기말고사 대비 실전 모의고사

 회 **100쪽~103쪽**

01 ②   02 ④   03 ②   04 ②   05 ⑤   06 ②

07 $x=3$ 또는 $x=-\dfrac{1}{2}$ 08 $-\dfrac{7}{5}$ 09 ⑤   10 ①

11 8 cm   12 ④   13 ①   14 ⑤   15 3   16 ③

17 -5 18 ⑤   19 ④   20 ②   21 ⑤   22 -3

23 3   24 $-\dfrac{1}{3}$ 25 -6

01 ① $x=1$일 때, $1^2+1-6=-4\neq 0$(거짓)

② $x=-2$일 때, $(-2)^2+(-2)-2=0$(참)

③ $x=3$일 때, $3^2-6\times 3+3=-6\neq 0$(거짓)

④ $x=-1$일 때, $(-1)\times(3-1)=-2\neq -1+3=2$(거짓)

⑤ $x=2$일 때, $(2-1)\times(2-5)=-3\neq 0$(거짓)

02 $(x+7)(x-2)=0$ ∴ $x=-7$ 또는 $x=2$

03 $x=-1$을 대입하면

$a\times(-1)^2+(a^2-1)\times(-1)+5=0$, $a^2-a-6=0$

$(a+2)(a-3)=0$ ∴ $a=3(∵ a>0)$

$a=3$을 대입하면

$3x^2+8x+5=0$, $(3x+5)(x+1)=0$

∴ $x=-\dfrac{5}{3}$ 또는 $x=-1$

따라서 다른 한 근은 $-\dfrac{5}{3}$이다.

04 $x^2-6x+\dfrac{11}{2}=0$, $x^2-6x=-\dfrac{11}{2}$, $x^2-6x+9=-\dfrac{11}{2}+9$

$(x-3)^2=\dfrac{7}{2}$, ∴ $a=-3$, $b=\dfrac{7}{2}$

∴ $a-2b=-3-7=-10$

05 $x=\dfrac{-(-3)\pm\sqrt{(-3)^2-4\times 2\times(-4)}}{2\times 2}=\dfrac{3\pm\sqrt{41}}{4}$이므로

$A=3$, $B=41$

∴ $A+B=3+41=44$

06 양변에 6을 곱하면 $9x^2-2x-1=0$

$x=\dfrac{-(-1)\pm\sqrt{(-1)^2-9\times(-1)}}{9}=\dfrac{1\pm\sqrt{10}}{9}$

∴ $A=10$

07 양변에 10을 곱하면

$2(3x-1)=4(x+1)(x-2)$, $2x^2-5x-3=0$

$(x-3)(2x+1)=0$ ∴ $x=3$ 또는 $x=-\dfrac{1}{2}$

08 $x+1=A$라 하면 $A^2-A-12=0$, $(A+3)(A-4)=0$

∴ $A=-3$ 또는 $A=4$

$A=x+1$이므로 $x+1=-3$ 또는 $x+1=4$

∴ $x=-4$ 또는 $x=3$

$x=3$이 $x^2+(a-1)x+2a+1=0$의 한 근이므로

$3^2+(a-1)\times 3+2a+1=0$, $5a=-7$

∴ $a=-\dfrac{7}{5}$

09 $b^2-4ac=(-4)^2-4\times 1\times(a-3)=28-4a=0$ ∴ $a=7$

다른 풀이 $a-3=\left(\dfrac{-4}{2}\right)^2=4$이므로 $a=7$

10 $60t-5t^2=100$, $t^2-12t+20=0$

$(t-2)(t-10)=0$ $\therefore t=2$ 또는 $t=10$

따라서 지면으로부터의 높이가 100 m인 지점을 처음으로 지나는 것은 쏘아 올린 지 2초 후이다.

11 처음 원의 반지름의 길이를 x cm라 하면

$\pi(x-4)^2=\dfrac{1}{4}\pi x^2$, $3x^2-32x+64=0$

$(x-8)(3x-8)=0$ $\therefore x=8$ 또는 $x=\dfrac{8}{3}$

그런데 $x>4$이므로 $x=8$

따라서 처음 원의 반지름의 길이는 8 cm이다.

12 길의 폭을 x m라 하면

$(40-x)(30-x)=875$, $1200-70x+x^2=875$

$x^2-70x+325=0$, $(x-5)(x-65)=0$ $\therefore x=5$ 또는 $x=65$

그런데 $0<x<30$이므로 $x=5$

따라서 길의 폭을 5 m로 하여야 한다.

13 $f(-2)=-(-2)^2+4\times(-2)-3=-15$

14 꼭짓점의 좌표가 $(1, 0)$이므로 $y=a(x-1)^2$이라 하자.

점 $(3, 2)$를 지나므로 $2=a(3-1)^2$, $a=\dfrac{1}{2}$

$\therefore y=\dfrac{1}{2}(x-1)^2$

15 $y=-2(x-3)^2+5$의 그래프가 점 $(2, k)$를 지나므로

$k=-2(2-3)^2+5=3$

16 x축에 대하여 대칭이동한 그래프의 식은 $y=-(x-2)^2-1$

y축의 방향으로 1만큼 평행이동한 그래프의 식은

$y=-(x-2)^2-1+1=-(x-2)^2$

따라서 구하는 꼭짓점의 좌표는 $(2, 0)$

17 $y=-2(x+1)^2+3=-2x^2-4x+1$이므로

$a=-2$, $b=-4$, $c=1$

$\therefore a+b+c=-2+(-4)+1=-5$

18 ① $(0, 0)$ ② $(1, 0)$ ③ $(-1, 0)$

④ $y=\dfrac{1}{2}x^2-3x+\dfrac{9}{2}=\dfrac{1}{2}(x-3)^2$이므로 $(3, 0)$

⑤ $y=3x^2-6x-1=3(x-1)^2-4$이므로 $(1, -4)$

19 $y=-x^2+2x-4=-(x-1)^2-3$

따라서 축의 방정식은 $x=1$

20 그래프가 아래로 볼록하므로 $a>0$

축이 y축의 오른쪽에 있으므로 b는 a와 다른 부호이다. 즉, $b<0$

y축과의 교점이 x축의 위쪽에 있으므로 $c>0$

$\therefore a>0, b<0, c>0$

21 $y=a(x-2)^2-3=ax^2-4ax+4a-3$의 그래프가

제3사분면을 지나지 않으므로

(i) $a>0$

(ii) (y축과의 교점의 y좌표)$=4a-3\geq0$, $a\geq\dfrac{3}{4}$

따라서 (i), (ii)에서 $a\geq\dfrac{3}{4}$

22 $y=x^2-4kx-8k+15=(x-2k)^2-4k^2-8k+15$

꼭짓점의 좌표는 $(2k, -4k^2-8k+15)$

조건 Ⅰ에 의해서

$-4k^2-8k+15=3$, $4k^2+8k-12=0$, $k^2+2k-3=0$

$(k+3)(k-1)=0$ $\therefore k=-3$ 또는 $k=1$

축의 위치는 y축의 왼쪽에 있어야 하므로 $2k<0$ $\therefore k<0$

따라서 조건을 만족하는 k의 값은 -3이다.

23 이차방정식 $ax^2+bx+c=0$이 서로 다른 두 근을 가지려면

$b^2-4ac>0$이어야 한다.　　　　　　　　　　…… ❶

$(-5)^2-4\times1\times(2m-1)>0$이어야 하므로

$25-8m+4>0$, $-8m>-29$ $\therefore m<\dfrac{29}{8}$　…… ❷

따라서 상수 m의 값 중 가장 큰 정수는 3이다.　…… ❸

채점 기준	배점
❶ 이차방정식이 서로 다른 두 근을 가지기 위한 조건 알기	3점
❷ 상수 m의 값의 범위 구하기	2점
❸ 상수 m의 값 중 가장 큰 정수 구하기	2점

24 $y=0$을 대입하면 $3x^2-5x-2=0$, $(3x+1)(x-2)=0$

$\therefore x=-\dfrac{1}{3}$ 또는 $x=2$

$\therefore m=-\dfrac{1}{3}$, $n=2\ (\because m<n)$　　　　　…… ❶

$x=0$을 대입하면 $y=3\times0^2-5\times0-2=-2$

$\therefore k=-2$　　　　　　　　　　　　　…… ❷

$\therefore m+n+k=-\dfrac{1}{3}+2+(-2)=-\dfrac{1}{3}$　…… ❸

채점 기준	배점
❶ m, n의 값을 각각 구하기	3점
❷ k의 값 구하기	3점
❸ $m+n+k$의 값 구하기	2점

25 점 C의 x좌표는 점 A와 점 B의 중점의 x좌표와 같으므로

$\dfrac{-1+3}{2}=1$

점 C의 y좌표를 k라 하면 $\dfrac{1}{2}\times4\times k=8$이므로 $2k=8$에서 $k=4$

$\therefore$ C$(1, 4)$　　　　　　　　　　　　…… ❶

$y=a(x-1)^2+4$의 그래프가 점 $(-1, 0)$을 지나므로

$0=a(-1-1)^2+4$, $4a=-4$ $\therefore a=-1$

따라서 $y=-(x-1)^2+4=-x^2+2x+3$이므로 $b=2$, $c=3$　…… ❷

$\therefore abc=(-1)\times2\times3=-6$　　　　…… ❸

채점 기준	배점
❶ 점 C의 좌표 구하기	4점
❷ a, b, c의 값을 각각 구하기	3점
❸ abc의 값 구하기	1점

5 회 104쪽~107쪽

01 ③	02 ②	03 ③	04 ④	05 ⑤	06 ④
07 ④	08 ①	09 ⑤	10 ③	11 ④	12 ③
13 ④	14 ②	15 ㄴ, ㄹ	16 ③	17 ⑤	18 ④
19 ③	20 ④	21 $y=-x^2-6x+1$	22 ②	23 -5	
24 8일	25 8				

01 $(3x-1)(ax+2)=-4x^2+3x$,
$3ax^2+(-a+6)x-2=-4x^2+3x$
$(3a+4)x^2+(-a+3)x-2=0$
$3a+4\neq0$ $\therefore a=-\dfrac{4}{3}$

02 $2x-3\geq3(x-2)$, $2x-3\geq3x-6$, $-x\geq-3$ $\therefore x\leq3$
부등식을 만족하는 자연수 x의 값은 $1, 2, 3$이다.
$x=1$일 때, $(1-3)^2=4\neq1$(거짓)
$x=2$일 때, $(2-3)^2=1$(참)
$x=3$일 때, $(3-3)^2=0\neq1$(거짓)
따라서 이차방정식을 만족하는 해는 $x=2$이다.

03 $x=3$을 대입하면 $9a-21+2a-1=0$, $11a=22$, $a=2$
$a=2$를 대입하면 $2x^2-7x+3=0$, $(2x-1)(x-3)=0$
$x=\dfrac{1}{2}$ 또는 $x=3$ $\therefore b=\dfrac{1}{2}$
$\therefore ab=1$

04 $-3x^2+6x+2=0$, $3x^2-6x-2=0$, $x=\dfrac{3\pm\sqrt{15}}{3}$
$A=3$, $B=15$이므로 $A+B=18$

05 $x^2-3x+4a=7x-5$, $x^2-10x+4a+5=0$에서
$4a+5=\left(\dfrac{-10}{2}\right)^2=25$, $4a=20$ $\therefore a=5$

06 $(3x+2)(x+6)=0$, $3x^2+20x+12=0$에서 $a=20$, $b=12$
$x^2-12x+20=0$, $(x-2)(x-10)=0$
$\therefore x=2$ 또는 $x=10$

07 $b^2-4ac\geq0$이어야 하므로
$(-8)^2-4\times(2+k)\times4\geq0$, $64-32-16k\geq0$
$-16k\geq-32$ $\therefore k\leq2$

08 $(2x+1)^2+2(2x+1)-15=0$에서 $2x+1=A$라고 하면
$A^2+2A-15=0$, $(A-3)(A+5)=0$
$A=3$ 또는 $A=-5$
즉, $2x+1=3$ 또는 $2x+1=-5$
$\therefore x=1$ 또는 $x=-3$
따라서 두 근이 곱은 -3이다.

09 $x(x+1)=420$, $x^2+x-420=0$, $(x-20)(x+21)=0$
$\therefore x=20$ 또는 $x=-21$
그런데 x는 자연수이므로 $x=20$
따라서 두 면의 쪽수의 합은 $20+21=41$

10 $-5t^2+10t+150=110$, $5t^2-10t-40=0$
$t^2-2t-8=0$, $(t-4)(t+2)=0$
$\therefore t=-2$ 또는 $t=4$
그런데 $t>0$이므로 $t=4$
따라서 물체의 높이가 110 m가 되는 것은 쏘아 올린 지 4초 후이다.

11 처음 원의 반지름의 길이를 x cm라 하면
늘인 원의 반지름의 길이를 $(x+3)$ cm이므로
$\pi(x+3)^2=\dfrac{9}{4}\pi x^2$, $4(x+3)^2=9x^2$, $4x^2+24x+36=9x^2$
$5x^2-24x-36=0$, $(x-6)(5x+6)=0$ $\therefore x=6(\because x>0)$
따라서 처음 원의 반지름의 길이는 6 cm이다.

12 $f(1)=2+a+b=4$, $a+b=2$ $\cdots\bigcirc$
$f(-2)=8-2a+b=19$, $-2a+b=11$ $\cdots\bigcirc\!\!\bigcirc$
$\bigcirc$, $\bigcirc\!\!\bigcirc$을 연립하여 풀면 $a=-3$, $b=5$
$\therefore a+2b=-3+2\times5=7$

13 $x=m$, $y=-3$을 대입하면 $-3=-\dfrac{1}{3}(m+2)^2$, $(m+2)^2=9$
$m+2=\pm3$, $m=-5$ 또는 $m=1$ $\therefore m=1(\because m>0)$
$x=0$, $y=n$을 대입하면 $n=-\dfrac{1}{3}(0+2)^2$ $\therefore n=-\dfrac{4}{3}$
따라서 $m+n=-\dfrac{1}{3}$

14 $y=(x-3+1)^2+4-5=(x-2)^2-1$에서
x의 값이 증가할 때, y의 값도 증가하는 x의 값의 범위는 $x>2$이다.

15 이차함수 $y=a(x-p)^2+q$의 그래프가 오른쪽 그래프
와 같이 제1, 2사분면을 지나므로 $a>0$이고, 꼭짓점
이 y축의 왼쪽에 있으므로 $p<0$, $q>0$이다.
ㄴ. $p<0$, $q>0$이므로 $pq<0$
ㄷ. $x=0$을 대입하면 $a(0-p)^2+q=ap^2+q>0$
ㄹ. $a>0$, $q>0$이므로 $a+q>0$

16 $y=-3(x+p)^2+3p^2$의 그래프의 꼭짓점의 좌표는 $(-p, 3p^2)$
이 점이 $y=5x+2$의 그래프 위에 있으므로
$3p^2=-5p+2$, $3p^2+5p-2=0$, $(3p-1)(p+2)=0$
$\therefore p=\dfrac{1}{3}(\because p>0)$

17 ⑤ 위로 볼록하고 꼭짓점의 좌표가 $(-2, 5)$, y축과 만나는 점의
y좌표가 0보다 큰 그래프이므로 모든 사분면을 지난다.

18 $y=-2x^2+12x-13=-2(x-3)^2+5$
축의 방정식은 $x=3$
꼭짓점의 좌표는 $(3, 5)$
$\therefore a=3$, $b=3$, $c=5$
$\therefore a+b+c=3+3+5=11$

19 $y=-2x^2+4x-6=-2(x-1)^2-4$
$y=-2x^2-8x-9=-2(x+2)^2-1$
x축의 방향으로 -3만큼, y축의 방향으로 3만큼 평행이동한 것이다.
$m=-3$, $n=3$이므로 $m+n=-3+3=0$

20 $y=-3x^2+24x-45=-3(x-4)^2+3$에서 꼭짓점의 좌표는 $(4, 3)$

$y=\dfrac{1}{2}x^2+ax+b=\dfrac{1}{2}(x-4)^2+3=\dfrac{1}{2}x^2-4x+11$

따라서 $a=-4$, $b=11$이므로 $b-a=11-(-4)=15$

채점 기준	배점
❶ $y=\dfrac{1}{4}x^2+x$를 $y=a(x-p)^2+q$의 꼴로 만들기	2점
❷ 평행이동한 그래프의 식 구하기	2점
❸ $y=0$을 대입하여 x축과 만나는 두 점의 좌표 구하기	2점
❹ 두 점 사이의 거리 구하기	2점

21 축의 방정식이 $x=-3$이므로

$y=a(x+3)^2+q$라고 하면

$x=1$, $y=-6$을 대입하면 $16a+q=-6$

$x=-1$, $y=6$을 대입하면 $4a+q=6$

두 식을 연립하면 $a=-1$, $q=10$이므로 $y=-(x+3)^2+10$

$\therefore y=-x^2-6x+1$

22 두 점 $(0, 0)$, $(4, 0)$을 지나므로 $b=4$, $c=0$

$y=-x^2+4x=-(x-2)^2+4$이므로 $\mathrm{A}(2, 4)$

$\therefore \triangle\mathrm{AOB}=\dfrac{1}{2}\times 4\times 4=8$

23 혜원이는 해가 -4, 6이 나왔으므로

$(x+4)(x-6)=0$, $x^2-2x-24=0$

현수는 해가 -7, 2가 나왔으므로

$(x+7)(x-2)=0$, $x^2+5x-14=0$ ······ ❶

따라서 올바른 이차방정식은 $x^2+5x-24=0$, $(x+8)(x-3)=0$

$\therefore x=-8$ 또는 $x=3$ ······ ❷

따라서 두 근의 합은 -5이다. ······ ❸

채점 기준	배점
❶ 혜원이와 현수가 푼 이차방정식 각각 구하기	3점
❷ 올바른 이차방정식의 해 구하기	3점
❸ 두 근의 합 구하기	2점

24 이달의 셋째 주 수요일의 날짜를 x일이라 하면

넷째 주 수요일의 날짜는 $(x+7)$일이므로

$x(x+7)=330$, $x^2+7x-330=0$ ······ ❶

$(x-15)(x+22)=0$, $x=15$ 또는 $x=-22$

x는 자연수이므로 셋째 주 수요일의 날짜는 15일이고 ······ ❷

둘째 주 수요일의 날짜는 $15-7=8$(일)이다. ······ ❸

채점 기준	배점
❶ 조건을 만족하는 이차방정식 세우기	3점
❷ 셋째 주 수요일의 날짜 구하기	3점
❸ 둘째 주 수요일의 날짜 구하기	1점

25 $y=\dfrac{1}{4}x^2+x=\dfrac{1}{4}(x+2)^2-1$ ······ ❶

x축의 방향으로 4만큼, y축의 방향으로 -3만큼 평행이동하면

$y=\dfrac{1}{4}(x-4+2)^2-1-3$ $\therefore y=\dfrac{1}{4}(x-2)^2-4$ ······ ❷

$y=\dfrac{1}{4}(x-2)^2-4$에서 $y=0$을 대입하면

$0=\dfrac{1}{4}(x-2)^2-4$, $(x-2)^2-16=0$, $x^2-4x-12=0$,

$(x-6)(x+2)=0$

x축과 만나는 두 점의 좌표는 $(-2, 0)$, $(6, 0)$이다. ······ ❸

따라서 두 점 사이의 거리는 8이다. ······ ❹

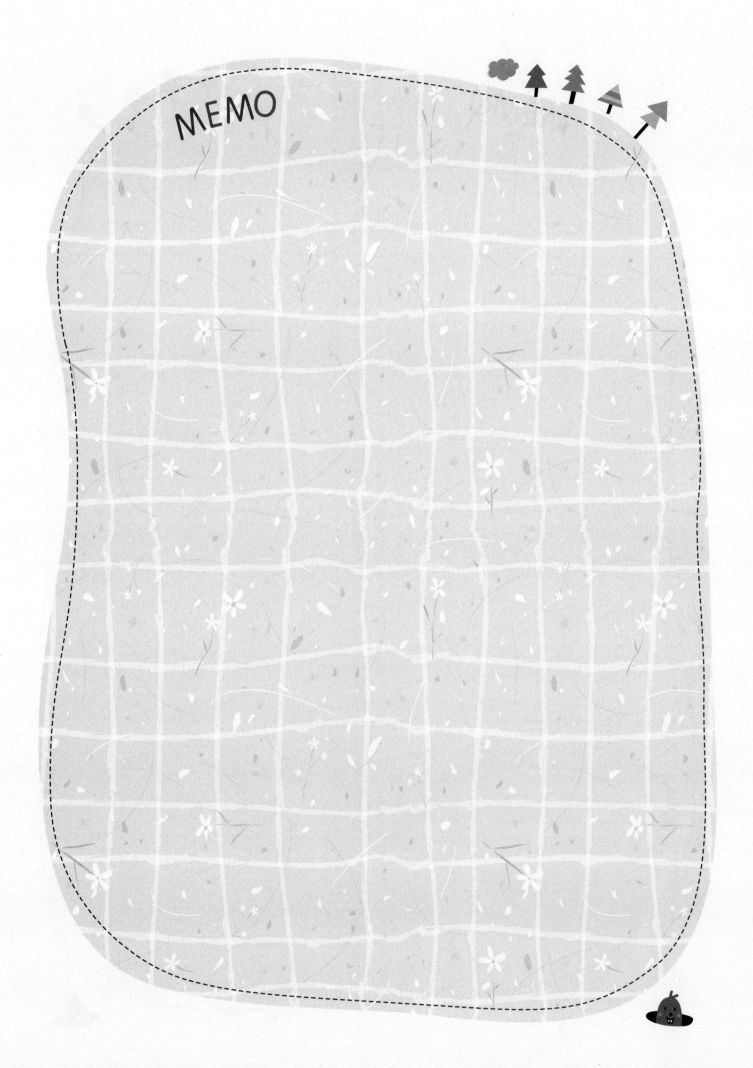

MEMO

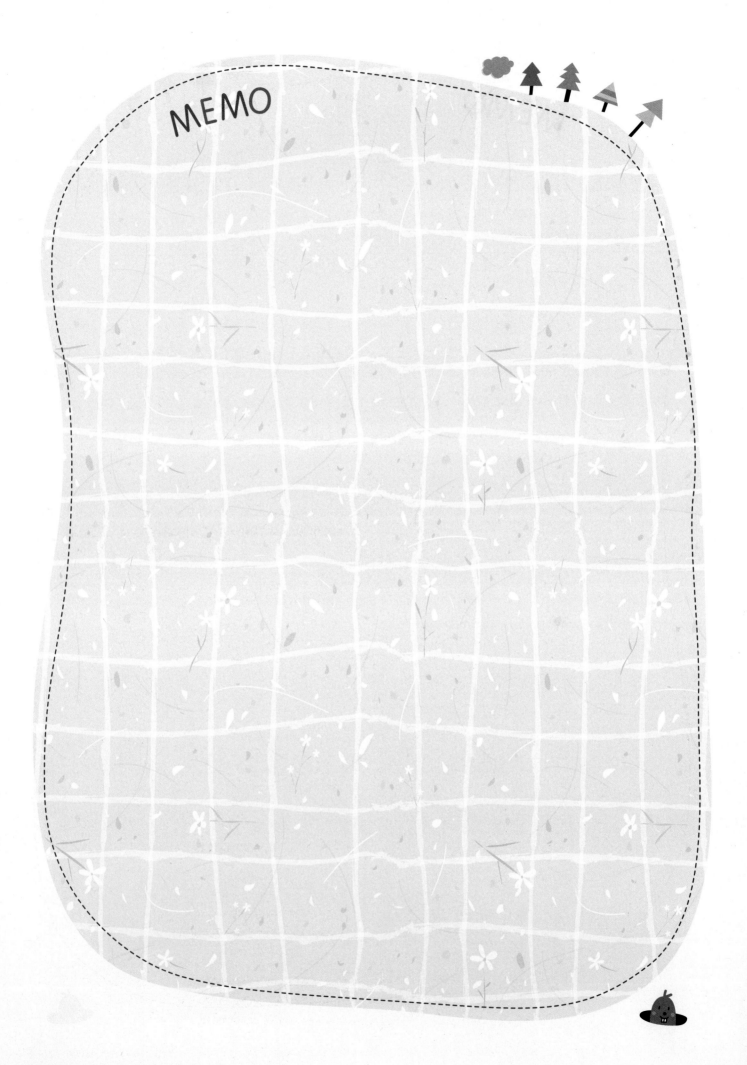

MEMO

실전에 강한 절대 공부 감각

절대
공감

새로운 개정 교육과정 반영

BEST 유형 + BEST 기출 총망라

내신 UP

기말고사
정답 및 해설

(주)에듀왕
www.왕수학.com

기말고사대비

절대공부감각 내신업

www.왕수학.com